As 5 linguagens *do* amor

NA PRÁTICA

GARY CHAPMAN

As 5 linguagens do amor
NA PRÁTICA

365 LEITURAS PARA REFLEXÃO E APLICAÇÃO

Traduzido por Emirson Justino

MUNDO CRISTÃO

Copyright © 2009 por Gary Chapman
Publicado originalmente por Tyndale House Publishers, Carol Stream, Illinois, EUA.

Os textos bíblicos foram extraídos da *Nova Versão Transformadora* (NVT), da Tyndale House Foundation, salvo indicação específica.

Todos os direitos reservados e protegidos pela Lei 9.610, de 19/02/1998.

É expressamente proibida a reprodução total ou parcial deste livro, por quaisquer meios (eletrônicos, mecânicos, fotográficos, gravação e outros), sem prévia autorização, por escrito, da editora.

Edição
Daniel Faria

Revisão
Ana Luiza Ferreira

Produção e diagramação
Felipe Marques

Colaboração
Marina Timm

Capa
Jonatas Belan

CIP-Brasil. Catalogação na publicação
Sindicato Nacional dos Editores de Livros, RJ

C432c

Chapman, Gary D., 1938-
  As 5 linguagens do amor na prática : 365 leituras para reflexão e aplicação / Gary Chapman ; tradução Emirson Justino. - 1. ed. - São Paulo : Mundo Cristão, 2023.

  Tradução de: The one year love language minute devotional.
  ISBN 978-65-5988-227-4

  1. Literatura devocional. 2. Amor - Aspectos religiosos - Cristianismo. 3. Comunicação no casamento. 4. Devoções diárias. I. Justino, Emirson. II. Título.

23-84418
CDD: 248.4
CDU: 27-584

Gabriela Faray Ferreira Lopes - Bibliotecária - CRB-7/6643

Publicado no Brasil com todos os direitos reservados por:
Editora Mundo Cristão
Rua Antônio Carlos Tacconi, 69
São Paulo, SP, Brasil
CEP 04810-020
Telefone: (11) 2127-4147
www.mundocristao.com.br

Categoria: Devocional
1ª edição: setembro de 2009 (sob o título *Linguagens do amor*)
Nova edição: setembro de 2023 | 1ª reimpressão: 2024

Introdução

Tenho o privilégio de aconselhar casais há mais de quarenta anos, e nesse tempo já testemunhei uma amostra significativa de problemas conjugais. Outra coisa que também tenho visto repetidas vezes, porém, é o poder de Deus para transformar relacionamentos. Quando duas pessoas se dedicam uma à outra — e especialmente quando se empenham em comunicar amor uma à outra por meio das cinco linguagens do amor —, mudanças positivas acontecem.

Devido a meu histórico com aconselhamento conjugal, minha tendência é usar a linguagem do casamento quando escrevo. Algumas das questões que abordo são específicas da vida conjugal. Contudo, se vocês estão namorando ou já ficaram noivos, espero que também leiam este livro. Existe igualmente muita informação útil para vocês. Os tijolos que compõem o alicerce do casamento — como boa comunicação, respeito, amor incondicional e perdão — são fundamentais para qualquer relacionamento romântico. Aprender a identificar e falar a linguagem do amor de quem se ama trará benefícios ao casal independentemente do ponto onde estiver.

Vocês podem usar este devocional individualmente ou sentar-se juntos como casal para lê-lo todos os dias. Usem a oração sugerida no final de cada meditação como ponto de partida para sua própria oração, quer orem juntos silenciosamente quer em voz alta, um por vez. Com apenas um minuto ou dois de cada dia, vocês encontrarão *insights* bíblicos encorajadores.

Firme ou turbulento, estável ou desafiador, seja como estiver seu relacionamento, minha oração é que este devocional os incentive e lhes dê alegria renovada um no outro. Que seu relacionamento seja fortalecido neste ano à medida que se focam em amar e crescer juntos.

GARY CHAPMAN

As 5 linguagens do amor
NA PRÁTICA

Comunicando amor

1º JANEIRO

DEVOCIONAL 1

> Três coisas, na verdade, permanecerão: a fé, a esperança e o amor, e a maior delas é o amor. Que o amor seja o seu maior objetivo!
>
> 1CORÍNTIOS 13.13–14.1

Depois de décadas aconselhando casais, estou convencido de que existem cinco maneiras diferentes de falar e entender o amor emocional — trata-se das cinco linguagens do amor. Cada pessoa tem uma linguagem do amor predominante; uma das cinco linguagens nos fala de modo mais profundo que as outras quatro.

Raramente o marido e a esposa têm a mesma linguagem do amor. A tendência é falarmos nossa própria linguagem e, como resultado, falhamos completamente um com o outro. Sim, somos sinceros. Estamos expressando amor, mas não estamos nos conectando emocionalmente.

Parece familiar? O amor não precisa diminuir com o passar do tempo. O final do famoso "capítulo ao amor" da Bíblia, 1Coríntios 13, diz que o amor é de grande valor e durará para sempre. De fato, o apóstolo Paulo diz que o amor deve ser nosso maior objetivo. No entanto, para manter o amor vivo, você precisa aprender uma nova linguagem. Isso exige disciplina e prática, mas a recompensa é um relacionamento duradouro e de profunda dedicação.

ORAÇÃO

Senhor, obrigado por teres criado cada um de nós de maneira tão distinta. Não me deixes pressupor que meu cônjuge pensa e sente do mesmo modo que eu. Peço-te que me dês paciência para descobrir como me comunicar de maneira mais eficaz com meu cônjuge.

APLICAÇÃO

JANEIRO 2
DEVOCIONAL 2

Aprendendo as linguagens do amor

> Amados, visto que Deus tanto nos amou, certamente devemos amar uns aos outros. Ninguém jamais viu a Deus. Mas, se amamos uns aos outros, Deus permanece em nós, e seu amor chega, em nós, à expressão plena.
>
> 1JOÃO 4.11-12

ORAÇÃO

Pai, ajuda-me a estudar meu cônjuge. Quero saber como expressar melhor meu amor. Peço-te que me dês sabedoria à medida que eu procuro descobrir qual é a linguagem do amor da pessoa a quem amo.

APLICAÇÃO

Minhas pesquisas indicam que existem cinco linguagens básicas do amor:

- *Palavras de afirmação:* usar palavras positivas para incentivar quem você ama.
- *Presentes:* dar presentes que mostrem que você estava pensando na pessoa.
- *Atos de serviço:* fazer algo que você sabe que a outra pessoa aprecia.
- *Tempo de qualidade:* dar atenção completa.
- *Toque físico:* segurar as mãos, beijar, abraçar, colocar as mãos no ombro ou qualquer outro toque positivo.

Todos nós temos uma linguagem do amor predominante. Uma dessas cinco linguagens nos fala de modo mais profundo que as outras. Você sabe qual é a sua linguagem do amor? Sabe qual é a do seu cônjuge?

Muitos casais amam sinceramente um ao outro, mas não comunicam seu amor de maneira eficiente. Se você não fala a principal linguagem do amor de seu cônjuge, talvez ele não se sinta amado, mesmo quando você estiver demonstrando amor de outras maneiras.

A Bíblia deixa claro que precisamos amar uns aos outros como Deus nos ama. O apóstolo João escreveu que o amor de Deus pode chegar à "expressão plena" em nós. Se isso é verdade para a igreja em geral, é uma verdade muito maior para o casal! Descobrir como a pessoa a quem você ama se sente amada é um passo importante para expressar amor de maneira eficaz.

Seguindo as pistas

3 JANEIRO
DEVOCIONAL 3

> Por isso, agora eu lhes dou um novo mandamento: Amem uns aos outros. Assim como eu os amei, vocês devem amar uns aos outros. Seu amor uns pelos outros provará ao mundo que são meus discípulos.
>
> JOÃO 13.34-35

O que seu cônjuge lhe pede com mais frequência? Essa normalmente é uma indicação da linguagem do amor da pessoa. Você pode ter interpretado esses pedidos como uma chateação, mas, na verdade, seu cônjuge está lhe dizendo o que o faz sentir-se amado.

Se, por exemplo, seu parceiro lhe pede repetidamente que deem uma caminhada após o jantar, façam um piquenique, desliguem a tevê e conversem ou passem o fim de semana juntos em algum lugar, fica claro que esses pedidos refletem o desejo de ter um tempo de qualidade. Uma esposa me disse: "Sinto-me negligenciada, não me sinto amada, pois meu marido raramente passa tempo comigo. Ele me dá ótimos presentes de aniversário e fica se perguntando por que não fico feliz com eles. Presentes significam pouca coisa quando você não se sente amada". O marido dela era sincero e estava tentando demonstrar seu amor, mas não estava falando a linguagem do amor da esposa.

Como vimos nos versículos acima, Jesus instruiu seus discípulos a amarem uns aos outros como ele os havia amado. Como Deus nos ama? De maneira perfeita e com entendimento completo. Ele nos conhece e sabe como podemos experimentar seu amor. É claro que jamais conseguiremos amar de modo perfeito deste lado do céu. Mas descobrir a linguagem do amor de seu cônjuge é um importante passo na direção certa.

○ ORAÇÃO

Senhor, eu te agradeço porque me conheces de modo perfeito e me amas de modo perfeito. Ajuda-me a pensar atentamente naquilo que meu cônjuge me pede com frequência. Dá-me sabedoria para interpretar tais pedidos do jeito correto, de modo que possa comunicar-lhe amor de uma maneira melhor.

○ APLICAÇÃO

JANEIRO 4

DEVOCIONAL 4

Revelando-se no casamento

> O Senhor faz justiça e defende a causa dos oprimidos. Revelou seus planos a Moisés e seus feitos, aos israelitas.
>
> SALMOS 103.6-7

ORAÇÃO

Pai, ajuda-me a ter em mente que revelar mais de mim mesmo é o primeiro passo rumo a uma maior intimidade com a pessoa a quem amo. Obrigado por te revelares a nós, e dá-me a coragem para mostrar mais de mim mesmo a meu cônjuge.

APLICAÇÃO

O que você sabe sobre a arte da autorrevelação? Tudo começou com Deus. Ele se revelou a nós por meio dos profetas, das Escrituras e, de maneira suprema, por meio de Cristo. Como os versículos acima mencionam, ele se revelou aos antigos israelitas por meio dos atos que realizou. Eles o viram guiando-os para fora do Egito, rumo à terra prometida, e conforme viam tais feitos foram aprendendo sobre ele. Se Deus não tivesse escolhido a autorrevelação, não o conheceríamos.

O mesmo princípio é verdadeiro no casamento. A autorrevelação nos permite conhecer as ideias, os desejos, as frustrações e as alegrias um do outro. Para resumir, é a estrada que leva à intimidade. Sem autorrevelação não há intimidade. Sendo assim, como aprendemos a arte da autorrevelação?

Você pode começar aprendendo a falar por si mesmo. Os especialistas em comunicação costumam explicar isso como o uso de declarações do tipo "eu" em lugar de declarações do tipo "você". Por exemplo: "Eu estou desapontada por você não ir ao jantar de aniversário de minha mãe" é muito diferente de "Você me desapontou de novo por não ir ao jantar de aniversário de minha mãe". Quando se concentra em sua reação, você revela suas próprias emoções. Concentrar-se nas ações da outra pessoa estabelece culpa. Declarações do tipo "você" incentivam discussões. Declarações do tipo "eu" incentivam a comunicação.

Expressando sentimentos

5 JANEIRO
DEVOCIONAL 5

> Há um momento certo para tudo, um tempo para cada atividade debaixo do céu. [...] Tempo de chorar, e tempo de rir; tempo de entristecer, e tempo de dançar.
>
> ECLESIASTES 3.1,4

Algumas pessoas se perguntam por que haveriam de compartilhar seus sentimentos com o cônjuge. A verdade é que, se você não os compartilhar abertamente, é muito provável que seus sentimentos se mostrarão, de um modo ou de outro, por meio de seu comportamento. Contudo, a pessoa a quem você ama não terá a mínima ideia da razão pela qual você está se comportando daquele modo. É nesse momento que você ouve a famosa pergunta: "Há algo errado?". Seu cônjuge sabe que alguma coisa está errada, mas não sabe o quê.

As emoções são uma parte natural da vida. O rei Salomão escreveu em Eclesiastes que há um tempo para tudo, incluindo alegria e tristeza, pranto e festa. Todos os sentimentos têm lugar em nossa vida, e muitos deles dizem muito sobre nós. Em sua maior parte, estão ligados a alguma experiência que tivemos no passado ou que estamos vivenciando agora. Da próxima vez que se sentir desapontado, pergunte a si mesmo: "O que provocou meu desapontamento?". Então tente compartilhar seja o que for com seu cônjuge.

Revelar sentimentos permite que seu cônjuge saiba o que está se passando dentro de você — o que você está sentindo e por quê. Você pode dizer, por exemplo: "Estou irritado comigo mesmo porque cheguei em casa tarde na noite passada e perdemos nossa caminhada no parque". Tais palavras podem incentivar seu cônjuge a dizer: "Também estou desapontada. Quem sabe possamos caminhar na quinta-feira à noite". Revelar seus sentimentos cria uma atmosfera de intimidade e confiança.

ORAÇÃO

Senhor, para mim nem sempre é fácil expressar emoções. Ajuda-me a lembrar que guardar meus sentimentos faz que meu cônjuge tente adivinhar a razão de eu estar agindo de determinada maneira. Peço-te que me dês coragem para contar o que estou sentindo. Que isso possa nos aproximar.

APLICAÇÃO

JANEIRO 6

DEVOCIONAL 6

Compartilhando desejos

> A esperança adiada faz o coração ficar doente, mas o sonho realizado é árvore de vida.
>
> PROVÉRBIOS 13.12

ORAÇÃO

Pai, ajuda-me a comunicar meus desejos de maneira mais aberta. Não quero exigir, mas quero revelar mais de mim mesmo, e as coisas que guardo no coração, à pessoa a quem amo. Peço-te que abençoes nosso relacionamento à medida que nos esforçamos para satisfazer os anseios um do outro.

APLICAÇÃO

Nos últimos dias, ao falar sobre revelar-se a si mesmo, analisamos o compartilhamento de experiências e sentimentos. Hoje quero conversar sobre o compartilhamento de desejos. A falha em compartilhar desejos é fonte de muitos desentendimentos e frustrações em qualquer relacionamento romântico. Esperar que seu par satisfaça desejos seus que não foram expressos é pedir o impossível, o que leva à inevitável decepção. Se, por exemplo, você quer que seu cônjuge faça alguma coisa especial no dia do seu aniversário, então manifeste esse desejo. Não espere que a outra pessoa leia sua mente.

Em Provérbios 13.12, o rei Salomão verbalizou, num quadro extraordinário, desejos satisfeitos e não satisfeitos. Naturalmente nem todos os nossos desejos comuns chegam a entristecer nosso coração se não forem cumpridos, mas a ideia básica é que, quando anseios bons e saudáveis são satisfeitos, o resultado só pode ser a alegria. Por que você não faria isso por seu cônjuge? E por que seu cônjuge não faria isso por você?

Fazer que seu cônjuge saiba o que você quer é parte fundamental da autorrevelação. Várias declarações revelam desejos: "Quero...", "Gostaria que...", "Sabe o que me deixaria muito feliz?" ou "Estou com vontade de...". Se você expressar seus desejos, seu cônjuge terá a oportunidade de realizá-los. Você não está exigindo; está apenas pedindo. Não é possível controlar as decisões do outro, mas você pode expressar com clareza aquilo pelo que anseia. É um passo rumo à intimidade.

Explicando o comportamento

7 JANEIRO — DEVOCIONAL 7

> Ó Senhor, tu examinas meu coração e conheces tudo a meu respeito. Sabes quando me sento e quando me levanto; mesmo de longe, conheces meus pensamentos. [...] Esse conhecimento é maravilhoso demais para mim; é grande demais para eu compreender!
>
> SALMOS 139.1-2,6

O trecho acima é um dos mais queridos das Escrituras porque revela que Deus nos conhece por dentro e por fora. Ele conhece os pensamentos, os sentimentos e a razão de fazermos o que fazemos. Não somos capazes de entender esse nível de compreensão, quanto mais reproduzi-lo. Por isso a autorrevelação é tão importante para um casal.

Já conversamos sobre o compartilhamento de desejos e emoções, mas é importante falar também sobre nosso comportamento. Seu cônjuge pode observar seu comportamento, mas não interpretá-lo corretamente a não ser que você o explique. Minha esposa, por exemplo, pode observar que "pesquei" enquanto ela falava comigo. Seria bom dizer a ela algo como: "Cochilei enquanto você falava. Sinto muito. Tomei um comprimido para dor de cabeça e ele me deixou sonolento. Não significa que não quero ouvir o que você tem a dizer". Essa explicação a ajudará a entender corretamente meu comportamento.

Explicar seu comportamento antecipadamente também pode ser útil. "Planejo cortar a grama assim que voltar do jogo. Tudo bem? Amo você." Agora ela não precisa passar a tarde inteira angustiada com a grama alta enquanto você pratica esporte. Ela sabe o que você pretende fazer.

Revelar algum comportamento passado também pode fornecer informações valiosas a seu cônjuge. "Passei hoje numa loja de móveis e vi um dormitório. Gostei muito dele e acho que está num preço bom. Gostaria que você desse uma olhada." Explicar o que você fez em relação a uma decisão ou a um pedido ajuda seu cônjuge a processar a informação corretamente. Tudo isso promove o entendimento e a intimidade que vocês podem ter como casal.

ORAÇÃO

Senhor Jesus, obrigado por nos conheceres por completo e nos amares assim mesmo. Ajuda-nos, como casal, a ter o desejo de conhecer mais profundamente um ao outro. Peço-te que nos dês ânimo à medida que aprendemos a falar sobre nosso comportamento.

APLICAÇÃO

Onde começa a mudança

> [Jesus disse:] Por que você se preocupa com o cisco no olho de seu amigo enquanto há um tronco em seu próprio olho? [...] Primeiro, livre-se do tronco em seu olho; então você verá o suficiente para tirar o cisco do olho de seu amigo.
>
> MATEUS 7.3,5

ORAÇÃO

Pai, é muito mais fácil concentrar-me nas falhas de meu cônjuge do que lidar com as minhas. Peço-te que me dês coragem para olhar para mim mesmo com honestidade. Ajuda-me a tentar mudar hoje algo que me transforme num parceiro conjugal melhor.

APLICAÇÃO

Como conselheiro de casais, cheguei a uma conclusão: todo mundo quer que seu cônjuge mude. "Poderíamos ter um bom casamento se ele me ajudasse mais com as coisas da casa." "Nosso casamento seria muito bom se ela se dispusesse a fazer sexo mais de uma vez por mês." Ele quer que ela mude, e ela quer que ele mude. O resultado? Ambos se sentem acusados e ressentidos.

As palavras de Jesus no capítulo 7 de Mateus ilustram vividamente o problema. Achamos que vemos com clareza as falhas dos outros e nos empenhamos em tentar corrigi-las. Mas o fato é que nosso próprio pecado nos cega. Se ainda não tratamos nossas próprias falhas, não há por que criticar as de nosso cônjuge.

Existe uma saída melhor: comece com você mesmo. Admita que não é perfeito. Confesse algumas de suas falhas mais óbvias a seu cônjuge e reconheça que quer mudar. Peça uma sugestão por semana sobre como poderia ser um marido ou uma esposa melhor. Faça mudanças, dando o melhor de si. A probabilidade de seu cônjuge corresponder é enorme.

Dando meia-volta

9 JANEIRO
DEVOCIONAL 9

> Naqueles dias, João Batista apareceu no deserto da Judeia e começou a anunciar a seguinte mensagem: "Arrependam-se, pois o reino dos céus está próximo. [...] Provem por suas ações que vocês se arrependeram".
>
> MATEUS 3.1-2,8

Uma mulher me disse recentemente: "Meu marido e eu temos as mesmas velhas discussões sobre os mesmos velhos assuntos. Estamos casados há trinta anos, e estou cansada das desculpas que ele dá. Quero que ele mude". Essa mulher queria que o marido se arrependesse. A palavra *arrependimento* significa "dar meia-volta". No contexto do pedido de desculpas, significa lamentar profundamente a dor que o comportamento causou e optar por mudá-lo.

João Batista pregou dizendo que as pessoas precisavam se arrepender — dar meia-volta, afastar-se de seus pecados e voltar-se para Deus. Quando começou seu ministério, a mensagem de Jesus era a mesma. Como vemos no versículo 8, a prova da mudança do coração está nas ações. Quando Cristo controla o coração, não nos alegramos por repetir os velhos pecados. Em vez disso, buscamos ajuda divina para mudar nosso modo de agir.

Quando ferimos o cônjuge, devemos reconhecer que aquilo que fizemos é errado e que não basta pedir desculpas para acertar as coisas. Também precisamos elaborar um plano para mudar as ações de modo que não voltemos a ferir a pessoa a quem amamos. Haveria razão para não fazê-lo no relacionamento mais íntimo? O arrependimento é parte vital de um genuíno pedido de desculpas.

ORAÇÃO

Senhor, sei que preciso fazer mais do que apenas pedir desculpas. Preciso afastar-me de meus padrões errados de relacionamento com a pessoa a quem amo. Quero mudar, mas preciso da tua ajuda. Dá-me força para me arrepender.

APLICAÇÃO

Decididos a mudar

> Arrependam-se e afastem-se de seus pecados, e não permitam que eles os derrubem. Deixem toda a sua rebeldia para trás e busquem um coração novo e um espírito novo.
>
> EZEQUIEL 18.30-31

ORAÇÃO

Pai, que promessa maravilhosa é a de que podes dar-me um coração novo e um espírito novo. Muda meu coração, ó Deus, e ajuda-me a mudar meu comportamento. Quero transmitir isso à pessoa a quem amo de modo que ela possa ter plena confiança em mim.

APLICAÇÃO

Todos nós precisamos aprender a pedir perdão, por uma razão muito simples: somos todos pecadores. De tempos em tempos todos nós ferimos as pessoas a quem mais amamos. Quando pedimos desculpas, esperamos ser perdoados pela pessoa a quem ofendemos. Podemos facilitar isso ao incluir em nosso pedido de desculpas uma palavra de arrependimento ou de mudança. Como disse uma mulher: "Não quero apenas ouvir palavras; quero ver mudanças. Quando ele der sinais de que tem intenção de mudar, estarei sempre disposta a perdoá-lo".

Todo arrependimento verdadeiro começa no coração. A decisão de mudar mostra que não estamos mais dando desculpas ou minimizando nosso comportamento. Em vez disso, estamos aceitando a plena responsabilidade por nossas ações. Como diz o texto bíblico citado acima, estamos nos livrando de nosso comportamento pecaminoso e buscando "um coração novo e um espírito novo". Somente Deus pode nos dar isso. Ele pode renovar em nós um desejo de mudar nosso modo de agir. Pode nos ajudar a fazer melhor da próxima vez. Quando compartilhamos nosso desejo de mudar, a parte ofendida tem um vislumbre de nosso coração. Isso frequentemente leva ao perdão.

Desculpas eficientes

11 JANEIRO
DEVOCIONAL 11

> Quem oculta seus pecados não prospera; quem os confessa e os abandona recebe misericórdia.
>
> PROVÉRBIOS 28.13

Desculpas eficientes exigem uma disposição de mudar o comportamento. O texto de Provérbios 28.13 deixa claro que não podemos esperar um bom resultado quando não admitimos nossos erros — seja diante de Deus, seja diante do cônjuge. Mas quando de fato admitimos ("confessar") as coisas perturbadoras que fazemos e elaboramos um plano para deixar de fazê-las ("abandonar"), o perdão se torna possível.

Lembro-me de Joel, cuja esposa, Joyce, era extremamente negativa. O que quer que Joel fizesse, Joyce sempre discordava dele. Em nossas sessões de aconselhamento, descobri que Joyce via tudo como bom ou ruim, certo ou errado. Assim, ao discordar de Joel, a questão não era uma simples diferença de opinião: a ideia dele só podia estar errada.

Levou um tempo, mas, por fim, Joyce desculpou-se por sua atitude negativa e criou um plano para mudá-la. Ela aprendeu a dizer: "Essa é uma maneira interessante de ver a questão", ou "Posso levar isso em consideração". Aprendeu a expressar suas ideias como opiniões em vez de dogmas. Aprendeu a dizer: "Minha visão sobre isso é...". Joel perdoou Joyce tranquilamente quando viu que ela estava de fato tentando mudar. Desculpas eficientes podem salvar casamentos.

ORAÇÃO

Deus, é difícil admitir meus padrões errados, mas sei que feri meu cônjuge da mesma maneira repetidas vezes. Peço-te que me dês coragem para confessar esses erros e abandoná-los. E quando a pessoa a quem amo fizer o mesmo, ajuda-me a ministrar graça e perdoar.

APLICAÇÃO

Dividindo o trabalho

DEVOCIONAL 12 — JANEIRO 12

> É melhor serem dois que um, pois um ajuda o outro a alcançar o sucesso. Se um cair, o outro o ajuda a levantar-se. Mas quem cai sem ter quem o ajude está em sérios apuros.
>
> ECLESIASTES 4.9-10

Lá em casa, sou eu quem passa o aspirador e lava a louça. O que você faz na sua casa? "Quem fará o quê?" é uma pergunta que todo casal deve responder. Em minha opinião, os dons e habilidades de cada pessoa devem ser levados em conta. Um pode ser mais qualificado do que o outro para certas tarefas. Por que não usar o parceiro mais qualificado nessa área específica?

Isso não significa que, assim que a pessoa aceitar a responsabilidade, o outro jamais oferecerá ajuda para a realização da tarefa. O amor procura ajudar e frequentemente o faz. Em Eclesiastes, o rei Salomão escreveu claramente sobre o valor do trabalho em equipe. Como casal, podemos realizar mais coisas juntos do que faríamos como dois indivíduos porque estamos dispostos a ajudar um ao outro. As Escrituras não nos dizem exatamente quem deve fazer o quê, mas elas nos incentivam a concordar sobre a resposta.

O profeta Amós perguntou certa vez: "Acaso duas pessoas podem andar juntas se não estiverem de acordo?" (3.3). A resposta é: "Por pouco tempo e não muito bem". Quero incentivá-los a continuar negociando até que ambos se sintam bem em relação àquilo que cada um fará em casa.

ORAÇÃO

Senhor, obrigado porque meu cônjuge e eu conseguimos trabalhar como uma equipe. Ajuda-nos a encontrar as melhores tarefas para cada um de nós e a apoiar um ao outro enquanto trabalhamos para alcançar o mesmo objetivo.

APLICAÇÃO

Compartilhando o objetivo

> Por fim, o muro foi reconstruído até metade de sua altura ao redor de toda a cidade, pois o povo trabalhou com entusiasmo.
>
> NEEMIAS 4.6

Qual é seu objetivo compartilhado como casal? Talvez seja uma casa que funcione bem, um relacionamento harmonioso e uma vida com senso de equidade. Recentemente uma mulher estava no meu gabinete reclamando que o marido não a ajudava com as responsabilidades da casa. "Nós dois trabalhamos fora", disse ela. "Mas ele espera que eu faça todas as coisas de casa enquanto ele fica relaxando e vendo televisão. Bem, talvez eu precise relaxar um pouco também." Está claro que esse casal não havia definido seu objetivo compartilhado.

Nem todos os jogadores de uma equipe esportiva desempenham as mesmas tarefas, mas todos de fato possuem o mesmo objetivo. Foi isso o que aconteceu quando Neemias liderou os israelitas na reconstrução do muro em torno de Jerusalém. Alguns deles reconstruíram os portões, outros carregaram material e outros ainda montaram guarda, protegendo a obra daqueles que queriam sabotá-la. Os indivíduos tinham tarefas distintas, mas estavam unidos em seu objetivo final: tornar a cidade de Jerusalém segura outra vez.

Se quisermos harmonia e intimidade em nosso relacionamento, cada um de nós precisará fazer sua parte na obra. Um cônjuge que se sente explorado provavelmente não terá interesse em intimidade. Pergunte a seu cônjuge: "Você acha que formamos uma boa equipe aqui em casa?". Deixe que a resposta guie suas ações.

ORAÇÃO

Deus Pai, obrigado pelo grande exemplo de trabalho em equipe que nos apresentaste no livro de Neemias. Quero manter nosso objetivo final em mente enquanto meu cônjuge e eu negociamos as tarefas de casa. Ajuda-me a fazer minha parte com disposição e amor.

APLICAÇÃO

JANEIRO 14

DEVOCIONAL 14

Satisfação sexual mútua

> O homem recém-casado não será recrutado para o serviço militar nem receberá nenhuma outra responsabilidade oficial. Estará livre para passar um ano em casa, proporcionando alegria à mulher com quem se casou.
>
> DEUTERONÔMIO 24.5

Duas perguntas bastante comuns na minha prática de aconselhamento são "Como consigo que minha esposa faça sexo com mais frequência?" e "Como garantir que nós dois gostemos da experiência?". A frequência com que a esposa deseja fazer sexo é influenciada pelo tratamento que recebe do marido. Encontrar satisfação sexual mútua é um processo; não acontece automaticamente. Lemos em Deuteronômio 24.5 que Deus instruiu os israelitas a não atribuírem quaisquer responsabilidades oficiais a um homem recém-casado — especialmente aquelas que envolvessem o serviço militar — que pudessem tirá-lo de casa. Durante o primeiro ano de casamento os casados deveriam proporcionar felicidade um ao outro. Podemos concluir que ajudar casais a desenvolver intimidade conjugal era importante para Deus.

Uma das melhores maneiras de aprender sobre intimidade sexual é obter informação de boa qualidade. Sugiro que você e seu cônjuge leiam um capítulo por semana do livro *O sexo é um presente de Deus*, de Clifford e Joyce Penner. No fim da semana, discutam as ideias apresentadas no capítulo. Essa é uma maneira de entender melhor a sexualidade feminina e masculina e descobrir como dar prazer sexual um ao outro.

Sua atitude deve ser sempre de amor, buscando constantemente a satisfação do outro. Compartilhem seus desejos, mas nunca imponham qualquer expressão sexual em particular a seu cônjuge. A comunicação aberta numa atmosfera de amor levará à satisfação sexual mútua.

ORAÇÃO

Pai, obrigado pela dádiva do sexo. Conforme procuramos nos tornar sexualmente próximos, ajuda-nos a valorizar a satisfação do outro como a nossa própria. Guia-nos na demonstração de amor um ao outro por meio do sexo.

APLICAÇÃO

Visão positiva do sexo

> Seu amor é delicioso, minha amiga, minha noiva. Seu amor é melhor que vinho; seu perfume é mais agradável que especiarias.
>
> CÂNTICO DOS CÂNTICOS 4.10

Gostaria de falar sobre transformar o sexo numa alegria mútua. Por favor, perceba a presença da palavra *mútua*. Quando o assunto é sexo, qualquer coisa menor que um profundo senso de satisfação, tanto da parte do marido como da esposa, está abaixo do que Deus planejou. Sendo assim, quais são as orientações que nos levam à satisfação mútua?

A primeira é uma atitude sadia em relação ao sexo. Por inúmeras razões, algumas pessoas têm atitudes bastante negativas quanto à intimidade sexual, mesmo dentro do casamento. A resposta às atitudes negativas começa com um estudo bíblico sobre o sexo. Em 1Coríntios 7, Paulo afirma que o sexo é parte importante do casamento. Se você ler todo o livro de Cântico dos Cânticos, verá que o sexo no casamento é celebrado em detalhes como uma dádiva de Deus. Que esse conhecimento liberte você. Afinal de contas, Jesus disse: "Se vocês permanecerem firmes na minha palavra, [...] conhecerão a verdade, e a verdade os libertará" (Jo 8.31-32).

O segundo passo rumo à mudança em sua atitude é a oração. Peça a Deus que a visão que você tem do sexo seja transformada em algo positivo. Atitudes positivas levam a comportamento positivo.

ORAÇÃO

Pai, tu sabes que às vezes sofro com minha atitude negativa em relação ao sexo. Mas leio em tua Palavra que o sexo é saudável e bom. Ajuda-me a crer nisso de todo o coração. Guia-me à medida que converso com meu cônjuge e tento crescer nessa área de nosso casamento.

APLICAÇÃO

Lidando com o pecado sexual

> Agora, portanto, já não há nenhuma condenação para os que estão em Cristo Jesus. Pois em Cristo Jesus a lei do Espírito que dá vida os libertou da lei do pecado, que leva à morte.
>
> ROMANOS 8.1-2

ORAÇÃO

Senhor, tu sabes o papel que o pecado sexual tem desempenhado em nosso relacionamento. Peço-te que perdoes meus pecados e me ajudes a começar de novo, perdoado e pronto para desenvolver um relacionamento sexual mais sadio com meu cônjuge.

APLICAÇÃO

Uma das realidades da sociedade contemporânea é que muitos casais chegam ao casamento com experiência sexual anterior, seja entre os dois, seja com outros parceiros. Nossa cultura quer que acreditemos que a experiência sexual pré-conjugal prepara melhor as pessoas para o casamento. Contudo, todas as pesquisas indicam o contrário. O fato é que a taxa de divórcio entre aqueles que tiveram experiência sexual anterior é duas vezes mais alta que a daqueles que não tiveram.

A realidade é que muitas vezes a experiência sexual anterior transforma-se numa barreira que impede que o casal alcance intimidade sexual mútua. A resposta cristã a barreiras como essa é confessar a transgressão e perdoar genuinamente um ao outro pelos erros do passado. Esses versículos maravilhosos, extraídos de Romanos 8, nos lembram que nada está fora do alcance da graça e do perdão de Deus. Se você está em Cristo e já confessou seu pecado, fique certo de que está perdoado e livre do passado. As cicatrizes do passado podem permanecer para sempre, mas cicatrizes curadas podem servir como lembrete da graça e do amor de Deus. Aceitar as cicatrizes e perdoar um ao outro é um passo no caminho que leva à satisfação sexual mútua.

Aceitando as emoções

17 JANEIRO
DEVOCIONAL 17

> Jesus olhou para os que estavam ao seu redor, irado e muito triste pelo coração endurecido deles. Então disse ao homem: "Estenda a mão". O homem estendeu a mão, e ela foi restaurada.
>
> MARCOS 3.5

Alguns cristãos são críticos das emoções. Você já deve ter ouvido declarações como esta: "Não confie em suas emoções. A fé é a estrada que leva ao crescimento espiritual, não os sentimentos". Por que desaprovamos nossas emoções? Em Marcos 3, lemos que Jesus sentiu ira e tristeza — e por uma boa razão. Era sábado e, estando na sinagoga, Jesus notou um homem que tinha a mão atrofiada. Ele teve compaixão e curou o homem, mas a única coisa que os fariseus a sua volta podiam pensar era que Jesus havia desobedecido às leis sabáticas. A ira e a tristeza de Jesus diante da reação daqueles homens foram totalmente apropriadas e refletiam o próprio coração do Pai. Poucos de nós condenariam Jesus por ter tido essas emoções. Sendo assim, por que condenamos a nós mesmos?

Deus nos deu emoções para crescimento, maturidade, satisfação e alegria. Os sentimentos foram criados para serem nossos amigos e podem servir como sinais importantes. Quando experimentamos uma emoção negativa, a mensagem é que algo precisa de atenção. Pense nisso como a luz do painel de seu carro que acende quando há um superaquecimento. Não reclamamos da luz; tratamos o problema para o qual ela chama nossa atenção. Por que não fazer o mesmo com suas emoções? Quando você experimentar uma emoção negativa, especialmente em relação a seu cônjuge, pare por um instante e tente descobrir qual é o verdadeiro problema. Se agir de maneira construtiva, a emoção terá cumprido seu propósito.

ORAÇÃO

Senhor, obrigado pelas emoções. Tu nos criaste à tua imagem, como seres emocionais. Ajuda-me a olhar para meus sentimentos como uma dádiva. Peço-te que me dês sabedoria para enxergar o problema por trás da emoção e para lidar com ele antes que meus sentimentos fortes firam meu cônjuge.

APLICAÇÃO

Lidando com o medo

JANEIRO 18
DEVOCIONAL 18

> Quando eu tiver medo, porém, confiarei em ti. Louvo a Deus por suas promessas, confio em Deus e não temerei; o que me podem fazer os simples mortais?
>
> SALMOS 56.3-4

ORAÇÃO

Pai, quero entregar-te meus medos. Perdoa-me pelos momentos em que reclamei com meu cônjuge ou o culpei por meus temores. Ajuda-me a levá-los a ti imediatamente. Obrigado porque tu estás comigo.

APLICAÇÃO

Você se surpreenderia se eu lhe dissesse que Jesus teve medo? O medo é uma emoção que nos afasta de pessoas, lugares ou coisas. Em Mateus 26.39, lemos que Jesus fez esta oração no jardim do Getsêmani: "Meu Pai! Se for possível, afasta de mim este cálice". À medida que se aproximava a hora de sua morte, Jesus anteviu o sofrimento físico e emocional e teve medo. Suas emoções imploravam por um desfecho diferente. Mas ele não deixou que seu medo prejudicasse as pessoas ao seu redor ou que o desviasse daquilo que sabia ser o certo. Em vez disso, Jesus nos mostrou o que devemos fazer com nosso medo: expressá-lo a Deus.

O salmista nos lembra que Deus nos prometeu sua presença e proteção. Quando confiamos em Deus, temos a certeza de que ele está no controle e, portanto, não há motivo para temer. De fato, a Bíblia registra mais de trezentas passagens em que Deus diz: "Não tenha medo, pois estou com você". Nosso medo nos leva para perto de Deus e descansamos na força que ele tem para nos proteger.

Quando sentir medo, não se recrimine nem coloque a culpa em seu cônjuge. Em vez disso, corra o mais rápido que puder para os amorosos braços de Deus.

Libertando-se da ira

19 JANEIRO
DEVOCIONAL 19

> E "não pequem ao permitir que a ira os controle". Acalmem a ira antes que o sol se ponha, pois ela cria oportunidades para o diabo.
>
> EFÉSIOS 4.26-27

Você acha que reage de modo exagerado a pequenas irritações? Seu cônjuge se esquece de comprar o leite e você faz careta ou diz algo sarcástico. Seu filho pisa no carpete da sala com os pés sujos de terra e você explode. Se é assim, existem boas chances de você estar sofrendo de ira estocada — ira que vive dentro de você há muitos anos.

Talvez seus pais o tenham ferido com palavras duras ou uma punição severa. Pode ser que seus colegas tenham zombado de você na adolescência ou seu chefe o tenha tratado injustamente. Se você manteve todas essas feridas dentro de si, pode ser que, agora, sua ira estocada esteja se manifestando por meio de seu comportamento. A Bíblia nos diz sabiamente que não devemos deixar que o dia termine enquanto ainda estivermos irritados. Em outras palavras, precisamos lidar com nossa ira de imediato em vez de deixar que ela cresça. Em meu livro *Ira! Aprenda a expressar esta emoção*, escrevo sobre como livrar-se da ira estocada. Tudo começa ao entregarmos nossa ira a Deus. Conte-lhe suas emoções e peça-lhe que o ajude a lidar com as situações que as provocaram. Deus pode ajudá-lo a livrar-se de feridas antigas e a perdoar aqueles que o feriram.

Sentir ira não é errado. Contudo, como lemos em Efésios 4, deixar que a ira o controle é errado — e pode ser muito prejudicial para seu casamento.

ORAÇÃO

Senhor, às vezes sinto ira excessiva diante de coisas pequenas. Sei que estou ferindo meu cônjuge e não quero mais fazer isso. Peço-te que me perdoes. Entrego a ti a minha ira. Ajuda-me a descobrir por que a sinto e, então, a libertar-me dela.

APLICAÇÃO

Expressando amor

DEVOCIONAL 20 — JANEIRO 20

> Jesus respondeu: "O mandamento mais importante é este: 'Ouça, ó Israel! O Senhor, nosso Deus, é o único Senhor. Ame o Senhor, seu Deus, de todo o seu coração, de toda a sua alma, de toda a sua mente e de todas as suas forças'. O segundo é igualmente importante: 'Ame o seu próximo como a si mesmo'. Nenhum outro mandamento é maior que esses".
>
> MARCOS 12.29-31

A palavra *cristão* significa "semelhante a Cristo". No primeiro século, *cristão* não foi um nome escolhido pelos seguidores de Jesus. Foi um nome dado por outros. Aqueles que criam baseavam seu estilo de vida nos ensinamentos de Cristo, de modo que a melhor maneira de descrevê-los era chamá-los de cristãos.

O que aconteceria se os cristãos fossem realmente como Cristo? O mandamento para amar é fundamental no ensinamento de Jesus. De fato, nos versículos acima, Jesus diz que o maior dos mandamentos é amar a Deus, e o segundo é amar o próximo. Esses mandamentos superam todos os outros porque tudo o mais flui deles.

O amor começa com uma atitude que, por sua vez, leva a atos de serviço. "Em que posso ajudá-lo?" é uma ótima pergunta para começar. Hoje é um bom dia para expressar amor a quem está perto de você. Em minha opinião, o amor começa com quem está mais próximo de nós — primeiramente nosso cônjuge, depois nossa família — e a seguir se espalha para fora.

ORAÇÃO

Pai, deixaste claro que amar a ti e aos outros é a coisa mais importante que posso fazer. Ajuda-me a transformar isso em prioridade. Que hoje eu possa mostrar amor como o de Cristo ao meu cônjuge.

APLICAÇÃO

Bondade

> Sejam bondosos e tenham compaixão uns dos outros, perdoando-se como Deus os perdoou em Cristo.
>
> EFÉSIOS 4.32

Talvez tenhamos memorizado esse versículo na infância, mas será que nos esquecemos dele ao chegar à vida adulta? A bondade é um dos traços do amor, conforme a definição bíblica encontrada no famoso "capítulo do amor", 1Coríntios 13: "O amor é paciente e bondoso" (v. 4). Você já pensou seriamente em ser bondoso com seu cônjuge durante um dia inteiro? A bondade é expressa pela maneira de conversarmos, bem como por meio daquilo que fazemos. Gritar e berrar não demonstra bondade. Falar de modo gentil e respeitoso, sim. Assim também, é prova de bondade reservar um tempo para ter uma conversa significativa com o cônjuge que está solitário, triste ou cheio de incertezas.

Existem também os atos de bondade — coisas que fazemos para ajudar os outros. Quando concentramos nossa energia em fazer coisas boas um pelo outro, o relacionamento rejuvenesce. O que você pode fazer hoje para ser bondoso com seu cônjuge? Pode ser algo como realizar uma tarefa que não é normalmente sua responsabilidade, ou levar uma xícara de café na cama. Talvez seja escrever um bilhete de incentivo ou trazer para casa a guloseima favorita. São coisas pequenas, mas que podem provocar enorme impacto. Imagine como seria seu relacionamento se vocês dois enfatizassem a bondade.

ORAÇÃO

Senhor Jesus, quero mostrar meu amor por meio da bondade. Ajuda-me a pensar em coisas importantes que posso fazer hoje para ser bondoso com a pessoa a quem amo.

APLICAÇÃO

Demonstrando paciência

> Sejam sempre humildes e amáveis, tolerando pacientemente uns aos outros em amor.
>
> EFÉSIOS 4.2

ORAÇÃO

Senhor, preciso de mais paciência. Peço-te que me ensines a abandonar minhas expectativas sobre o que os outros devem ser, o que eu deveria ser capaz de realizar e o que considero ser meu direito. Ajuda-me a tratar meu cônjuge com paciência amorosa.

APLICAÇÃO

Paciência significa aceitar as imperfeições dos outros. Por natureza, queremos que os outros sejam tão bons quanto nós (ou tão bons quanto nós achamos que somos), tão pontuais quanto nós e tão organizados quanto nós. A realidade é que os seres humanos não são máquinas. As pessoas não vivem de acordo com a lista de prioridades que nós estabelecemos; nossos planos não são os planos delas. É especialmente importante que os casais se lembrem disso. Num relacionamento amoroso, paciência significa suportar os erros do cônjuge e dar-lhe a liberdade de ser diferente de nós.

Quando foi a última vez que você perdeu a paciência com a pessoa mais importante de sua vida? Sua impaciência surgiu porque seu cônjuge deixou de atingir suas expectativas? Não creio que seja coincidência o fato de Efésios 4.2 ligar humildade a paciência. Quando somos humildes, percebemos que o mundo não gira ao nosso redor e que não somos o padrão estabelecido para o comportamento. E quando nossa mentalidade é assim, existe muito menos possibilidade de nos tornarmos impacientes.

A Bíblia diz que "o amor é paciente e bondoso" (1Co 13.4). Se, por impaciência, você ofende a pessoa a quem ama, o amor exige que peça desculpas e corrija as coisas. Busque mais paciência em seu casamento.

Aprendendo a ouvir

23 JANEIRO
DEVOCIONAL 23

> O insensato pensa que sua conduta é correta, mas o sábio dá ouvidos aos conselhos.
>
> PROVÉRBIOS 12.15

Nunca resolveremos conflitos se não aprendermos a ouvir. Muitas pessoas acham que estão ouvindo quando, na verdade, estão simplesmente fazendo uma pausa no discurso — uma pausa para recarregar suas armas verbais. O versículo acima, extraído do livro de Provérbios, não faz rodeios para chamar aquele que não ouve de *insensato*. Podemos não gostar dessa palavra, mas a verdade é que a recusa a ouvir revela falta de humildade. Pessoas sábias ouvem as outras — especialmente aquelas a quem amam. Ouvir de verdade significa buscar compreender o que a outra pessoa está pensando e sentindo. Implica colocar-nos no lugar do outro e tentar enxergar o mundo através de seus olhos.

Aqui está uma boa frase para começar: "Quero entender o que você está dizendo porque sei que é importante". Um homem me disse que fez uma placa na qual estava escrito: "Sou ouvinte". Quando sua esposa começava a falar, ele colocava a placa em volta do pescoço para se lembrar do que estava fazendo. Sua esposa sorria e dizia: "Espero que seja verdade". Ele aprendeu a ser um bom ouvinte.

ORAÇÃO

Senhor Jesus, obrigado porque me ouves quando oro. Ajuda-me a ouvir meu cônjuge — ouvir de verdade — de modo que possa entendê-lo melhor.

APLICAÇÃO

Honrando ao ouvir

> Amem-se com amor fraternal e tenham prazer em honrar uns aos outros.
>
> ROMANOS 12.10

Todos nós estamos ocupados. Muitas vezes, ocupados demais para ouvir. Ainda assim, ouvir é a única maneira pela qual podemos entender os pensamentos e os sentimentos de nosso cônjuge. Ouvir toma tempo e exige concentração. Muitas pessoas se orgulham de ser capazes de ouvir enquanto leem *e-mails* ou veem televisão, mas me pergunto se isso é realmente ouvir. Um marido disse: "Minha esposa insiste em que eu me sente para ouvi-la. Sinto-me como se estivesse numa camisa de força, como se estivesse perdendo tempo".

Paulo nos diz em Romanos 12 que devemos ter "prazer em honrar uns aos outros". Uma maneira de honrar alguém é ouvi-lo atentamente e dar-lhe nossa total atenção. É uma questão de respeito. Quando largamos tudo, olhamos para o cônjuge e o ouvimos, estamos dizendo: "Você é a pessoa mais importante da minha vida". Em contrapartida, quando tentamos ouvir ao mesmo tempo que fazemos outras coisas, dizemos: "Você é apenas mais um dos meus muitos afazeres". Ouvir é uma poderosa expressão de amor.

ORAÇÃO

Pai, quero honrar meu cônjuge sendo um bom ouvinte. Ajuda-me a dispor-me a dedicar plena atenção a ele de modo que possa realmente entender as palavras que são ditas.

APLICAÇÃO

Quando a família se coloca no caminho

25 JANEIRO — DEVOCIONAL 25

> "Por isso o homem deixa pai e mãe e se une à sua mulher, e os dois se tornam um só." Uma vez que já não são dois, mas um só, que ninguém separe o que Deus uniu.
>
> MATEUS 19.5-6

Uma mulher me perguntou: "Devemos deixar a família e nos unir um ao outro, mas meu marido é tão ligado à família dele que me sinto deixada de fora. O que posso fazer?". É claro que essa situação pode acontecer com homens ou mulheres.

O conceito de "deixar e unir-se" é fundamental no ensinamento bíblico sobre o casamento. Aparece pela primeira vez em Gênesis, logo depois da união do primeiro homem e da primeira mulher. Tanto Jesus como Paulo citaram esse versículo, e o fizeram por uma boa razão. Quando o princípio não é seguido, o casamento sofre.

Se você se vir na situação da mulher que mencionei acima, a sensação de ser deixado de fora se deve ao fato de seu cônjuge não satisfazer a necessidade emocional de amor que você tem. Você pode até mesmo sentir que a família do cônjuge é mais importante para ele que você. Contudo, a resposta não é atacar o cônjuge com sermões irritados sobre a ligação excessiva dele com os pais. Se fizer isso, você o afastará ainda mais. Os pais de seu cônjuge estão dando amor a ele, e você está sendo exigente e irritadiço. Vocês terão discussões intermináveis sobre o tempo que ele passa com os pais — o que é apenas um sintoma, e não a raiz do problema. O relacionamento sofrerá com isso.

Uma maneira melhor de abordar a questão é concentrar-se em satisfazer as necessidades de amor um do outro. Deixe os parentes de fora da discussão. Descubra o que faz seu cônjuge sentir-se amado e diga-lhe o que faz você se sentir amado. Então concentrem-se em falar a linguagem do amor correta. Você e seu cônjuge serão atraídos um ao outro quando começarem a se sentir amados um pelo outro. Passar tempo juntos se tornará algo mais atraente do que ficar com os pais, e o relacionamento será fortalecido.

ORAÇÃO

Senhor, às vezes fico frustrado quando sinto que a família de meu cônjuge é mais importante para ele do que eu. Ajuda-me a evitar discussões sem propósito e, em vez disso, concentrar-me em mostrar amor. Que possamos de fato nos unir um ao outro e assim permanecer em amor.

APLICAÇÃO

Lidando com o conselho dos pais

JANEIRO 26
DEVOCIONAL 26

> O conselho oferecido na hora certa é agradável como maçãs de ouro numa bandeja de prata.
>
> PROVÉRBIOS 25.11

ORAÇÃO

Pai, obrigado por termos pais cuidadosos e desejosos de que tomemos boas decisões como casal. Peço-te que nos dês sabedoria para avaliar seu conselho cuidadosamente e buscar a orientação que tens para nós.

APLICAÇÃO

Uma pergunta que costumo ouvir no aconselhamento é: "Quero honrar meus pais, mas eles vivem tentando me dar conselhos. Como lhes digo que precisamos tomar nossas próprias decisões?".

Há três coisas importantes ao lidar com pais que dão conselhos muito livremente. Em primeiro lugar, vocês devem entender que as intenções deles são boas. Não estão tentando atrapalhar sua vida; querem apenas ajudá-los a não tomar decisões ruins. Segundo, existem boas chances de que seus pais tenham mais sabedoria que vocês, uma vez que vivem há mais tempo e têm mais experiência. Terceiro, é verdade que seus pais não devem controlar sua vida depois que vocês se casaram.

Como vocês podem reunir essas três coisas e alcançar o melhor dos mundos? Sugiro que, de vez em quando, peçam o conselho de seus pais antes que eles tenham oportunidade de dá-lo. Não o desprezem imediatamente; em geral, o conselho deles será benéfico. Afinal de contas, o livro de Provérbios fala alto e bom som sobre o conselho dado no momento certo. Então orem a Deus pedindo sabedoria, discutam o assunto como casal e tomem a decisão que acharem mais conveniente. Se seus pais levantarem objeções, digam-lhes que vocês apreciam sua sugestão e a acham muito útil, mas que vão fazer o que você e seu cônjuge acharem melhor. Com o tempo, eles passarão a vê-los como adultos e respeitarão sua sabedoria.

O poder transformador da atitude

> O coração contente alegra o rosto, mas o coração triste abate o espírito. [...] Para os aflitos, todos os dias são difíceis; para o coração alegre, a vida é um banquete contínuo.
>
> PROVÉRBIOS 15.13,15

Como aprimorar as várias estações de seu relacionamento? Ou, dizendo de outra forma, como você sai de um casamento que está no inverno — negativo e cheio de frustração — para um que está na primavera — cheio de esperança e renovação? Uma estratégia é optar por uma atitude vencedora.

A maioria dos atletas concordaria que vencer é 90% atitude e 10% esforço. Se isso é verdade no mundo dos esportes, é certamente verdadeiro no mundo dos relacionamentos. Os casamentos que estão na primavera são caracterizados e sustentados por atitudes positivas. Casamentos que estão no inverno se caracterizam por atitudes negativas. Aquilo que pensamos influencia enormemente aquilo que fazemos. Por sua vez, nossas ações influenciam grandemente nossas emoções. O rei Salomão reconhece algumas dessas verdades nos versículos do livro de Provérbios citados acima. O otimismo gera mais alegria, mas a negatividade se alimenta de si mesma para nos deixar ainda mais abatidos. Quando somos levados a escolher entre problemas constantes e uma vida que seja um "banquete contínuo", quem não escolheria esta última?

Essa conexão entre atitude e ações abre uma porta de esperança para todos os casais. Se pudermos mudar nosso pensamento, poderemos mudar a atmosfera de nosso casamento. O erro mais comum que os casais cometem é permitir que emoções negativas determinem seu comportamento. Quando deixam de reconhecer o poder da atitude positiva, não alcançam o potencial mais elevado que o casamento pode ter. A boa notícia é que você pode escolher que atitude terá.

ORAÇÃO

Pai celestial, sei que minha atitude pode fazer toda diferença em como vejo meu casamento e como interajo com meu cônjuge. Peço-te que renoves minha atitude com esperança e otimismo.

APLICAÇÃO

JANEIRO 28

DEVOCIONAL 28

Mudando de atitude

> Por fim, irmãos, quero lhes dizer só mais uma coisa. Concentrem-se em tudo que é verdadeiro, tudo que é nobre, tudo que é correto, tudo que é puro, tudo que é amável e tudo que é admirável. Pensem no que é excelente e digno de louvor.
>
> FILIPENSES 4.8

ORAÇÃO

Pai, tenho muitas coisas pelas quais ser grato. Ao meu redor existem muitas razões para ter esperança; basta procurar por elas. Perdoa-me por minha negatividade e pelo efeito que ela tem causado em minha perspectiva e em meu casamento. Ajuda-me a enxergar o positivo.

APLICAÇÃO

A mudança de atitude pode ser um catalisador que dá início a uma mudança de estação em seu casamento. Devo confessar que aprendi essa verdade da pior maneira possível. Passei muito tempo no inverno, ainda no início do meu casamento, por causa de minhas atitudes negativas. Ali, no meio do inverno, achava difícil admitir que minha atitude fosse parte do problema. Era muito mais fácil colocar a culpa no comportamento de Karolyn, minha esposa. Hoje admito prontamente que meu pensamento negativo foi o culpado.

Se o seu relacionamento está cheio de frustração e tensão, suponho que você também tem a tendência de culpar seu cônjuge e está deixando de reconhecer suas próprias atitudes negativas. Se quiser se livrar da frieza e da amargura de um relacionamento que está no inverno, quero desafiá-lo a mudar de atitude. Enquanto você amaldiçoar as trevas, elas ficarão cada vez mais escuras. Mas se procurar alguma coisa boa em seu casamento, certamente encontrará.

Esse famoso versículo de Filipenses 4 nos lembra que devemos concentrar nossos pensamentos em coisas boas — coisas verdadeiras, nobres, corretas, puras, amáveis e admiráveis. Esse tipo de foco pode mudar nossa forma de enxergar tudo o mais ao nosso redor. Concentrar-se no positivo cria um clima mais agradável. Expresse apreço a seu cônjuge por uma ação positiva e você provavelmente verá outra.

Olhando para o lado positivo

29 JANEIRO
DEVOCIONAL 29

> Os comentários de algumas pessoas ferem, mas as palavras dos sábios trazem cura.
>
> PROVÉRBIOS 12.18

Uma das coisas mais poderosas que podemos fazer para melhorar as estações de nosso casamento é optar por uma atitude vencedora. Como é possível fazer isso?

Primeiro, devemos admitir a existência do pensamento negativo. Enquanto pensar negativamente, você nunca será capaz de optar por uma atitude vencedora. O segundo passo é identificar as características positivas de seu cônjuge, mesmo se isso for difícil. Você pode obter ajuda até mesmo de seus filhos, perguntando: "Quais são as coisas boas do papai e da mamãe?". Terceiro, depois de ter identificado essas características positivas, agradeça a Deus por elas. Quarto, comece a expressar apreço verbal a seu cônjuge pelas coisas positivas que você observa. Estabeleça um objetivo, como fazer um elogio por semana durante um mês. Então passe a fazer dois elogios por semana, depois três, e assim por diante, até que esteja fazendo um elogio por dia.

O livro de Provérbios tem muito a dizer sobre a importância das palavras. Provérbios 18.21 diz: "A língua tem poder para trazer morte ou vida". Provérbios 12.18 fala sobre palavras que trazem cura. Provérbios 15.4 diz que palavras amáveis são "árvore de vida". Você dará nova vida a seu casamento quando substituir a condenação e a crítica por elogios e palavras de afirmação.

ORAÇÃO

Senhor Deus, obrigado por todas as características maravilhosas de meu cônjuge. Peço-te que mantenhas isso sempre vivo em minha mente. Ajuda-me a usar minhas palavras para reconhecer tais qualidades. Que aquilo que eu diga possa curar e trazer vida.

APLICAÇÃO

Conflitos não resolvidos

> Começar uma briga é como abrir a comporta de uma represa; portanto, pare antes que irrompa a discussão.
>
> PROVÉRBIOS 17.14

ORAÇÃO

Senhor, tu sabes quais são as áreas de conflito entre mim e a pessoa a quem amo. Precisamos de tua graça para resolver essas questões sem discussões e brigas constantes. Ajuda-me, em primeiro lugar e acima de tudo, a procurar entender meu cônjuge.

APLICAÇÃO

Por que é tão importante resolver conflitos? Porque conflitos não resolvidos se colocam como barreiras à união do casal. Conflitos surgem por causa de questões sobre as quais temos diferenças e nas quais os dois sentem que estão certos. Se não encontramos uma solução satisfatória para os dois, tornamo-nos inimigos em vez de parceiros, e a vida se transforma em um campo de batalha. O provérbio citado acima nos lembra que começar uma discussão ou uma contenda pode levar-nos a lugares aos quais não gostaríamos de ir. É sempre melhor tentar resolver as coisas antes que elas esquentem. Poucas pessoas gostam de brigar. Portanto, se o conflito continuar, mais cedo ou mais tarde alguém desiste e vai embora.

É muito triste o fato de milhares de relacionamentos terminarem porque os casais nunca aprendem a resolver conflitos. O primeiro passo é sair do "modo de discussão" e entrar no "modo de compreensão". Parem de tentar vencer uma discussão e comecem a tentar entender um ao outro.

Seja um solucionador de conflitos

> O amor não é ciumento, nem presunçoso. Não é orgulhoso, nem grosseiro. Não exige que as coisas sejam à sua maneira. Não é irritável, nem rancoroso.
>
> 1CORÍNTIOS 13.4-5

Por que as pessoas discutem? Em uma única palavra, por causa da rigidez. Quando discutimos, basicamente estamos dizendo: "O meu modo de pensar é o certo. Se você não fizer do meu jeito, vou transformar sua vida num inferno". Aquele que discute insiste em impor seu ponto de vista.

Aqueles que resolvem conflitos possuem uma atitude diferente. Eles dizem: "Estou certo de que podemos resolver isso de uma maneira que seja positiva para ambos. Vamos pensar nisso juntos". Eles buscam decidir de uma forma em que os dois saiam ganhando. Começam respeitando as ideias do outro e procurando uma solução em vez de tentar ganhar o debate.

As Escrituras dizem que o amor "não exige que as coisas sejam à sua maneira". O amor também não é orgulhoso, não considera que o seu método de fazer as coisas é o melhor. Na verdade, amar significa buscar o melhor para a outra pessoa. Lemos o seguinte em Filipenses 2.4: "Não procurem apenas os próprios interesses, mas preocupem-se também com os interesses alheios". "O que seria melhor para você?" é a pergunta do amor.

ORAÇÃO

Pai, quero deixar de ser aquele que discute e começar a ser aquele que resolve conflitos. Ajuda-me a pensar primeiramente em meu cônjuge e depois em mim. Ajuda-me a não exigir o que quero, mas a buscar uma solução que funcione para ambos. Preciso de tua ajuda para combater meu egoísmo inato.

APLICAÇÃO

Servindo ao Senhor ao servir aos outros

FEVEREIRO 1º — DEVOCIONAL 32

> Em tudo que fizerem, trabalhem de bom ânimo, como se fosse para o Senhor, e não para os homens. Lembrem-se de que o Senhor lhes dará uma herança como recompensa e de que o Senhor a quem servem é Cristo.
>
> COLOSSENSES 3.23-24

A mensagem cristã é que servimos a Cristo ao servir aos outros. Como Colossenses 3.23 diz, devemos fazer tudo como se estivéssemos fazendo para o Senhor — em outras palavras, com disposição, alegria e entusiasmo.

Todos nós sonhamos em ouvir o cônjuge perguntar: "O que posso fazer hoje para ajudá-lo?", ou "Como poderia tornar sua vida mais fácil esta semana?". Mas o fato é que muitos de nós crescemos em lares onde precisamos lutar para sobreviver. Não aprendemos a apreciar o valor de servir aos outros. Como é possível desenvolver uma atitude de serviço se você cresceu num lar onde imperava a lei do "quem pode mais chora menos"?

Vamos começar com sua família de origem, aquela na qual você cresceu. Em uma escala de zero a dez, como você classificaria seu pai quanto a ter uma atitude de serviço para com sua mãe? Zero significa que ele nunca levantou um dedo para ajudá-la; dez significa que ele era semelhante a Cristo em seu serviço. A seguir, classifique sua mãe. Como ela demonstrava uma atitude de serviço? Agora vamos levar a coisa para o lado pessoal. Como você classificaria a si mesmo? Você se parece mais com seu pai ou com sua mãe? Ainda há muito que desenvolver? Ou você já está servindo a Cristo por meio do serviço que presta ao seu cônjuge?

ORAÇÃO

Pai, às vezes não tenho vontade de servir ao meu cônjuge. Há momentos em que acho que ele não merece que eu o sirva, especialmente se não recebo muita coisa em troca. Sei que essa atitude é errada. Peço-te que me ajudes a pensar sobre servir aos outros como se servisse a ti, e que reaja com entusiasmo.

APLICAÇÃO

_____
_____
_____
_____
_____
_____
_____
_____

"Gosto muito disso"

2 FEVEREIRO

DEVOCIONAL 33

> Quem quiser ser o primeiro entre vocês, que se torne escravo de todos. Pois nem mesmo o Filho do Homem veio para ser servido, mas para servir e dar sua vida em resgate por muitos.
>
> MARCOS 10.44-45

O tema da vida cristã é servir a Cristo por meio do serviço que prestamos aos outros. Jesus veio a este mundo para servir — primeiramente mediante seu amor, seu ensino e suas curas e, por fim, por meio de sua morte. Quando servimos aos outros, estamos não apenas servindo a Cristo, mas também sendo como Cristo. Sendo assim, por que não começar a desenvolver uma atitude de serviço nos seus relacionamentos mais próximos? O fato é que prestamos atos de serviço uns aos outros todos os dias. Contudo, não é comum falar sobre eles e, consequentemente, deixamos de dar atenção a essas atitudes.

Quero sugerir um pequeno exercício de comunicação que elevará o serviço a algo de enorme importância. É um jogo chamado "Gosto muito disso". Vejamos como se joga. O marido pode dizer à esposa: "Uma das maneiras pelas quais sirvo a você é levar o cesto de roupas sujas até a lavanderia", e ela pode responder: "Gosto muito disso". Então ela diz: "Uma das maneiras pelas quais servi a você hoje foi preparar o jantar", e o marido responde: "Gosto muito disso". Joguem assim uma vez por dia ou por semana e vocês terão mais consciência dos atos de serviço que já estão realizando um pelo outro. Vocês os elevarão a um lugar de importância pelo simples fato de falar deles. Se tiverem filhos, deixem que as crianças os ouçam enquanto jogam e elas certamente vão querer participar da brincadeira

ORAÇÃO

Senhor Jesus, obrigado pelo teu exemplo de serviço. Peço-te que me transformes a cada dia conforme tua imagem. Ajuda-nos como casal a servir um ao outro com amor e a demonstrar apreço mútuo.

APLICAÇÃO

FEVEREIRO 3

DEVOCIONAL 34

Servindo com alegria

> Aclamem ao Senhor todos os habitantes da terra! Sirvam ao Senhor com alegria, apresentem-se diante dele com cânticos.
>
> SALMOS 100.1-2

ORAÇÃO

Pai, quero servir-te com alegria. Ajuda-me a aproximar-me de meu cônjuge a fim de encontrar a melhor maneira de servi-lo — e a fazê-lo com alegria.

APLICAÇÃO

Um casamento saudável será caracterizado por uma atitude de serviço entre o marido e a esposa. Ela quer fazer coisas para ele, e ele quer fazer coisas para ela. Mas como se sabe o que fazer? Simples: faça perguntas.

Que tal perguntar a seu cônjuge: "O que eu poderia fazer por você esta semana para facilitar sua vida?". Quando ele lhe disser, você responde: "Tentarei me lembrar disso". Todo serviço sincero deve ser realizado espontaneamente, de modo que a opção por fazer aquilo que seu cônjuge sugere é totalmente sua. Mas agora você tem uma ideia concreta de como investir tempo e energia de uma forma que seu cônjuge aprecie.

Quando opta por fazer aquilo que seu cônjuge pediu, você está servindo a Cristo por meio do serviço que presta à pessoa a quem ama. Os primeiros versículos do salmo 100 nos lembram que somos chamados a servir com alegria. Servir a Deus, quer diretamente quer mediante o serviço aos outros, pode ser alegre e estimulante, e certamente trará bênçãos. É o caminho para a grandeza, o que também lhe dará um casamento cheio de vida.

Deixando um legado

FEVEREIRO 4
DEVOCIONAL 35

> Venham, meus filhos, e ouçam-me; eu os ensinarei a temer o Senhor.
>
> SALMOS 34.11

No caso de termos filhos, como podemos deixar-lhes um legado positivo? Legado é uma herança passada de uma geração para outra. No sentido jurídico, legado é a concessão de um bem pessoal feita por meio de um testamento. Mas o verdadeiro legado vai além das coisas materiais, e seu impacto costuma ser muito mais profundo. Nosso legado exercerá uma poderosa influência sobre a vida daqueles que virão depois de nós.

Os legados mais importantes não são os monetários, mas os emocionais, espirituais e morais. Eles se concentram no caráter da pessoa que os deixa. Legados do passado afetam o futuro de uma família. Todos nós conhecemos famílias com longa reputação de bom caráter — bondade, honestidade e decência. Em contrapartida, também conhecemos famílias que receberam um legado negativo de caráter e comportamento — talvez desonestidade, falta de ética ou escolha ruim de amizades. Embora gostemos de acreditar que um indivíduo é capaz de superar qualquer desvantagem, o legado que recebemos pode tanto ser uma bênção como uma maldição em nossa vida.

O salmo 34 nos fala sobre a maior bênção que podemos oferecer a nossos filhos: ensiná-los a amar e a servir ao Senhor. Fazemos isso por meio da leitura e do diálogo, mas acima de tudo por meio do exemplo. Que mudanças vocês precisam fazer em sua vida ou em seu relacionamento como casal para deixar um legado positivo para seus filhos?

ORAÇÃO

Pai, é bom parar e pensar no que estou ensinando a meus filhos e em como isso se alinha com as lições que quero lhes transmitir. Peço-te que me mostres onde preciso mudar. Guia-me em minha busca para deixar-lhes um legado positivo.

APLICAÇÃO

FEVEREIRO 5

DEVOCIONAL 36

Dando a vida

> Sabemos o que é o amor porque Jesus deu sua vida por nós. Portanto, também devemos dar nossa vida por nossos irmãos.
>
> 1JOÃO 3.16

ORAÇÃO

Senhor Jesus, as palavras não conseguem expressar quanto sou grato por teu sacrifício. Tu deixaste tua vida por nós quando não havíamos feito nada para merecer. Peço-te que transformes meu coração de modo que possa ter a mesma atitude para com meu cônjuge. Que eu esteja disposto a abdicar de meus desejos e expectativas para servi-lo. Sei que isso gerará maravilhosas recompensas em nosso relacionamento.

APLICAÇÃO

Antes de Karolyn e eu nos casarmos, eu achava que todo mundo se levantava assim que o sol nascesse. Depois de casado, porém, descobri que minha esposa não é matutina. Não levou muito tempo para que eu não gostasse mais dela, e não levou muito tempo para que ela sentisse o mesmo em relação a mim. Brigamos por muitos anos, profundamente desapontados com nosso casamento.

O que finalmente transformou nosso casamento? A importante descoberta de que eu não deveria exigir que ela satisfizesse minhas expectativas. Meu trabalho era dar minha vida para tornar a dela mais fácil e mais significativa. Qual era meu modelo? O próprio Cristo, que deu sua vida em nosso benefício. O apóstolo João nos lembra que o sacrifício de Cristo exemplifica o amor verdadeiro. Por causa de seu sacrifício, também devemos dar nossa vida pelos outros — a começar por nosso cônjuge.

Mesmo que se passassem mil anos, eu jamais pensaria em algo assim. Mas os caminhos de Deus não são os nossos. (Veja uma belíssima descrição disso em Isaías 55.8-9.) De acordo com o jeito de Deus de fazer as coisas, a estrada para a grandeza se baseia em servir aos outros. Haveria melhor lugar para começar do que nosso próprio casamento? Minha esposa é minha primeira responsabilidade. Quando opto por servir a Deus, ele diz: "Vamos começar com sua esposa. Faça alguma coisa boa para ela hoje". Quando entendi o conceito, a resposta de minha esposa foi imediata. Ela sempre aprendeu mais rápido.

Amor gera amor. Esse é o caminho de Deus.

Lidando com a depressão

FEVEREIRO 6
DEVOCIONAL 37

> O Senhor está perto dos que têm o coração quebrantado e resgata os de espírito oprimido.
>
> SALMOS 34.18

John era um executivo bem-sucedido cuja esposa sofria de depressão. "Ela passa a maioria das manhãs na cama e, à tarde, fica sentada em casa, sem fazer nada", disse-me ele. "Parece que ela não tem nenhuma ambição. Não tem energia para cozinhar, e muitas vezes não janta conosco. Perdeu quase vinte quilos no ano passado. Para ser franco, a vida está muito ruim em casa. Fico triste pelas crianças, embora elas recebam mais atenção do que eu. Mas sei que elas devem se perguntar o que está acontecendo com sua mãe."

John descreveu algumas das características clássicas da depressão. Infelizmente, a depressão é bastante comum e não desaparece sozinha com o tempo. A esposa de John precisava de ajuda médica e psicológica, e sem ela as coisas só piorariam.

Muitos cristãos não entendem a depressão e acham que se trata apenas de um problema espiritual. Embora possa ter uma dimensão espiritual, muitas vezes sua origem está num desequilíbrio físico e emocional. Nos próximos dias, conversaremos sobre as causas e as curas para a depressão. Se esse é um problema seu ou da pessoa a quem você ama, lembre-se de Salmos 34.18. A Bíblia promete que o Senhor tem compaixão de você e o tratará com ternura em seu período de depressão.

ORAÇÃO

Pai, tu sabes como a depressão nos afeta como casal. Obrigado por tua ternura para conosco, mesmo quando nos sentimos fracos e vulneráveis. Ajuda-me a não criticar meu cônjuge, mas a apoiá-lo e a obter o auxílio de que precisamos.

APLICAÇÃO

FEVEREIRO 7

DEVOCIONAL 38

Tipos de depressão

> Ele cura os de coração quebrantado e enfaixa suas feridas.
>
> SALMOS 147.3

ORAÇÃO

Senhor, obrigado por tua promessa de cuidar de nossas feridas quando estivermos machucados e quebrantados, seja a causa física, emocional ou espiritual. Quando formos afetados pela depressão, ajuda-nos a lidar com a situação como casal.

APLICAÇÃO

O que fazer quando você ou a pessoa a quem você ama estiver deprimida? Em primeiro lugar, é preciso obter informações para poder entender os fatos básicos sobre a depressão. Pode ser útil pensar em três categorias. Primeiramente, a depressão pode ser o subproduto de uma doença física. Quando estamos fisicamente doentes, é comum que a mente e as emoções entrem em estado de depressão. Ficamos temporariamente fora do mundo. É a forma que a natureza encontrou para nos proteger da ansiedade constante quanto a nossa condição física.

O segundo tipo de depressão é chamado de depressão situacional ou reativa e surge de uma situação especialmente dolorosa da vida. Muitas dessas experiências se relacionam a um sentimento de perda: a perda do emprego ou de um filho, uma transição significativa como a saída do filho para estudar fora ou a perda de uma amizade.

A terceira categoria é a depressão baseada em alguma desordem bioquímica. É uma doença física e deve ser tratada com medicamentos.

Faça pesquisas ou converse com seu médico para aprender mais sobre a depressão. É o primeiro passo para obter ajuda.

Tratando a depressão

8 FEVEREIRO
DEVOCIONAL 39

> Por que você está tão abatida, ó minha alma? Por que está tão triste? Espere em Deus! Ainda voltarei a louvá-lo, meu Salvador e meu Deus!
>
> SALMOS 42.5-6

A depressão de longo prazo pode ser extremamente prejudicial para um relacionamento. Portanto, se você ou a pessoa a quem você ama está deprimida, é preciso que ambos façam tudo o que puderem para obter ajuda.

O primeiro passo geralmente é passar por uma consulta com um médico ou falar com um conselheiro. O médico provavelmente prescreverá algum antidepressivo. Caso a depressão tenha origem num desequilíbrio bioquímico, o remédio pode ser útil. Em geral, são necessárias de três a quatro semanas para determinar se dada medicação está produzindo resultados positivos. Se não estiver, o médico tentará outro tipo de medicação.

Contudo, aproximadamente apenas um terço de todos os quadros de depressão tem origem em desequilíbrio bioquímico. Independentemente de a medicação ter aliviado ou não os sintomas, também é bom conversar com um conselheiro que tenha experiência em lidar com depressão. O conselheiro pode ajudá-lo a descobrir a causa emocional da depressão e dar início à terapia. Se a depressão perdurar por semanas ou meses, insisto em que tomem alguma atitude. A depressão não é uma doença incurável. Existe esperança, mas vocês precisam buscar ajuda. O salmo 42 nos dá um retrato vivo da esperança sendo renovada. Tenha essa imagem em mente enquanto passar pela depressão. Um dia, vocês dois ficarão mais uma vez cheios de alegria e louvor.

ORAÇÃO

Pai, quando eu não puder ver o fim dessa situação difícil, por favor, renova-me a esperança. Renova-me a fé de que tu podes curar e restaurar. Tu te importas conosco e estás ao nosso lado. Obrigado, Senhor.

APLICAÇÃO

Erros do passado

> Ninguém é justo, nem um sequer. Ninguém é sábio, ninguém busca a Deus. Todos se desviaram, todos se tornaram inúteis. Ninguém faz o bem, nem um sequer.
>
> ROMANOS 3.10-12

ORAÇÃO

Senhor Deus, tu conheces todos os erros e pecados do meu passado. Falhei contigo e com aqueles a quem amo. Peço-te que me tragas esses erros à mente a fim de que possa tratá-los.

Você já parou para pensar por que não conseguimos simplesmente esquecer o passado e seguir em frente? Isso se deve, em geral, ao fato de não termos lidado corretamente com o passado. Palavras duras e atitudes egoístas podem ter deixado suas marcas no âmago de nosso relacionamento. Mas há cura disponível, e ela começa ao se identificar os erros do passado de modo que possamos confessá-los e pedir perdão. A parede que se ergueu entre você e seu cônjuge deve ser derrubada tijolo a tijolo. O primeiro passo é identificar os tijolos.

Por que não pedir a Deus que lhe traga à mente os momentos em que errou com seu cônjuge? Prepare papel e lápis para tomar nota deles. A seguir, peça a seu cônjuge que faça uma lista dos erros que ele acha que você cometeu no passado. Pense em pedir a seus filhos ou a seus pais que falem sobre momentos em que eles o viram se expressando asperamente ou sendo indelicado com seu cônjuge. Depois de completar sua lista, você pode descobrir que a parede de erros do passado é alta e grossa. Tudo bem. A Bíblia deixa claro que todos pecaram — contra Deus e contra outras pessoas. Admitir e identificar os erros do passado é o primeiro passo para "demolir a parede".

APLICAÇÃO

Derrubando a parede dos erros

10 FEVEREIRO
DEVOCIONAL 41

> Tem misericórdia de mim, ó Deus, por causa do teu amor. Por causa da tua grande compaixão, apaga as manchas de minha rebeldia. Lava-me de toda a minha culpa, purifica-me do meu pecado.
>
> SALMOS 51.1-2

Ontem conversamos sobre identificar os erros do passado em seu relacionamento. Hoje quero falar sobre a confissão dos erros. Vocês dois sabem que existe uma parede entre o casal. Sendo assim, por que não derrubá-la?

Assim que tiver feito uma lista dos erros que cometeu para com seu cônjuge, confesse-os a Deus. O salmo 51, escrito após o maior fracasso moral do rei Davi — cometer adultério com Bate-Seba e conspirar para assassinar o marido dela — nos oferece um modelo de confissão sincera. Agradeça a Deus por Cristo ter pago a pena por seus pecados e peça-lhe que o perdoe.

Em seguida, vá até seu cônjuge e confesse-lhe seus erros. A confissão diz: "Eu estava errado. Sinto muito. Sei que feri você e não quero fazer isso de novo. Você me perdoa?". A confissão verdadeira abre a porta para a possibilidade de perdão. Ao propor o perdão, seu lado da parede é derrubado. Se seu cônjuge também estiver disposto a confessar e a receber perdão, o muro inteiro pode ser demolido e seu casamento pode seguir adiante.

ORAÇÃO

Pai, confesso meus pecados contra ti: o egoísmo, a impaciência e a falta de amor, entre outros. Obrigado por tua promessa de perdão. Dá-me a força necessária para confessar também ao meu cônjuge, a quem tanto feri.

APLICAÇÃO

FEVEREIRO 11

DEVOCIONAL 42

Perdoando um ao outro

> Sejam compreensivos uns com os outros e perdoem quem os ofender. Lembrem-se de que o Senhor os perdoou, de modo que vocês também devem perdoar.
>
> COLOSSENSES 3.13

ORAÇÃO

Pai, sou profundamente grato por teu perdão. Ajuda-me a estender esse mesmo perdão gracioso a meu cônjuge quando ele pedir, mesmo quando for difícil. Sei que os benefícios serão muitos.

APLICAÇÃO

Nos dois últimos dias, conversamos sobre como identificar nossos erros e confessá-los a Deus e ao cônjuge. Agora quero falar sobre perdão.

Quando seu cônjuge confessa erros do passado e pede seu perdão, é hora de perdoar. De fato, recusar-se a perdoar é violar os claros ensinamentos de Jesus. Ele ensinou seus discípulos a orar assim: "[Pai,] perdoa nossas dívidas, assim como perdoamos os nossos devedores" (Mt 6.12). Se nos recusarmos a perdoar quando os outros confessam e se arrependem, colocamos em risco o próprio perdão que Deus nos estende. O apóstolo Paulo destacou esse ponto em Colossenses 3.13, quando escreveu que devemos perdoar os outros porque o Senhor nos perdoou. Uma das parábolas de Jesus deixou claro que nossa dívida perdoada perante o Senhor é muito maior do que a dívida de qualquer pessoa que seja nossa devedora.

Não há proveito algum em ficar preso aos erros do passado. Em contrapartida, a disposição de perdoar abre as portas para o crescimento futuro. A confiança pode ser reconstruída e o amor, restaurado. Quando um casal se dispõe a confessar e a perdoar erros passados, o casamento pode sair de uma posição de amargura e dificuldade para um lugar de renovação e alegria.

Expressando amor

> Que o amor seja seu maior objetivo!
>
> 1CORÍNTIOS 14.1

Você quer saber qual é a linguagem do amor de seu cônjuge? Então observe como ele lhe expressa amor com mais frequência. É por meio de palavras de afirmação? Tempo de qualidade? Presentes? Atos de serviço? Toque físico? A maneira de alguém expressar amor a você muito provavelmente é como ele deseja que você lhe expresse seu amor.

Se ele lhe dá beijos e abraços constantemente, sua linguagem do amor provavelmente é toque físico. Ele deseja que você tome a iniciativa de abraçá-lo e beijá-lo. Se ele está sempre tirando o mato da jardineira, mantendo as finanças em ordem ou limpando o banheiro depois que você sai, então sua linguagem do amor provavelmente são atos de serviço. Ele deseja que você ajude com o trabalho da casa. Se você não o fizer, ele não se sentirá amado. Um marido disse: "Se eu soubesse que levar o lixo para fora faria que ela se sentisse amada e mais responsiva sexualmente, teria começado a levar o lixo muitos anos atrás!". Pena que foram necessários tantos anos para ele aprender a linguagem do amor básica de sua esposa. Como a Bíblia diz, o amor deve ser nosso maior objetivo. Para alcançar esse alvo precisamos nos empenhar para saber como nosso cônjuge recebe melhor o amor.

ORAÇÃO

Senhor Jesus, ajuda-me a fazer do amor o meu maior objetivo, tanto na vida como no casamento. Peço-te que me dês sabedoria enquanto observo meu cônjuge e tento descobrir qual é sua linguagem do amor. Quero amá-lo da melhor maneira.

APLICAÇÃO

Encontrando o que há de bom nas reclamações

FEVEREIRO 13 — DEVOCIONAL 44

> O amor nunca desiste, nunca perde a fé, sempre tem esperança e sempre se mantém firme.
>
> 1CORÍNTIOS 13.7

ORAÇÃO

Pai, quero que nosso relacionamento como casal progrida. Ajuda-me a descobrir a linguagem do amor de meu cônjuge e mostra-me como utilizá-la de maneira eficiente.

APLICAÇÃO

Do que seu cônjuge mais reclama? Em geral, interpretamos as reclamações como críticas negativas, mas, na verdade, elas estão nos dando informações valiosas. As reclamações revelam o coração. A reclamação recorrente de uma pessoa muitas vezes revela sua linguagem do amor.

Se o marido está sempre dizendo algo como: "Não conseguimos passar um tempo juntos, somos como o sol e a lua", ele está informando à esposa que tempo de qualidade é sua linguagem do amor básica e que seu tanque de amor está vazio.

Se a esposa diz: "Tenho a impressão de que você jamais me tocaria se eu não tomasse a iniciativa", ela está revelando que toque físico é sua linguagem do amor.

Se o marido viaja a trabalho e, quando volta, a esposa diz: "Quer dizer que você não me trouxe nada?", então ela está dizendo que presentes são sua linguagem do amor. Ela não consegue acreditar que ele voltou para casa de mãos vazias.

Se a esposa reclama dizendo: "Nunca faço nada certo", ela está informando que palavras de afirmação são sua linguagem do amor e que não está ouvindo tais palavras.

Se o marido diz: "Se me amasse, você me ajudaria", ele está gritando que sua linguagem do amor são atos de serviço.

Você se sente frustrado por aparentemente não conseguir comunicar amor ao seu cônjuge? O capítulo 13 de 1Coríntios nos incentiva a nunca desistir. As coisas podem melhorar quando mantemos a esperança. Descobrir qual é a linguagem do amor de seu cônjuge e utilizá-la é uma maneira de ajudar seu relacionamento a crescer.

Tomando a iniciativa de amar

14 FEVEREIRO
DEVOCIONAL 45

> Deus mostrou quanto nos amou ao enviar seu único Filho ao mundo para que, por meio dele, tenhamos vida. É nisto que consiste o amor: não em que tenhamos amado a Deus, mas em que ele nos amou e enviou seu Filho como sacrifício para o perdão de nossos pecados. Amados, visto que Deus tanto nos amou, certamente devemos amar uns aos outros.
>
> 1JOÃO 4.9-11

Creio que nossa necessidade emocional mais profunda é nos sentirmos amados. Se somos casados, a pessoa que mais desejamos que nos ame é nosso cônjuge. Se nos sentirmos amados pelo cônjuge, o mundo inteiro brilhará. Do contrário, o mundo inteiro parecerá sombrio. Contudo, não obtemos amor reclamando ou fazendo exigências.

Um homem me disse: "Se minha esposa fosse um pouco mais afetuosa, eu poderia ser mais responsivo. Mas quando ela não me mostra nenhum afeto, quero ficar longe dela". Ele está esperando receber amor antes de dar amor. Alguém deve tomar a iniciativa. Por que tem de ser o outro?

Por que somos tão lerdos para entender que a iniciativa de amar deve ser sempre nossa? Deus é nosso exemplo. Amamos a Deus porque ele nos amou primeiro (1Jo 4.19). Ele nos amou mesmo quando éramos pecadores, mesmo quando não reagíamos, mesmo quando não tínhamos nada para merecer seu amor. Esse é o exemplo máximo de amor que toma a iniciativa. Se você fizer a opção de dar amor incondicional a seu cônjuge e aprender a expressar amor numa linguagem que seu cônjuge possa sentir, são enormes as possibilidades de que seu cônjuge retribua. Amor gera amor.

ORAÇÃO

Pai, tu nos mostraste a maneira de amar: incondicionalmente, tomando a iniciativa e sem esperar que a pessoa retribua. Ajuda-me a expressar esse tipo de amor por meu cônjuge.

APLICAÇÃO

FEVEREIRO 15

DEVOCIONAL 46

Intimidade intelectual

> Meu coração ouviu tua voz dizer: "Venha e entre na minha presença", e meu coração respondeu: "Senhor, eu irei!".
>
> SALMOS 27.8

ORAÇÃO

Pai, obrigado porque queres conversar comigo e ouvir de mim! Sei que a conversa fortalece os relacionamentos. Ajuda-me a compartilhar livremente meus pensamentos com a pessoa a quem amo, e também a ouvir atentamente seus pensamentos.

APLICAÇÃO

A maioria de nós se casou não porque queria alguém para preparar as refeições, lavar a louça, cuidar do carro e criar os filhos. Nós nos casamos devido a um profundo desejo de conhecer e ser conhecido, de amar e ser amado, e de ter um relacionamento verdadeiramente íntimo. Como esse objetivo sublime se torna realidade? Uma boa maneira de entender isso é analisar os cinco componentes essenciais de um relacionamento íntimo, que é o que faremos nos próximos cinco dias.

O primeiro deles é a intimidade intelectual. Boa parte da vida se dá no mundo da mente. O dia inteiro temos centenas de pensamentos sobre a vida à nossa frente. Também temos desejos, coisas que gostaríamos de experimentar ou obter. A intimidade sexual vem de compartilhar alguns desses pensamentos e desejos com o cônjuge. Eles podem girar em torno de finanças, comida, saúde, acontecimentos atuais, música ou igreja. Sejam eles importantes em si mesmos ou não, esses pensamentos e desejos revelam algo sobre o que nos passou pela mente no transcorrer do dia.

O texto de Salmos 27.8 descreve uma maneira de aumentar nossa intimidade com Deus: responder quando ele nos convida para conversar com ele. O mesmo princípio se aplica aos relacionamentos humanos. No casamento, temos o prazer de descobrir alguns dos movimentos internos da mente de nosso cônjuge. Essa é a essência da intimidade intelectual.

Intimidade emocional

16 FEVEREIRO
DEVOCIONAL 47

> Estou encurvado e atormentado; entristecido, ando o dia todo de um lado para o outro.
>
> SALMOS 38.6

Intimidade emocional é um dos cinco componentes de um relacionamento íntimo. Os sentimentos são nossas respostas espontâneas e emocionais àquilo que percebemos por meio dos cinco sentidos. Ouço que o cachorro de minha vizinha morreu e sinto tristeza. Vejo o carro de bombeiros descendo a rua e sinto apreensão. Minha esposa toca minha mão e me sinto amado. Vejo seu sorriso e me encho de ânimo.

Sua vida interior está repleta de emoções, mas não apenas as boas. Compartilhar sentimentos constrói intimidade emocional. Permitir que seu parceiro tenha acesso a seu mundo interior significa estar disposto a dizer: "Estou com muito medo", ou "Sinto-me muito feliz hoje". Essas são declarações de autorrevelação. O texto de Salmos 38.6 nos apresenta apenas um dos muitos exemplos em que o salmista derrama o coração diante de Deus. O rei Davi e outros autores de salmos foram honestos em relação a seus sentimentos de tristeza, depressão, raiva e dor, assim como ao expressar sentimentos de alegria, adoração e celebração. Esse tipo de autorrevelação direta só aumentou a intimidade deles com Deus.

Aprender a conversar sobre as emoções pode ser uma das experiências mais gratificantes da vida. Tal compartilhamento requer uma atmosfera de aceitação. Se estiver seguro de que meu cônjuge não condenará meus sentimentos nem tentará mudá-los, haverá muito mais possibilidade de falar sobre eles.

ORAÇÃO

Senhor, obrigado por tua disposição de atentar para nossos sentimentos. Sei que compartilhar as emoções como casal nos ajudará a ficar mais próximos. Peço-te que nos ajudes a cultivar uma atmosfera de amor e aceitação na qual possamos compartilhar livremente.

APLICAÇÃO

Intimidade social

FEVEREIRO 17 — DEVOCIONAL 48

> À noite eu te procuro, ó Deus; pela manhã te busco de todo o coração.
>
> ISAÍAS 26.9

ORAÇÃO

Senhor Jesus, sou grato pelas lembranças que desenvolvemos como casal. Obrigado pela alegria, pelos risos e momentos em que podemos simplesmente desfrutar a companhia um do outro e fazer coisas juntos. Ajuda-nos a cultivar a intimidade social à medida que crescemos em nosso relacionamento.

APLICAÇÃO

Grande parte da vida gira em torno dos encontros que temos durante o dia — coisas que as pessoas dizem ou fazem e situações que acontecem. Quando minha esposa e eu compartilhamos essas coisas um com o outro, sentimos que somos parte daquilo que o outro está fazendo. Desenvolvemos intimidade social e sentimos que somos uma unidade social. Em outras palavras, o que acontece na vida da minha esposa é importante para mim.

Outro aspecto da intimidade social envolve fazermos coisas juntos como casal. Ir ao cinema ou a um evento esportivo, fazer compras, lavar o carro juntos ou fazer um piquenique no parque são maneiras de construir intimidade social. Uma parcela considerável da vida consiste em fazer. Quando fazemos coisas juntos, estamos não apenas desenvolvendo um clima de equipe, mas também melhorando nosso relacionamento. Vemos no versículo acima que o profeta Isaías escreveu sobre um forte desejo de passar momentos com Deus. O mesmo senso de urgência para estar na companhia de outra pessoa — o que é gerado por boas lembranças que temos de encontros anteriores — é benéfico para o casamento.

As coisas que fazemos juntos não raro geram nossas lembranças mais vívidas. Será possível esquecer aquela viagem juntos? Ou o banho no cachorro que demos juntos no quintal? Intimidade social é uma parte importante do casamento que não está estagnado.

Intimidade espiritual

18 FEVEREIRO

DEVOCIONAL 49

> Oramos também para que sejam fortalecidos com o poder glorioso de Deus, a fim de que tenham toda a perseverança e paciência de que necessitam. Que sejam cheios de alegria e sempre deem graças ao Pai
>
> COLOSSENSES 1.11-12

A intimidade conjugal possui cinco componentes essenciais. Já falamos sobre a intimidade intelectual, emocional e social, e hoje conversaremos sobre a intimidade espiritual. Somos criaturas espirituais. Os antropólogos descobriram que pessoas das mais diferentes culturas em todo o mundo são religiosas. Todos nós possuímos uma dimensão espiritual. A pergunta é: estamos dispostos a compartilhar essa parte de nossa vida com aqueles a quem amamos? Quando o fazemos, desfrutamos de intimidade espiritual.

Pode ser tão simples como falar quanto foi significativo algo que você leu na Bíblia hoje de manhã. A intimidade espiritual também é fomentada pela experiência compartilhada. Depois de participar de um culto com o marido, uma mulher disse: "Há alguma coisa no jeito como ele canta que me dá um senso de proximidade". Orar juntos é outra maneira de construir intimidade espiritual. Se vocês acharem estranho orar em voz alta, então orem silenciosamente de mãos dadas. Nenhuma palavra é pronunciada, mas seus corações ficarão mais próximos.

Vocês também podem considerar a ideia de orar um pelo outro como forma de fortalecer o relacionamento. Muitas das cartas de Paulo contêm lindas orações por aqueles a quem ele estava escrevendo, incluindo a que citei acima, que pede que o Senhor fortaleça os crentes e lhes dê paciência, perseverança e alegria. Orar apaixonadamente pelo relacionamento de seu cônjuge com Deus pode ser uma experiência extremamente íntima.

ORAÇÃO

Pai, sei que não há nada mais importante na vida do que nosso relacionamento contigo. Ajuda-me a servir de incentivo para meu cônjuge nessa área. Que estejamos dispostos a compartilhar pensamentos e orações. Aproxima-nos, Senhor, conforme nos aproximamos de ti.

APLICAÇÃO

FEVEREIRO 19

DEVOCIONAL 50

Intimidade sexual

> O marido deve satisfazer as necessidades conjugais de sua esposa, e a esposa deve fazer o mesmo por seu marido. A esposa não tem autoridade sobre seu corpo, mas sim o marido. Da mesma forma, não é o marido que tem autoridade sobre seu corpo, mas sim a esposa.
>
> 1CORÍNTIOS 7.3-4

ORAÇÃO

Pai, perdoa-me pelos momentos em que vi a satisfação física como o único objetivo do sexo. Ajuda-nos como casal a nos concentrarmos na conexão íntima e emocional que surge quando pensamos um no outro em nosso relacionamento sexual.

APLICAÇÃO

Uma vez que homens e mulheres são sexualmente diferentes, é comum abordarem a intimidade sexual de maneiras distintas. Em geral, a ênfase do marido se dá mais nos aspectos físicos. Ver, tocar, sentir e a experiência das preliminares e do clímax são o foco de sua atenção. A esposa, em contrapartida, aborda a intimidade sexual com ênfase no aspecto emocional. Sentir-se amada, cuidada, apreciada e tratada com ternura lhe dá grande prazer. Em resumo, se ela realmente se sentir amada, a experiência sexual nada mais será senão a extensão desse prazer emocional.

A intimidade sexual exige a compreensão dessas diferenças. Em 1Coríntios 7, o apóstolo Paulo escreve sem rodeios que cada cônjuge deve satisfazer as necessidades sexuais do outro. Em outras palavras, a intimidade sexual exige altruísmo. Para que o relacionamento sexual seja uma fonte de proximidade relacional, cada cônjuge deve pensar primeiramente no outro e na melhor maneira de transformar o sexo em fonte de alegria para ele.

É preciso deixar bem claro que não podemos separar a intimidade sexual da intimidade emocional, intelectual, social e espiritual. Não podemos alcançar a intimidade sexual sem a intimidade nas outras áreas da vida. O objetivo não é simplesmente fazer sexo, mas experimentar proximidade e atingir um senso de satisfação mútua.

Que atitude temos em relação ao dinheiro?

20 FEVEREIRO

DEVOCIONAL 51

> Quem ama o dinheiro nunca terá o suficiente. Quem ama a riqueza nunca se satisfará com o que ganha. Não faz sentido viver desse modo! Quanto mais você tem, mais pessoas aparecem para ajudá-lo a gastar. Portanto, de que serve a riqueza, senão para vê-la escapar por entre os dedos?
>
> ECLESIASTES 5.10-11

Às vezes parece que, quanto mais possuímos, mais discutimos por causa daquilo que temos. Estou convencido de que o problema não está na *quantidade* de dinheiro que um casal possui, mas em sua *atitude* em relação ao dinheiro e ao modo de lidar com ele.

Creio que muitos de nós temos uma "quantia mágica" na mente que parece ser o padrão daquilo que nos faria felizes. Alcançamos essa marca e, então, concluímos: "Não, isso não é o bastante". Em Eclesiastes 5, o rei Salomão — ele próprio um dos reis mais ricos de que se tem notícia — escreve com franqueza sobre a incessante busca por dinheiro "suficiente". Se pensamos que determinada quantia em dinheiro nos trará felicidade, estamos fadados ao desapontamento.

A escritora Jeannette Clift George disse: "A maior desgraça da vida não é não conseguir o que se busca. A pior tragédia da vida é conseguir o que se quer e descobrir que o esforço não valeu a pena!".

Quando o foco de nossa vida é "ganhar mais dinheiro", estamos com o foco errado. O relacionamento conjugal e o relacionamento com Deus são muito mais importantes do que a quantidade de dinheiro que temos. Colocar as prioridades na ordem correta é o primeiro passo para fazer que o dinheiro seja um trunfo em nosso casamento, não um problema.

ORAÇÃO

Senhor, tu sabes como é fácil pensar que tudo seria melhor se eu simplesmente tivesse um pouco mais de dinheiro. Obrigado pelo lembrete de que, se esse é o meu modo de pensar, nunca ficarei satisfeito. Oro pedindo melhores prioridades e um senso de contentamento mais forte.

APLICAÇÃO

FEVEREIRO 21

DEVOCIONAL 52

Dividindo o dinheiro

> Irmãos, suplico-lhes em nome de nosso Senhor Jesus Cristo que vivam em harmonia uns com os outros e ponham fim às divisões entre vocês. Antes, tenham o mesmo parecer, unidos em pensamento e propósito.
>
> 1CORÍNTIOS 1.10

ORAÇÃO

Deus Pai, obrigado por nos tornar um. Ajuda-nos a buscar com afinco a unidade de propósito e de prioridades quando o assunto é dinheiro. Que sejamos abertos e francos em todas as decisões financeiras.

APLICAÇÃO

Quando duas pessoas se casam, acabou aquela coisa de "seu dinheiro" e "meu dinheiro". Em vez disso, agora é "nosso dinheiro". Do mesmo modo, não são mais "minhas dívidas" e "suas dívidas", mas "nossas dívidas".

Antes de se casarem, os parceiros devem revelar ao outro todos os seus bens e dívidas. Não é errado iniciar o casamento com dívidas, mas vocês precisam saber quais são elas, além de concordarem quanto a um plano de quitação.

O propósito do casamento é que dois se tornem um. Quando isso é aplicado às finanças, implica que todos os recursos pertencem a ambos. Um de vocês pode ser o responsável por pagar as contas e fazer o controle do cartão de crédito, mas isso nunca deve ser usado como desculpa para esconder assuntos financeiros do outro. Um de vocês pode ter um salário maior, mas isso não significa que a palavra dessa pessoa deva ter mais peso na decisão sobre como os recursos financeiros serão alocados.

Uma vez que o dinheiro pertence a vocês dois, ambos precisam concordar sobre como ele será usado. Discussões francas e abertas devem preceder qualquer decisão financeira, e o objetivo deve ser o acordo. Sigam o conselho do apóstolo Paulo e sejam "unidos em pensamento e propósito". Isso é adequado aos seguidores de Cristo, cujas prioridades devem ser as mesmas. Lembrem-se que vocês são parceiros, não concorrentes. O casamento melhora quando há acordo nas questões financeiras.

Boa administração

22 FEVEREIRO
DEVOCIONAL 53

> Depois de muito tempo, o senhor voltou de viagem e os chamou para prestarem contas de como haviam usado o dinheiro. O servo ao qual ele havia confiado cinco talentos se apresentou com mais cinco: "O senhor me deu cinco talentos para investir, e eu ganhei mais cinco". O senhor disse: "Muito bem, meu servo bom e fiel. Você foi fiel na administração dessa quantia pequena, e agora lhe darei muitas outras responsabilidades. Venha celebrar comigo".
>
> MATEUS 25.19-21

Vocês estão honrando a Deus no uso do dinheiro? O modo como usamos aquilo que ele nos dá é importante para ele. Lemos em Mateus 25 a famosa parábola dos talentos. Jesus contou a história do amo que confiou determinada quantia em dinheiro a vários servos enquanto esteve fora. Ao voltar, ficou claro que alguns dos servos foram administradores sábios e multiplicaram o dinheiro. Como vemos nos versículos acima, o amo respondeu com um elogio — e também deu àqueles servos maior responsabilidade com mais dinheiro.

Recursos financeiros, sejam eles abundantes ou modestos, têm enorme potencial para o bem. Agir com sabedoria em áreas como planejamento, compras, poupança e investimentos faz parte de nossa administração. Outro aspecto da fidelidade na administração dos recursos é dar a Deus por meio da igreja e de outras organizações cristãs.

Nossa atitude é mais importante do que o montante que damos. A oferta cristã é um ato voluntário motivado pelo amor a Deus, não uma tarefa legalista a ser realizada em busca de recompensa. Vocês dois conversaram recentemente sobre o que estão dando para Deus? Aquilo que dão reflete seu amor por Deus? Quando decidirem honrar a Deus por meio de suas contribuições, vocês dois terão dado um enorme passo para a criação de um casamento promissor.

ORAÇÃO

Pai, queremos, como casal, ser bons administradores de tudo o que nos deste. Ajuda-nos a usar nosso dinheiro sabiamente e a contribuir generosamente para a obra do teu reino.

APLICAÇÃO

Sabedoria para o futuro

> O prudente antevê o perigo e toma precauções; o ingênuo avança às cegas e sofre as consequências.
>
> PROVÉRBIOS 22.3

ORAÇÃO

Senhor, queremos, como casal, ser sábios no uso do dinheiro. Dá-nos a disciplina para deliberadamente poupar, investir e contribuir. Sabemos que tudo o que possuímos é teu, e queremos usá-lo bem.

APLICAÇÃO

Poupar dinheiro é sinal de sabedoria. Acumular dinheiro às escondidas não é. O rei Salomão escreveu em Provérbios que as pessoas prudentes planejam para os dias difíceis do futuro; os tolos presumem que tudo dará certo e, então, se veem em dificuldades. O marido e a esposa sábios fazem planejamento para os dias difíceis. Financeiramente, isso envolve poupar dinheiro e investir. Das duas coisas, poupar é a mais importante. Muitos consultores financeiros cristãos sugerem que 10% das entradas de um casal sejam alocados para poupança e investimentos. Você pode optar por mais ou menos, mas deve fazer a escolha deliberadamente. Se planeja poupar aquilo que "sobra", muito provavelmente não poupará nada.

Se você entregar 10% para a obra do Senhor e poupar 10%, restam 80% a serem divididos para aluguel ou financiamento de imóveis, água, luz, telefone, compras no mercado e outras coisas. O casal que poupa regularmente um porcentual de suas entradas terá não apenas os fundos de reserva de que precisa para as emergências, como também a satisfação decorrente de serem bons administradores. Poupança regular deve ser parte de seu planejamento financeiro.

Como você avalia sua vida?

24 FEVEREIRO
DEVOCIONAL 55

> A pessoa generosa será abençoada, pois alimenta o pobre.
>
> PROVÉRBIOS 22.9

Fazer financiamento para comprar coisas é muito comum na cultura de hoje. A mídia anuncia: "Compre agora, pague depois". O que não é explicado é que, se você "comprar agora", vai pagar *muito mais* depois. As taxas de juros de cartão de crédito são altíssimas.

O cartão de crédito nos incentiva a comprar por impulso, e a maioria das pessoas tem mais impulsos do que suas condições financeiras permitem seguir. Isso pode levar a estresse conjugal extremo todos os meses, quando chega a fatura do cartão de crédito. Em vez de "compre agora, pague depois", por que não fazer um acordo, como casal, de que não vão comprar nada que não puderem pagar? A maioria de nós pode viver com menos e talvez viva mais feliz. Jesus ensinou: "A vida de uma pessoa não é definida pela quantidade de seus bens" (Lc 12.15). A vida encontra seu maior significado nos relacionamentos — primeiramente com Deus, depois com o cônjuge, filhos, família e amigos. Dessa forma, usar nosso dinheiro para nós mesmos não faz muito sentido. Mas, como Provérbios 22.9 destaca, podemos ser abençoados ao usar nosso dinheiro de modo generoso em favor dos outros — tanto nossos conhecidos como outros que estejam passando por necessidades. Isso pode fortalecer nossos relacionamentos, dar-nos um senso de propósito e encorajar outras pessoas.

As coisas materiais só têm importância se puderem melhorar os relacionamentos. Por que desejar o melhor e o maior agora se, ao fazer isso, você gera estresse no casamento? Coisas trazem prazer apenas momentâneo, ao passo que relacionamentos duram por toda a vida.

ORAÇÃO

Pai, é fácil ser pego pelas necessidades que creio ter agora. Peço-te que me dês a perspectiva correta nessa área. Ajuda-me a entender o que é realmente importante: nosso relacionamento contigo e com as outras pessoas. Que possamos investir pesado nessas coisas.

APLICAÇÃO

FEVEREIRO 25

DEVOCIONAL 56

Quando as personalidades se chocam

> Deus, em sua graça, nos concedeu diferentes dons.
>
> ROMANOS 12.6

ORAÇÃO

Pai, obrigado porque nos criaste como indivíduos diferentes. Irrito-me muito facilmente com alguns traços de personalidade de meu cônjuge diferentes dos meus. Peço-te que me ajudes a vê-los como um dom em vez de considerá-los um problema. Ajuda-me a aprender com meu cônjuge.

APLICAÇÃO

No meu gabinete de aconselhamento costumo ouvir as pessoas falarem sobre choques de personalidade que resultam em desarmonia. Chamo de personalidade nosso modo padronizado de reagir à vida. Classificamos as pessoas em extrovertidas e introvertidas, organizadas ou bagunceiras, pessimistas ou otimistas, resolutas ou indecisas, agitadas ou calmas. Tudo isso são traços de personalidade. São maneiras previsíveis pelas quais alguém tender a reagir diante das situações da vida.

Uma esposa disse sobre seu marido: "Ele é tão lerdo e cauteloso que, quando finalmente toma uma decisão, é tarde demais". Ela descreveu um dos traços da personalidade de seu marido que a irritava. Todos nós temos uma mistura típica de características de personalidade, e uma pessoa que nos conhece bem pode prever facilmente como reagiremos diante de determinada situação. A maioria dos traços de personalidade tem tanto pontos fortes como fracos. O importante no casamento é extrair o máximo dos pontos fortes e aprender a minimizar as fraquezas.

É importante lembrar, como nos diz Romanos 12, que Deus nos criou de modo singular como indivíduos. Temos personalidades distintas e somos bons em coisas diferentes. Devemos festejar essas diferenças em vez de permitir que elas nos frustrem. Quando entendemos melhor um ao outro como casal, nossas personalidades distintas podem tornar-se um bem em vez de um problema.

O pacificador

26 FEVEREIRO
DEVOCIONAL 57

> Felizes os que promovem a paz, pois serão chamados filhos de Deus.
>
> MATEUS 5.9

Se quisermos entender um ao outro, devemos identificar nossas diferenças de personalidade. Existem muitos tipos de personalidade, todos com aspectos positivos e negativos, e nos próximos dias analisaremos alguns deles. Hoje falaremos sobre o pacificador. Trata-se de alguém com personalidade calma, branda, despreocupada e equilibrada. Essa pessoa costuma ser agradável, não gosta de conflitos, raramente parece agitada e praticamente não expressa raiva.

O pacificador tem emoções, mas não as revela facilmente. No casamento, o pacificador deseja a calma, tende a ignorar os desacordos e evita discussões a todo custo. É muito agradável estar perto dessa pessoa; contudo, o lado ruim de sua personalidade é que os conflitos muitas vezes não são resolvidos. Se o casal inicia uma discussão, o pacificador tentará acalmar a outra pessoa aquiescendo, ainda que não concorde. Ele é bondoso e simpático, e quer que todos simplesmente desfrutem a vida. Contudo, se estiver casado com uma pessoa controladora, o pacificador pode ser atropelado pelo rolo compressor e terminar sofrendo silenciosamente.

No Sermão do Monte, Jesus disse que os pacificadores são abençoados e que serão chamados filhos de Deus. Que declaração maravilhosa! O texto de Tiago 3.18 faz outro elogio a esse tipo de personalidade: "E aqueles que são pacificadores plantarão sementes de paz e ajuntarão uma colheita de justiça". Se você está casado com um pacificador, agradeça a Deus por isso. Tenha também o cuidado de não tirar vantagem da natureza tranquila de seu cônjuge.

ORAÇÃO

Pai, sou grato pelo desejo de meu cônjuge de ser pacificador. Sei que tu abençoas essa atitude. Ajuda-me a apreciar essa característica plenamente e a não usá-la para meu próprio benefício.

APLICAÇÃO

O controlador

> Diótrefes, que gosta de ser o mais importante, se recusa a receber-nos. [...] Ele não apenas se recusa a acolher os irmãos, mas também impede outros de ajudá-los.
>
> 3JOÃO 1.9-10

ORAÇÃO

Pai, ajuda-nos a lidar com questões de controle. Agradeço pela habilidade de ser decidido e eficiente, mas ajuda-me a não impor esses traços de personalidade a meu cônjuge. Pelo contrário, ajuda-nos a sermos respeitosos e amorosos.

APLICAÇÃO

Como é viver com alguém de personalidade controladora? Controladores são argutos, ativos, práticos e resolutos. Tendem a ser autossuficientes, independentes, decididos e obstinados. Uma vez que para eles é fácil decidir, costumam decidir tanto por si como pelos outros.

Os controladores dão a palavra final nas discussões e é comum vê-los empenhados em causas especiais. Não cedem à pressão alheia e vão argumentar até o fim. Encaram os problemas como desafios. São resolutos e não simpatizam facilmente com outras pessoas. Do mesmo modo, não expressam facilmente sentimentos como compaixão ou emoções cordiais. Embora realizem muito na vida, não raro passam por cima dos que se colocam em seu caminho. No casamento, isso deixa o cônjuge com a sensação de que suas ideias e emoções não são respeitadas, o que pode levá-lo reclamar que não se sente amado.

Alguns profetas bíblicos talvez tivessem essa personalidade, o que, no caso deles, em geral era positivo. Eles precisavam de uma personalidade forte e decidida para cumprir os propósitos de Deus ao mesmo tempo que enfrentavam pressão e perseguição. Outro exemplo bíblico não é tão positivo. O apóstolo João se refere a uma pessoa controladora chamada Diótrefes, que não só não ajudava os mestres cristãos itinerantes mas também impedia que outros o fizessem. Quando, além de tomarmos nossas próprias decisões, queremos controlar as escolhas de outros, esse passa a ser um controle negativo.

Se você tem uma forte personalidade controladora, provavelmente precisará de ajuda para entender como suas ações afetam os outros. Se isso descreve seu cônjuge, talvez seja preciso confrontá-lo gentilmente quando você se sentir ignorado ou desrespeitado.

Vida festiva

28 FEVEREIRO

DEVOCIONAL 59

> Então Davi foi até lá e, com grande festa, levou a arca de Deus da casa de Obede-Edom para a Cidade de Davi. [...] Davi usava um colete sacerdotal de linho e dançava diante do Senhor com todas as suas forças.
>
> 2SAMUEL 6.12,14

Estamos conversando sobre tipos de personalidade, e hoje analisaremos o festeiro. Trata-se de uma personalidade agradável, viva e entusiasmada. Para essa pessoa, a vida é uma festa. Os festeiros gostam de gente, não gostam da solidão e, para eles, as melhores coisas são estar cercado de amigos e viver festejando. Os festeiros não se atrapalham com as palavras. Podem transformar uma simples refeição numa comemoração. Essas pessoas tornam não apenas sua própria vida animada, mas também a dos outros. Cheio de histórias, expressões dramáticas e música, o festeiro tem um objetivo: que todos sejam felizes.

A Bíblia certamente não despreza a celebração. Os versículos acima destacam que o rei Davi conduziu uma celebração nacional quando a arca do Senhor foi trazida de volta a Jerusalém. Ele dançou diante do Senhor "com todas as suas forças"! Davi sabia que certas coisas merecem comemoração.

O lado inconveniente dessa personalidade é que as pessoas podem enxergar o festeiro como irresponsável e indisciplinado. Por quê? Porque eles podem ser exatamente assim ao se esquecerem de compromissos marcados. Não é que desejam ser faltosos; eles simplesmente se esquecem. Se você está casado com um festeiro, desfrute do passeio — e pergunte a seu cônjuge como pode ajudá-lo a manter a vida nos trilhos.

ORAÇÃO

Pai, obrigado pelas comemorações — e obrigado pelo espírito alegre do meu cônjuge, que torna tantas coisas agradáveis. Ajuda-me a apreciar isso e a ser gentil quando tentar ajudá-lo.

APLICAÇÃO

MARÇO 1º

DEVOCIONAL 60

Diferenças de personalidade na mesma equipe

> Quem planta e quem rega trabalham para o mesmo fim, e ambos serão recompensados por seu árduo trabalho. Pois nós somos colaboradores de Deus, e vocês são lavoura de Deus e edifício de Deus.
>
> 1CORÍNTIOS 3.8-9

ORAÇÃO

Pai, obrigado pelas diferenças que tenho em relação a meu cônjuge. Peço-te que nos ajudes a entender um ao outro, a ter paciência um com o outro e a celebrar o fato de que podemos trabalhar como equipe.

APLICAÇÃO

Nos últimos dias, conversamos sobre casamento e diferenças de personalidade. É importante entender os tipos de personalidade porque geralmente procuramos satisfazer as necessidades psicológicas e espirituais de uma maneira que se encaixe com nossa personalidade.

O protetor, por exemplo, encontrará satisfação em cuidar de um amigo necessitado. Ele pode passar horas tentando ajudar esse amigo a resolver problemas e encontrar sentido para a vida. Contudo, é comum que tais esforços não sejam compreensíveis para o controlador. "Por que alguém gastaria tanto tempo e energia tentando ajudar um fracassado?", diria o controlador. Ele não consegue entender que o protetor está encontrando o significado de sua existência no cuidado da pessoa necessitada. O controlador, por sua vez, provavelmente se sentirá importante ao executar projetos e fazer as coisas acontecerem.

Se compreendermos o papel que a personalidade desempenha em nossa conduta, entenderemos melhor uns aos outros. O entendimento leva a uma maior harmonia no casamento. Precisamos nos lembrar que, como casal, trabalhamos juntos como uma equipe. Paulo escreveu em 1Coríntios 3 que ele e Apolo, outro pregador, não eram concorrentes, mas sim colegas de equipe, cada um com seus pontos fortes e responsabilidades. O importante era que ambos trabalhavam para alcançar o mesmo objetivo. No casamento, de modo similar, temos diferentes qualidades e defeitos, e é normal realizarmos tarefas diferentes. Contudo, ainda podemos trabalhar juntos em união e entendimento para o bem do relacionamento.

Confrontando a atitude defensiva

2 MARÇO
DEVOCIONAL 61

> [Samuel perguntou:] "Por que você não obedeceu ao Senhor? Por que tomou apressadamente os despojos e fez o que era mau aos olhos do Senhor?". "Mas eu obedeci ao Senhor!", insistiu Saul. "Cumpri a missão de que ele me encarregou."
>
> 1SAMUEL 15.19-20

Por que agimos tão defensivamente? A atitude defensiva faz parte da natureza humana, e aparece também na Bíblia. Cansado dos conselhos de seus supostos amigos, Jó respondeu irritado a uma questão que ele sabia tanto quanto eles (Jó 13.2). Nos versículos acima, o rei Saul, o primeiro rei de Israel, respondeu na defensiva e com inverdades ao profeta Samuel quando este o confrontou sobre o não cumprimento das instruções do Senhor.

Considere o exemplo a seguir. Eric estava cortando cebolas, e Jennifer colocava óleo na panela. Quando Eric se afastou para ajustar o rádio, Jennifer jogou as cebolas no óleo.

— Olha, existe uma maneira melhor de fazer isso — diz Eric ao voltar.

— Por que você sempre precisa estar no controle de tudo? — retrucou Jennifer.

— Só achei que você queria meu conselho — disse Eric. — Você sabe que este prato é a minha especialidade.

— Então prepare sua refeição especial — esbravejou Jennifer enquanto saía da cozinha.

O que aconteceu nessa aventura culinária? As declarações de Eric atingiram um dos nervos emocionais de Jennifer. Ela já achava que Eric exercia controle demais sobre a vida dela. Agora ele estava lhe dizendo como cozinhar, o que a fez agir de forma defensiva.

Todos nós possuímos áreas sensíveis. Não sabemos onde elas estão até que as atingimos. Quando o fazemos, a saída é nos prepararmos para fazer algumas perguntas: O que podemos aprender com nossa atitude defensiva? O que havia na minha declaração que o fez agir de modo tão defensivo? Ao assumir essa abordagem, passamos a entender nossa atitude defensiva e encontramos maneiras de lidar positivamente com a questão.

ORAÇÃO

Pai, minha atitude rapidamente se torna defensiva quando me sinto encurralado e acusado. Peço-te que me ajudes a entender por que reajo dessa maneira. Ajuda-me a reagir melhor.

APLICAÇÃO

MARÇO 3

DEVOCIONAL 62

Lidando com áreas sensíveis

> Sejam sempre humildes e amáveis, tolerando pacientemente uns aos outros em amor.
>
> EFÉSIOS 4.2

ORAÇÃO

Senhor Jesus, ajuda-me a descobrir a razão de ficar tão defensivo em relação a certas coisas, e dá-me a sabedoria para mudar minha reação. Sei que também preciso estender paciência e graça especiais a meu cônjuge quando ele tem uma atitude defensiva. Ajuda-nos a evitar as áreas sensíveis de ambos em vez de atiçá-las.

APLICAÇÃO

Todos nós temos áreas sensíveis no campo emocional. Quando nosso cônjuge diz ou faz certas coisas, assumimos uma atitude defensiva. Em geral, a forma de reagirmos se baseia em nossa história. Você pode achar que seu cônjuge está constantemente repetindo declarações feitas por seus pais que o feriram ou envergonharam. O fato de você ficar na defensiva indica que a ferida nunca foi curada. Da próxima vez que ficar defensivo, pergunte a si mesmo qual a razão disso. É bem provável que receba uma avalancha de lembranças. Compartilhe essas experiências passadas com seu cônjuge, e ele desenvolverá uma compreensão mais profunda.

E se você for o cônjuge? Assim que descobrir que seu parceiro assume uma postura defensiva em determinada área, você pode decidir como vai agir. Você pode perguntar: "Como gostaria que eu falasse sobre essa questão no futuro? Não quero feri-lo. Como posso tocar nesse assunto de uma maneira que não lhe seja dolorosa?". Agora você está no caminho certo para neutralizar o comportamento defensivo de seu cônjuge. Você também está seguindo a Bíblia ao ser paciente e ao suportar as dificuldades de seu cônjuge, como Paulo incentiva em Efésios 4.2. Aprender a negociar as áreas sensíveis da vida é uma parte muito importante do desenvolvimento de um casamento saudável.

Toque físico

4 MARÇO
DEVOCIONAL 63

> Beije-me, beije-me mais uma vez, pois seu amor é mais doce que o vinho.
>
> CÂNTICO DOS CÂNTICOS 1.2

Manter vivo o amor emocional num relacionamento torna a vida muito mais agradável. É menos provável que o marido ou a esposa que se sintam amados venham a se desviar. Como podemos manter o amor vivo depois que a "paixão" desaparece? Creio que é por meio do aprendizado da linguagem do amor do outro. Nos próximos dias, quero me concentrar na linguagem de amor do toque físico.

Quando ouvem as palavras toque físico, alguns maridos pensam imediatamente em sexo. Mas o ato sexual é apenas um dos dialetos da linguagem do amor do toque físico. Segurar as mãos, beijar, abraçar, afagar as costas, colocar o braço sobre o ombro ou gentilmente colocar a mão sobre a perna do cônjuge são maneiras de expressar amor por meio do toque físico. O livro de Cântico dos Cânticos, do Antigo Testamento, deixa claro que o toque físico entre marido e esposa pode gerar intimidade, ser belo e celebrado. O versículo acima é apenas um dos exemplos da poesia desse livro que celebra as expressões físicas do amor.

Para algumas pessoas, homens ou mulheres, o toque físico é a principal linguagem do amor. Se não receberem um toque terno talvez não se sintam amados, mesmo que você esteja falando outras linguagens do amor. Se seu cônjuge se encaixa nessa descrição, não deixe de lhe oferecer toques expressivos.

ORAÇÃO

Pai, obrigado pelo presente que é o toque físico. Ajuda-me a comunicar amor a meu cônjuge pela maneira como o toco.

APLICAÇÃO

Aprendendo a linguagem do toque

> Seu braço esquerdo está sob a minha cabeça, e o direito me abraça.
>
> CÂNTICO DOS CÂNTICOS 2.6

ORAÇÃO

Senhor Jesus, ajuda-me a descobrir como meu cônjuge deseja ser tocado. Meu amor é muito grande, e quero transmiti-lo.

Para a pessoa cuja principal linguagem do amor é toque físico, nada é mais importante do que toques com ternura. Tocar meu corpo é me tocar. Afastar-se de meu corpo é distanciar-se emocionalmente de mim. Em nossa sociedade, o aperto de mão é uma maneira de comunicar abertura e cortesia. Nas raras ocasiões em que uma pessoa se recusa a apertar as mãos de outra, isso comunica que as coisas não estão bem no relacionamento. O mesmo princípio se aplica ao casamento. Afaste-se fisicamente de seu cônjuge e você se afastará emocionalmente dele.

Os toques podem ser explícitos e pedir sua atenção total, como uma massagem nas costas ou as preliminares do ato sexual. Ou podem ser implícitos e exigir apenas um momento, como colocar as mãos nos ombros dela enquanto enche uma xícara com café ou esfregar o corpo nele conforme caminha pela cozinha. Assim que descobrir que o toque físico é a principal linguagem do amor de seu cônjuge, você estará limitado apenas pela imaginação. Beije quando entrar no carro; isso pode melhorar muito as viagens. Dê-lhe um abraço antes de ir às compras e você ouvirá menos reclamações quando voltar. Tente novos toques em lugares diferentes e procure saber se eles lhe são agradáveis ou não. Lembre-se que seu cônjuge tem a palavra final; você está aprendendo a linguagem do amor dele.

APLICAÇÃO

Toque para confortar

6 MARÇO

DEVOCIONAL 65

> Há um momento certo para tudo [...]. Tempo de chorar, e tempo de rir; tempo de se entristecer, e tempo de dançar. Tempo de espalhar pedras, e tempo de ajuntá-las; tempo de abraçar, e tempo de se afastar.
>
> ECLESIASTES 3.1,4-5

De maneira quase instintiva, abraçamos uns aos outros num momento de crise. Por quê? Numa crise, mais do que qualquer outra coisa, precisamos nos sentir amados. Nem sempre conseguimos mudar as circunstâncias, mas podemos sobreviver se nos sentirmos amados.

Todo casamento passará por crises. A morte dos pais é inevitável. Acidentes automobilísticos ferem milhares de pessoas todos os anos. A doença não respeita ninguém. A decepção faz parte da vida. A coisa mais importante que você pode fazer por seu cônjuge num momento de crise é amá-lo. Especialmente se a principal linguagem do amor do cônjuge for toque físico, nada é mais importante do que abraçá-la enquanto ela estiver chorando ou colocar a mão no ombro dele enquanto ele toma uma decisão difícil. Suas palavras terão pouco significado para uma pessoa ferida ou chocada, mas o toque físico comunicará que você se importa.

Essa passagem de Eclesiastes nos lembra que existe um tempo para tudo, e as crises fornecem excelentes oportunidades para expressarmos amor. Toques cheios de ternura continuarão sendo lembrados mesmo depois do término da crise, ao passo que a falta de toques talvez jamais seja esquecido. O toque físico é uma poderosa linguagem do amor. Em um momento de crise, um abraço vale mais que mil palavras.

ORAÇÃO

Pai celestial, quando enfrentarmos uma situação difícil como casal, ajuda-me a aproximar-me de meu cônjuge com um toque amoroso. Que meu toque traga conforto.

APLICAÇÃO

MARÇO 7

DEVOCIONAL 66

Lidando com a ira

> Deixe a ira de lado! Não se enfureça! Não perca a calma; isso só lhe trará prejuízo.
>
> SALMOS 37.8

ORAÇÃO

Pai, fico irritado em mais ocasiões do que gostaria de admitir. Peço-te que me ajudes enquanto tento lidar adequadamente com a ira. Não permitas que eu me irrite e fira a pessoa a quem mais amo.

APLICAÇÃO

Qual foi a última vez que você se irritou com seu cônjuge? Como lidou com isso? Nos próximos dias, quero apresentar-lhe um programa de cinco passos para lidar com a ira de maneira positiva.

O primeiro passo é admitir a si mesmo que está irado. "Isso é óbvio", você pode dizer. "Qualquer um saberia que estou irritado." Talvez, mas a pergunta é: você está consciente de sua ira? A ira chega tão de repente que é comum ver-se envolvido numa reação verbal ou física antes mesmo de ter consciência do que está acontecendo dentro de você.

As Escrituras jamais disseram que a ira é errada, mas diversas passagens falam sobre a importância de controlá-la. O salmo 37 fala sobre evitar a ira e não se irritar, algo que pode ferir outras pessoas. Quando perceber que está irritado, sugiro que diga estas palavras em voz alta: "Estou irritado por causa disso. E agora, o que vou fazer?". Você colocou a questão sobre a mesa e distinguiu a diferença entre o que está sentindo — a ira — e a atitude que está prestes a tomar. Você criou o cenário propício para tratar a ira com bom senso em vez de simplesmente ser controlado pelas emoções. Esse é o primeiro passo para processar a ira de modo positivo.

AS 5 LINGUAGENS DO AMOR NA PRÁTICA

Mudando os padrões de ira

8 MARÇO
DEVOCIONAL 67

> A pessoa irada provoca conflitos; quem perde a calma facilmente comete muitos pecados.
>
> PROVÉRBIOS 29.22

Como posso deixar de pecar quando estou irado? Esse é o desafio apresentado em Efésios 4:26, que diz: "Não pequem ao permitir que a ira os controle". O rei Salomão faz eco a esse mesmo sentimento em Provérbios 29, quando lembra que um gênio violento pode nos levar a cometer muitos pecados. Todos nós já vimos as evidências disso, quer o pecado se expresse por meio de palavras dolorosas e cortantes, quer por violência física ou comportamento imprudente. Há uma saída melhor.

Ontem analisamos o primeiro passo para lidar com a ira de modo positivo: reconheça conscientemente que está irado. Hoje analisaremos o segundo passo: refreie sua reação imediata. Não saia fazendo nada; pense. A maioria de nós segue os padrões que aprendeu na infância, e a tendência é que esses padrões se agrupem em dois extremos: extravasamento verbal ou físico por um lado ou afastamento e silêncio por outro. Ambos são destrutivos.

Como mudar esses padrões? Como refrear sua reação imediata? Alguns o fazem contando até dez, ou talvez até cem. Outros respiram fundo ou saem para caminhar. Uma mulher me disse que, quando se irrita, vai regar as plantas. Ela disse: "No primeiro verão em que tentei essa abordagem quase afoguei as petúnias". Sim, é possível mudar padrões antigos. Descubra um plano que funcione para você e aprenda a refrear as reações negativas à ira.

ORAÇÃO

Senhor Jesus, quando estou irritada, muitas vezes perco a cabeça e firo meu marido atacando-o verbalmente. Sei que isso é destrutivo para nosso relacionamento. Peço-te que me ajudes a ter controle para reagir de modo diferente.

APLICAÇÃO

Encontrando a fonte da ira

> Se um irmão pecar contra você, fale com ele em particular e chame-lhe a atenção para o erro. Se ele o ouvir, você terá recuperado seu irmão.
>
> MATEUS 18.15

ORAÇÃO

Pai, preciso de sabedoria para determinar a razão de ficar irado. Peço-te que não deixes que minha emoção turve meu pensamento. Ajuda-me a diferenciar claramente a ira que tem uma causa justificável daquela que não tem. Oro pedindo que haja comunicação positiva entre mim e meu cônjuge.

APLICAÇÃO

Nos últimos dias, analisamos os dois passos para controlar a ira: admitir a si mesmo que está irado e refrear a reação imediata. Hoje analisaremos o terceiro passo: localizar o foco da ira. Se você está irritado com seu cônjuge, dê um passo para trás e pergunte a si mesmo: "Por que estou irado? Foi algo que meu cônjuge disse ou fez? É o jeito dele de falar? É o modo como ela olha para mim?".

O propósito de localizar o foco da ira é identificar precisamente o que seu cônjuge fez ou deixou de fazer e que você considera errado. Seu cônjuge cometeu algum pecado contra você? Se nenhum pecado foi cometido, então sua ira está distorcida. As coisas não saíram do jeito que queria e você ficou irritado. Isso é infantilidade. É hora de crescer e perceber que, no casamento, você nem sempre consegue o que quer. Contudo, se seu parceiro realmente pecou contra você, então é hora de uma confrontação calma e amorosa. Siga o exemplo de Jesus apresentado em Mateus 18, fazendo uma confrontação particular e direta, além de se dispor a ouvir tanto quanto a falar. Localizar o foco da ira o ajudará a determinar se ela está distorcida ou se é adequada.

Sem pressa para irar-se

10 MARÇO
DEVOCIONAL 69

> Entendam isto, meus amados irmãos: estejam todos prontos para ouvir, mas não se apressem em falar nem em se irar. A ira humana não produz a justiça divina.
>
> TIAGO 1.19-20

Temos observado que a maneira de lidar com a ira pode ser prejudicial para o casamento. Hoje analisaremos o quarto passo para controlar a ira: analise as opções. Agora que já sabe por que está irado, você pode decidir como reagir.

Existem muitas coisas que você pode fazer, e algumas delas são extremamente danosas. Você pode aplicar uma surra verbal em seu cônjuge. Há pessoas que invadem o território do abuso físico e sacodem ou até agridem a outra pessoa. Deus odeia esse tipo de violência; de fato, Salmos 11.5 diz que ele odeia os que amam a violência. O apóstolo Tiago incentiva seus leitores a serem tardios para irar-se por uma razão: a ira frequentemente resulta em atos de injustiça, que não são aquilo que Deus deseja para nós. Você precisa deixar de lado tais reações pecaminosas e assumir uma abordagem mais positiva.

Independentemente do que esteja planejando fazer, é preciso responder a duas perguntas. Primeiro, a ação que estou considerando é positiva? Ou seja, ela tem potencial para lidar com o erro que foi cometido e melhorar a situação? Segundo, a ação que estou considerando é amorosa? É planejada para beneficiar a pessoa com quem estou irritado? Se a resposta a essas duas perguntas for sim, então você está pronto para o último passo.

ORAÇÃO

Pai, perdoa-me pelas vezes que não tardei em me irritar e, tomado pela ira, cometi pecado. Dá-me força enquanto tento tomar decisões melhores em relação a como vou reagir.

APLICAÇÃO

MARÇO 11

DEVOCIONAL 70

Lidando com a ira de maneira construtiva

> Livrem-se de toda amargura, raiva, ira, das palavras ásperas e da calúnia, e de todo tipo de maldade. Em vez disso, sejam bondosos e tenham compaixão uns dos outros, perdoando-se como Deus os perdoou em Cristo.
>
> EFÉSIOS 4.31-32

ORAÇÃO

Pai, obrigado porque a ira pode servir a um propósito positivo. Ajuda-nos, como casal, a deixar a ira para trás e partir em busca da solução do problema, de modo que nosso relacionamento se fortaleça.

APLICAÇÃO

Nos últimos dias, temos falado sobre um programa de cinco passos para lidar com a ira: admitir a si mesmo que está irado; refrear a reação imediata; localizar o foco da ira; analisar as opções. Hoje estamos prontos para o quinto passo: agir de maneira construtiva.

Entendo que existem duas possibilidades. A primeira é confrontar amorosamente a pessoa com que você está irritado. A segunda é propor-se conscientemente a esquecer a questão. É isso o que a Bíblia chama de tolerância. O livro de Romanos fala sobre a misericórdia e a tolerância de Deus ao deixar impunes os pecados que cometemos. Tolerância é a melhor opção quando você entende que sua ira está distorcida e que surgiu em razão de egoísmo. Se for esse o caso, é preciso entregar a ira a Deus em oração: "Pai, perdoa-me por ser tão egoísta". Depois, você deixa para lá. Você também pode optar por esquecer os ataques que foram reais, mas aos quais reagiu exageradamente.

Em contrapartida, quando seu cônjuge pecar contra você, o ensinamento bíblico claro é que você deve confrontá-lo de modo amoroso. "Percebo que talvez não saiba de tudo, mas estou irado e preciso muito falar com você. É um bom momento para isso?" Então você coloca o assunto diante do cônjuge e busca a reconciliação. Nesse caso, a ira serviu a um bom propósito, e o relacionamento é restaurado.

Buscando o reino

DEVOCIONAL 71

> A única coisa que peço ao Senhor, o meu maior desejo, é morar na casa do Senhor todos os dias de minha vida, para contemplar a beleza do Senhor e meditar em seu templo.
>
> SALMOS 27.4

Prioridade é algo que acreditamos ser importante. Quando fazemos uma lista de prioridades, estamos destacando as coisas que acreditamos ser de grande valor na vida.

A maioria dos cristãos concordaria que a prioridade número um é nosso relacionamento e comunhão com Deus. Nada é mais importante. De fato, o relacionamento com Deus influencia nossas demais prioridades. Se Deus é o autor da vida, então nada é mais importante do que conhecê-lo. Se Deus falou, nada é mais significativo do que ouvir sua voz. Se Deus ama, nada pode trazer maior alegria do que responder a esse amor. Em Salmos 27.4, o salmista declara seu maior desejo: buscar a face de Deus e estar em sua presença. Jesus disse: "Busquem, em primeiro lugar, o reino de Deus e a sua justiça" (Mt 6.33).

Você pode dizer honestamente que buscar o reino de Deus é sua maior prioridade? Se pode, então isso terá um impacto profundo sobre sua maneira de abordar o casamento. Seguir as orientações de Deus para o casamento, assim como para as outras áreas da vida, será seu desejo mais profundo.

ORAÇÃO

Pai, sei que o teu reino deve ser minha prioridade número um, mas muitas vezes isso não se reflete em minha maneira de viver. Peço-te perdão. Ajuda-me a buscar o teu reino acima de todas as coisas. Que eu possa ter tua visão sobre todos os aspectos da vida, incluindo a forma como encaro o casamento.

APLICAÇÃO

MARÇO 13

DEVOCIONAL 72

Dando prioridade à família

"Finalmente!", exclamou o homem. "Esta é osso dos meus ossos, e carne da minha carne! Será chamada 'mulher', porque foi tirada do 'homem'". Por isso o homem deixa pai e mãe e se une à sua mulher, e os dois se tornam um só.

GÊNESIS 2.23-24

ORAÇÃO

Pai, obrigado por dares tamanha importância às famílias. Ajuda-me a manter essa prioridade e a perceber como as atitudes que tenho para com meu cônjuge afetarão meus filhos no futuro.

APLICAÇÃO

A família ocupa posição de destaque entre suas prioridades? Quando reconhecemos que Deus estabeleceu o casamento e a família como a unidade básica da sociedade, a família se torna extremamente importante. De fato, Salmos 68.6 nos diz que, em sua compaixão, "Deus dá uma família aos que vivem só".

Dentre os relacionamentos familiares, reconhecemos que o relacionamento conjugal é mais importante que o relacionamento entre pais e filhos. Os versículos acima, extraídos de Gênesis 2, mostram quanto é singular o relacionamento entre marido e esposa. Além de a mulher ter sido criada da costela do homem, nenhum outro relacionamento humano é descrito em termos de "unir-se" e tornar-se "um só". O casamento é uma relação íntima para a vida toda. A maioria dos filhos, por sua vez, terminará deixando os pais um dia para estabelecer a própria família.

Se a família for uma de minhas maiores prioridades, como isso afetará meu modo de gastar tempo, dinheiro e energia? Quando sirvo à minha esposa, também estou fazendo algo por meus filhos. Estabeleço o exemplo do qual espero que se lembrem quando casarem. Uma das coisas mais importantes que você pode fazer pelos filhos é amar e servir a seu cônjuge. Nada cria um ambiente mais seguro para os filhos do que ver papai e mamãe amando um ao outro. E nada solidifica mais o relacionamento conjugal.

Autocuidado

14 MARÇO
DEVOCIONAL 73

> Vocês não entendem que são o templo de Deus e que o Espírito de Deus habita em vocês? [...] Pois o templo de Deus é santo, e vocês são esse templo.
>
> 1CORÍNTIOS 3.16-17

Recentemente uma esposa me disse: "Estou tão ocupada com a família, o trabalho e a igreja que sinto como se não tivesse mais tempo para mim". Essa esposa está sendo egoísta? De jeito nenhum. Ela está tentando equilibrar suas prioridades. Crendo que fomos feitos à imagem de Deus e que nosso corpo é o templo do Espírito Santo, a maioria dos cristãos concordaria que em sua lista de prioridades deveria estar a atenção com o bem-estar físico, emocional e espiritual. Paulo escreve em 1Coríntios 3 que, como cristãos, somos o templo sagrado de Deus porque o Espírito Santo vive em nós. O desejo de ser um templo apropriado deveria nos fornecer a motivação para cuidarmos de nós mesmos. Citando a lei do Antigo Testamento, Jesus disse a seus ouvintes que devemos amar o próximo como amamos a nós mesmos (Mt 22.39). O cristão que não dá a devida atenção às necessidades pessoais não desejará amar e servir ao próximo.

No casamento, devemos ajudar um ao outro a encontrar tempo para o desenvolvimento pessoal. O marido que cuida dos filhos enquanto a esposa caminha ou lê um livro está agindo como líder espiritual, pois está procurando o bem-estar da esposa. Quando a esposa retribui o favor, ela está servindo a Deus por meio do serviço que presta ao marido. Ajudar um ao outro a encontrar tempo para renovar-se nos âmbitos físico, emocional e espiritual é um importante elemento de um casamento saudável.

ORAÇÃO

Senhor Deus, fico maravilhado diante do fato de que teu Espírito Santo vive em mim. Sei que, sem tua ajuda, nunca serei um templo digno de ti, por isso oro pedindo que me purifiques. Ajuda-me a reservar o tempo necessário para mim mesmo de modo que eu seja rejuvenescido física, emocional e espiritualmente. Mostra-me como ajudar meu cônjuge a alcançar o mesmo alvo.

APLICAÇÃO

Apoiando um ao outro

> O corpo humano tem muitas partes, mas elas formam um só corpo. O mesmo acontece com relação a Cristo.
>
> 1CORÍNTIOS 12.12

ORAÇÃO

Pai, obrigado por minha família. Obrigado pelo lembrete de que, embora sejamos indivíduos, somos um em ti. Ajuda-nos a mostrar esse tipo de apoio um ao outro conforme tentamos equilibrar nossas atividades.

APLICAÇÃO

A maioria de nós colocaria o casamento, a família e a vocação no topo de nossas prioridades. Mas equilibrá-las em termos de tempo e energia muitas vezes se torna algo ilusório. Deixe-me dar uma ideia. Convoque uma reunião familiar e, com um calendário à mão, faça uma lista dos principais eventos da vida de cada membro da família neste mês. Pode colocar consultas médicas, atividades da igreja, responsabilidades no trabalho e, se tiver filhos, recitais de piano, eventos esportivos e atividades na escola. Providencie uma cópia da agenda mensal para cada membro da família.

Juntamente com o cônjuge, decida quais eventos exigem sua presença e, então, procure montar a agenda para que possa comparecer aos eventos. Muitos empregadores estão dispostos a permitir alguma flexibilidade ao perceberem que você é uma pessoa comprometida com a família. Desafie os membros da família a orar uns pelos outros no dia de seus eventos especiais.

A Bíblia é clara quando diz que, embora os membros do corpo de Cristo possuam talentos diferentes e desempenhem papéis distintos, estamos juntos como uma unidade em Cristo. Isso vale tanto para igreja como para a família cristã. Conforme analisam essa agenda, lembre a seus filhos que, muito embora cada pessoa da família seja diferente, vocês podem e devem apoiar uns aos outros também. A chave é o equilíbrio, e você pode fazer isso.

Ouvindo com empatia

> Quem tem discernimento está sempre pronto a aprender; seus ouvidos estão abertos para o conhecimento.
>
> PROVÉRBIOS 18.15

As habilidades de *falar* e *ouvir* são dois dos mais profundos dons de Deus. Nada é mais importante para um relacionamento do que conversar e ouvir. A comunicação é a força vital que mantém o casamento nas estações do verão e da primavera — tempos de otimismo e satisfação. Em contrapartida, abandonar a comunicação leva ao outono e ao inverno — momentos de desânimo e negatividade.

Parece muito simples. O problema é que muitos de nós tendemos a ser ouvintes julgadores. Avaliamos o que ouvimos da perspectiva que temos da situação e respondemos pronunciando nosso julgamento. Depois ficamos pensando por que nosso cônjuge não fala mais conosco.

Para a maioria de nós, ouvir com atenção exige uma mudança significativa de atitude. Devemos abandonar o ouvir egocêntrico (ver a conversa por nossos próprios olhos) e adotar o ouvir empático (ver a conversa pelos olhos do parceiro). O objetivo é descobrir como o cônjuge percebe a situação e como se sente. O texto de Provérbios 18.15 iguala ter discernimento a ouvir com atenção e buscar conhecimento. Num relacionamento, com frequência isso significa procurar conhecer melhor o cônjuge. As palavras são uma chave para abrir o coração da outra pessoa, e ouvir com o propósito de entender melhora a conversação.

ORAÇÃO

Senhor Jesus, quero ser um ouvinte empático em vez de julgador. Ajuda-me a me concentrar em meu cônjuge, e não em mim mesmo, quando estivermos conversando. Abençoa nossas conversas.

APLICAÇÃO

MARÇO 17

DEVOCIONAL 76

Comunicar sem discutir

> As palavras do justo são como a fina prata [...]. As palavras do justo dão ânimo a muitos.
>
> PROVÉRBIOS 10.20-21

ORAÇÃO

Pai, perdoa-me pelas vezes que minhas palavras se pareceram mais com as de Bildade que com as do rei Salomão. Oro para que, como casal, desenvolvamos a habilidade de conversar sem discutir. Que nossas conversas nos ajudem a entender melhor um ao outro.

APLICAÇÃO

Como conversar sem discutir? Tudo começa com uma resolução: não condenarei seus pensamentos, mas tentarei entendê-los. Quando você fala com a pessoa a quem ama, suas palavras podem ser de incentivo ou desânimo. Por exemplo, compare "Essa ideia é interessante. Você poderia me explicar um pouco mais?" com "Essa é a coisa mais ridícula que já ouvi. Como pôde pensar nisso?". Qual possui maior potencial para fazer o cônjuge continuar falando?

O livro de Jó contém muitos exemplos de conversas negativas. Em Jó 8.1-2, o suposto amigo Bildade dá uma resposta dura a Jó, que estava abrindo o coração, falando sobre a situação difícil que enfrentava. As palavras de Bildade ("Até quando continuará a falar assim? Suas palavras parecem um vendaval!") contrastam enormemente com a descrição que o rei Salomão faz das palavras dos justos, que são valiosas e animadoras.

Eis algumas dicas sobre como iniciar uma conversa que podem ajudá-los a desenvolver uma comunicação mais profunda:

- Leiam um mesmo artigo de jornal e compartilhem suas ideias.
- Assistam a um filme ou a um programa de televisão e comentem um com o outro: Havia alguma mensagem no filme? O que você considerou censurável? O que achou mais interessante?
- Leiam um capítulo por semana de um livro e contem um ao outro alguma ideia que consideraram intrigante ou útil.

Em suma, concentrem-se em entender um ao outro em vez de tentar defender o próprio ponto de vista ou provar que está "certo". A intimidade se desenvolve por meio de conversas positivas. Esse tipo de conversa intencional, praticada por certo tempo, estimulará a intimidade intelectual, o que pode levar à intimidade emocional e sexual. A boa comunicação é a chave para um casamento forte.

Incentivando no meio da discórdia

18 MARÇO
DEVOCIONAL 77

> A resposta gentil desvia o furor, mas a palavra ríspida desperta a ira.
>
> PROVÉRBIOS 15.1

Você sabe como incentivar seu cônjuge mesmo quando discordam? Esse é um grande passo para aprender a ter conversas significativas. Veja o exemplo a seguir. Uma esposa disse que ficou triste com o que o marido fez, e ele respondeu: "Gosto quando você compartilha suas ideias e sentimentos comigo. Agora posso entender por que ficou tão magoada. Se eu estivesse no seu lugar, tenho certeza de que me sentiria da mesma forma. Quero que saiba que a amo muito e que fico triste por vê-la chateada. Valorizo o fato de você ser aberta comigo". Esse marido aprendeu a arte de incentivar a esposa, muito embora não concorde com a posição dela.

Obviamente ele tem sua posição e terminará expondo o que pensa, mas em primeiro lugar ele quer que a esposa saiba que ele entende o que ela está dizendo e se identifica com sua dor. Não está condenando a interpretação dela, nem está dizendo que ela não deveria sentir-se triste. Na verdade, ele está reconhecendo que, se estivesse no lugar dela, sentiria o mesmo. E de fato sentiria, pois, se tivesse a personalidade e a percepção dela, sentiria o que ela sente.

Palavras duras ou de julgamento geralmente provocam raiva. Mas oferecer uma resposta gentil, como diz o rei Salomão no provérbio citado acima, incentiva uma reação atenciosa. A afirmação de sentimentos cria um clima positivo no qual a pessoa ofendida pode ouvir a posição do outro.

ORAÇÃO

Pai, que eu tenha como objetivo dar uma resposta calma a meu cônjuge. Dá-me a humildade de reconhecer seus sentimentos sem precisar destacar imediatamente meu ponto de vista.

APLICAÇÃO

MARÇO 19

DEVOCIONAL 78

A necessidade de amar e ser amado

> Como é precioso o teu amor, ó Deus! Toda a humanidade encontra abrigo à sombra de tuas asas.
>
> SALMOS 36.7

ORAÇÃO

Pai, dá-me maturidade para olhar além do comportamento de meu cônjuge e enxergar a necessidade por trás dele. Ajuda-me a comunicar-lhe meu amor profundo.

APLICAÇÃO

O comportamento humano é motivado por certas necessidades físicas, emocionais e espirituais. Se você não entender as necessidades de seu cônjuge, jamais entenderá seu comportamento. Nos próximos dias, analisaremos algumas dessas necessidades. Hoje nos concentraremos na necessidade de amor.

A necessidade de amar e ser amado é a mais fundamental de todas. O desejo de amar explica o lado generoso do ser humano. Sentimo-nos bem quando amamos alguém. Em contrapartida, muito de nosso comportamento é motivado pelo desejo de receber amor. Sentimo-nos amados quando estamos convencidos de que alguém se importa genuinamente com nosso bem-estar. O salmista reitera essa necessidade humana de sentir-se amado no versículo acima, quando agradece a Deus por seu amor. A imagem de pessoas se abrigando no Senhor como pintinhos se juntando debaixo das asas da mãe toca-nos profundamente, porque a necessidade de sermos cuidados é mesmo significativa.

Quando sua esposa reclama que você não fica tempo suficiente com ela, na verdade está clamando por amor. Quando seu marido diz: "Nunca faço nada certo", ele está implorando por palavras de afirmação. Briguem por causa do comportamento e estimularão mais comportamento negativo. Olhem além do comportamento e descobrirão a necessidade emocional. Satisfaçam essa necessidade e eliminarão o comportamento negativo. O amor procura satisfazer necessidades.

Concedendo liberdade

20 MARÇO

DEVOCIONAL 79

> Ele é tão rico em graça que comprou nossa liberdade com o sangue de seu Filho e perdoou nossos pecados.
>
> EFÉSIOS 1.7

Uma das grandes dádivas de Deus é a liberdade. Como afirma o versículo acima, Deus nos concedeu a liberdade suprema ao nos livrar das garras do pecado. Temos grande liberdade em Cristo, e esse chamado à liberdade é parte de quem somos.

Esse desejo de liberdade é tão forte que, quando sentimos que alguém está tentando nos controlar — particularmente alguém a quem amamos —, nossa tendência é ficar na defensiva e nos irritarmos. Precisamos dar liberdade um ao outro: para ler um livro, assistir a um evento esportivo, fazer compras, tirar uma soneca, considerar uma nova ocupação. Quando tentamos controlar o comportamento da pessoa a quem amamos, acabamos por ameaçar sua liberdade e estimular a ira.

Você já pensou por que seu cônjuge tende a "sair brigando" quando você o acusa de desperdiçar tempo? Você ameaçou sua liberdade. Ele sente que você está tentando controlar seu comportamento. Não há problema em pedir uma mudança de comportamento, mas pedidos são muito diferentes de exigências. As exigências são vistas como controle; os pedidos fornecem informações. Tente fazer um pedido respeitoso: "Por favor, você poderia levar o lixo para fora? Isso me deixaria muito feliz". Ele pode atender ou não, mas pelo menos não vai achar que você está tentando controlá-lo.

ORAÇÃO

Senhor Jesus, obrigado pela liberdade que nos ofereces por causa do teu sacrifício. Ajuda-nos como casal a também oferecer liberdade um ao outro em vez de tentar controlar um ao outro.

APLICAÇÃO

Em busca de significado

MARÇO 21
DEVOCIONAL 80

> Eles serão o meu povo, e eu serei o seu Deus. Eu lhes darei um só coração e um só propósito: adorar-me para sempre.
>
> JEREMIAS 32.38-39

ORAÇÃO

Pai, dá-me compaixão e compreensão por meu cônjuge que trabalha tanto para tentar sentir-se importante. Ajuda-me a dizer-lhe palavras de afirmação. Ajuda-nos também a lembrar que nossa importância maior não é algo que precisamos obter, porque já a recebemos de ti.

APLICAÇÃO

Todos nós temos necessidade de nos sentir importantes. Existe dentro de todos nós um desejo de fazer algo maior que nós mesmos. Queremos realizar algo que cause impacto no mundo e nos dê um senso de realização e satisfação. Esse desejo nos é dado por Deus, que espera que encontremos nele nosso significado supremo. Como esse versículo de Jeremias deixa claro, Deus nos criou com o propósito de servi-lo e adorá-lo.

Essa necessidade de nos sentirmos importantes é o que às vezes está por trás da natureza agitada do *workaholic*. Muitas vezes a busca por significado é intensificada pelas experiências da infância. O pai que diz ao filho que ele nunca será nada na vida cria dificuldades para que ele se sinta importante. Como resultado, o filho pode passar a vida inteira tentando provar que o pai estava errado. Ele pode, de fato, realizar muito e mesmo assim nunca se sentir importante.

Entender essa motivação melhorará muito os esforços de alguém casado com um *workaholic*. Elogiar o *workaholic* por suas realizações é muito mais produtivo do que condená-lo por dedicar tempo demais ao trabalho. A afirmação é produtiva. A condenação é destrutiva.

Nossa necessidade de descanso

22 MARÇO

DEVOCIONAL 81

> No sétimo dia, Deus havia terminado sua obra de criação e descansou de todo o seu trabalho.
>
> GÊNESIS 2.2

Nos aspectos físico, mental e emocional, os seres humanos foram planejados com a necessidade de equilíbrio entre trabalho e diversão. O fato de precisarmos de recreação e relaxamento reflete-se no segundo capítulo da Bíblia, no qual aprendemos que, depois de terminar a criação, o Senhor descansou de sua obra. Como pessoas feitas à imagem de Deus, é de admirar que também tenhamos tal necessidade?

Analise seu comportamento e o de seu cônjuge e você verá que pelo menos algumas das ações de ambos são motivadas pelo desejo de recreação e relaxamento. Os métodos para satisfazer essa necessidade variam de acordo com a personalidade e as preferências de cada um.

Por que Eric chega em casa do trabalho, liga a televisão e toma um copo da bebida favorita antes de começar a conversar com a esposa? Porque ele quer relaxar antes de realizar o esforço de relacionar-se com ela. Ou por que Ashley passa na academia antes de chegar em casa e interagir com a família? Conscientemente ou não, ela está procurando satisfazer a necessidade de relaxamento. Se entendermos as necessidades do cônjuge, poderemos tentar encontrar uma maneira de obter o amor de que precisamos e ainda assim permitir que nosso parceiro tenha a liberdade de satisfazer as próprias necessidades. Nós também devemos encontrar um modo de relaxar — lendo, fazendo exercícios, assistindo à televisão ou dedicando-nos a um *hobby* — ou perderemos a estabilidade emocional. O cônjuge sábio incentiva a recreação e o relaxamento.

ORAÇÃO

Pai, obrigado pela necessidade de descansar e relaxar. Muitas vezes vejo isso como desperdício de tempo, mas sei que é uma importante necessidade que nos deste. Ajuda-me a não criticar meu cônjuge por relaxar, mas a ver isso como algo positivo e revigorante.

APLICAÇÃO

Escolhendo o amor

MARÇO 23 — DEVOCIONAL 82

> Escolham hoje a quem servirão. [...] Quanto a mim, eu e minha família serviremos ao Senhor.
>
> JOSUÉ 24.15

ORAÇÃO

Pai, obrigado porque nos deste a capacidade de optar pelo amor. Ajuda-me a fazer as escolhas certas no relacionamento com meu cônjuge, não as escolhas baseadas apenas nas emoções ou nos problemas do passado. Que possamos substituir as rusgas que tivemos como casal por expressões de amor.

APLICAÇÃO

Recentemente uma mulher me disse: "Como podemos falar a linguagem do amor um do outro se estamos cheios de dores, ira e ressentimento por causa dos últimos fracassos?". A resposta a essa pergunta está na natureza essencial de nossa humanidade. Somos criaturas de escolha. Isso significa que temos a capacidade de fazer algumas escolhas ruins e outras sábias, a despeito das emoções.

Quando os israelitas estavam se estabelecendo na terra prometida, Josué, seu líder, os instruiu a escolherem seu caminho com atenção. Serviriam eles aos deuses da cultura que haviam deixado (Egito) ou aos deuses da cultura à qual se juntavam (Canaã)? Ou acaso optariam por servir ao Senhor Deus que os levara àquele lugar? O povo já havia feito escolhas ruins no deserto, mas agora tinha uma nova oportunidade de responder. Acatou a liderança de Josué e optou por seguir ao Senhor.

Ter feito escolhas ruins no passado não significa que devemos continuar a fazê-las no futuro. Em nossos relacionamentos, podemos dizer: "Sinto muito. Sei que feri você, mas gostaria de agir de outro modo no futuro. Quero amar você e satisfazer suas necessidades". Confessar os erros do passado e expressar o desejo de fazer que o futuro seja melhor é uma escolha. Já vi casamentos serem resgatados à beira do divórcio no momento em que o casal tomou a decisão de amar e ambos aprenderam a falar a linguagem do amor um do outro.

As feridas não devem ser negadas. Elas devem ser substituídas por expressões de amor. Quando escolhemos amar a despeito do que sentimos, os sentimentos negativos se dissiparão e a intimidade retornará. Atos de amor criam sentimentos de amor.

Amor como ação

> O amor é paciente e bondoso. O amor não é ciumento, nem presunçoso. Não é orgulhoso, nem grosseiro. Não exige que as coisas sejam à sua maneira. Não é irritável, nem rancoroso. Não se alegra com a injustiça, mas sim com a verdade. O amor nunca desiste, nunca perde a fé, sempre tem esperança e sempre se mantém firme.
>
> 1CORÍNTIOS 13.4-7

Um homem chamado Brent me confidenciou: "Simplesmente não a amo mais. Não a amo há muito tempo. Não quero feri-la, mas não gosto mais de estar com ela. Não sei o que aconteceu. Queria que fosse diferente, mas não sinto nada por ela".

Brent estava pensando e sentindo o que milhares de pessoas têm pensado e sentido através dos anos. É a mentalidade de "não amo mais" que dá a homens e mulheres a liberdade — pelo menos na mente deles — de procurar amor em outra pessoa.

Vale a pena analisar novamente a famosa "definição" de amor do apóstolo Paulo em 1Coríntios 13. Nessa passagem, que é lida em muitos casamentos, o foco está completamente em atitudes e ações, não em sentimentos. Suportar qualquer situação e não exigir que as coisas sejam feitas do nosso jeito, por exemplo, requer que não nos concentremos em nossas emoções. Mas, quando agimos de maneira amorosa, é comum que as emoções surjam como consequência.

Infelizmente, Brent nunca fez a distinção entre os dois estágios do amor romântico. No primeiro estágio, os sentimentos são eufóricos e surgem sem esforço. No segundo estágio, a ação assume o papel principal, e os sentimentos surgem apenas quando cada um fala a linguagem do amor do outro. O casamento de Brent pode ser salvo? Sim, se ele e a esposa confessarem os erros do passado e concordarem em falar amor numa linguagem que o outro entenda. No segundo estágio, ações amorosas precedem sentimentos amorosos.

ORAÇÃO

Senhor Jesus, obrigado pelo lembrete de que o amor verdadeiro tem mais a ver com atos do que com sentimentos. Às vezes é difícil agir de maneira amorosa quando não sinto vontade de fazê-lo. Mas peço que me dês a vontade e a coragem de expressar amor a meu cônjuge.

APLICAÇÃO

MARÇO 25

DEVOCIONAL 84

Quando não é natural

> Este é meu mandamento: Amem uns aos outros como eu amo vocês. Não existe amor maior do que dar a vida por seus amigos.
>
> JOÃO 15.12-13

ORAÇÃO

Senhor Jesus, obrigado por nos demonstrares o mais elevado tipo de amor. Fico maravilhado diante de tua disposição de entregar a vida por mim. Obrigado. Ajuda-me a responder com disposição humilde de entregar a vida a meu cônjuge, mesmo que seja por pequenos atos como comunicar-me por meio de sua linguagem do amor.

APLICAÇÃO

Volta e meia me perguntam: "E se a linguagem do amor de seu cônjuge não for natural para você?". Talvez a linguagem dele seja *toque físico*, e você não é uma pessoa dada a toques. Ou pode ser *presentes*, mas os presentes não são importantes para você. Talvez a linguagem dela seja *tempo de qualidade*, mas sentar-se no sofá e conversar por vinte minutos é o seu pior pesadelo. Ele quer *palavras de afirmação*, mas palavras não lhe vêm facilmente. Ou ela prefere *atos de serviço*, mas você não tem prazer nenhum em manter a casa organizada. Sendo assim, o que fazer?

Você aprende a falar a linguagem de seu cônjuge. Se isso não lhe for natural, o ato de aprender a falá-la é uma expressão de amor ainda maior porque demonstra esforço e disposição de aprender. Isso fala muito alto ao cônjuge. Tenha em mente, também, que sua linguagem do amor talvez não seja natural para a pessoa a quem você ama. Seu cônjuge precisa se esforçar para falar sua linguagem tanto quanto você para falar a dele. Isso é que é amor.

Jesus deixou claro que devemos amar uns aos outros como ele nos amou, ou seja, com o mais elevado grau de sacrifício. Poucos de nós são chamados a entregar literalmente a vida pelos outros, mas somos chamados a entregar a vida por meio de pequenos atos todos os dias. Amar é dar. Optar por falar amor numa linguagem que seja significativa para o cônjuge é um grande investimento de tempo e energia.

Colocando o cônjuge em primeiro lugar

26 MARÇO
DEVOCIONAL 85

> "Por isso o homem deixa pai e mãe e se une à sua mulher, e os dois se tornam um só." Uma vez que já não são dois, mas um só, que ninguém separe o que Deus uniu.
>
> MATEUS 19.5-6

Nenhum casal alcançará o pleno potencial no casamento sem "deixar pai e mãe". Isso tem implicações práticas na área de tomada de decisões, uma vez que os pais podem ter sugestões sobre muitos aspectos de sua vida. Toda sugestão deve ser levada a sério, mas, em última análise, você e seu cônjuge devem decidir por si mesmos.

Depois de casados, vocês não devem mais tomar decisões com base naquilo que agradará os pais de cada um, mas levando em conta o que é melhor para o cônjuge. Isso significa que pode chegar um momento em que o marido diga à mãe algo como: "Mamãe, você sabe que a amo muito, mas também sabe que, agora, estou casado. Não posso sempre fazer o que você quer que eu faça. Quero manter o relacionamento agradável que temos tido há anos, mas meu principal compromisso é com minha esposa. Espero que você entenda".

O marido não deve permitir que a mãe controle sua vida depois que ele se casou. Esse não é o padrão bíblico. Em vez disso, Jesus ensinou que marido e esposa devem se tornar um quando se casam e que ninguém deve se colocar entre eles para os separar. O relacionamento conjugal torna-se a mais elevada prioridade. Vocês devem tratar os pais com respeito, porém estabelecer o compromisso com o cônjuge como o primeiro e mais importante.

ORAÇÃO

Pai celestial, amo meus pais e quero agradá-los, mas sei que às vezes isso pode fazer que eu coloque a opinião deles acima da posição de meu cônjuge. Ajuda-me a lembrar que as decisões que tomo devem levar em conta primeiramente o que é melhor para meu cônjuge, não o que é melhor para meus pais.

APLICAÇÃO

MARÇO 27 — DEVOCIONAL 86

Honrar apesar do desrespeito

> Livrem-se de toda amargura, raiva, ira, das palavras ásperas e da calúnia, e de todo tipo de maldade. Em vez disso, sejam bondosos e tenham compaixão uns dos outros, perdoando-se como Deus os perdoou em Cristo.
>
> EFÉSIOS 4.31-32

ORAÇÃO

Pai, tu nos chamaste a honrar os pais independentemente das circunstâncias. Peço-te que me dês autocontrole e graça para sempre falar respeitosamente com meus pais e parentes.

APLICAÇÃO

Honrar os pais depois de nos casarmos implica falar com eles de modo amável. Quando o apóstolo Paulo escreveu a Timóteo, um pastor bem jovem naquela época, ele o admoestou dizendo: "Nunca fale com dureza a um homem mais velho, mas aconselhe-o como faria com seu próprio pai" (1Tm 5.1). Devemos ser compreensivos e simpáticos. É certo que precisamos falar a verdade, mas isso deve ser feito sempre com amor (Ef 4.15). A forma como dizemos algo é tão importante quanto aquilo que dizemos.

O mandamento de Efésios 4.31-32, mostrado acima, deve ser levado a sério em nossas relações com pais e parentes. Devemos evitar palavras duras e ira fora de controle, tratando-os, em vez disso, com ternura e perdão.

Não há lugar para gritarias raivosas com pais e parentes. A lei da bondade deve prevalecer, mesmo se eles não a estiverem seguindo. Se eles estiverem fora de controle, esse é o momento para que mantenhamos a serenidade e os ouçamos. Não devemos ser capachos, mas a Bíblia deixa claro que precisamos ser responsáveis na maneira de falar com os outros. Isso inclui o cônjuge e certamente os pais.

Os outros acima de nós

28 MARÇO
DEVOCIONAL 87

> Não se preocupem com seu próprio bem, mas com o bem dos outros.
>
> 1CORÍNTIOS 10.24

A maioria dos conselheiros concorda que um dos maiores problemas do casamento é a tomada de decisões. Visões de democracia dançam na mente de muitos recém-casados, mas, quando existem apenas dois membros votantes, a democracia costuma chegar a um beco sem saída. Como o casal pode sair dele? A resposta é encontrada numa palavra: amor.

O amor sempre pergunta: "O que é melhor para você?". Como Paulo escreveu em 1Coríntios, em primeiro lugar os cristãos precisam preocupar-se com o que é benéfico para os outros em vez de simplesmente procurar aquilo que ajudará ou agradará a eles próprios. O amor não exige que as coisas sejam do seu jeito. O amor busca agradar o amado. É por isso que os cristãos devem ter menos problemas ao tomar decisões do que os não cristãos. Somos chamados a amar. Quando amo minha esposa, não procuro impor minha vontade a ela por motivos egoístas. Em vez disso, considero o que é melhor para ela.

ORAÇÃO

Colocar o cônjuge, a pessoa a quem amo, acima de mim mesmo é um conceito tão simples, Senhor, mas ao mesmo tempo tão difícil. Preciso de tua ajuda. Quando tomarmos decisões juntos, como casal, ajuda-nos a não exigir, mas a oferecer. Ajuda-me a ser amoroso na maneira de fazer escolhas.

APLICAÇÃO

MARÇO 29

DEVOCIONAL 88

Chefia sem auxiliar

> O Senhor Deus disse: "Não é bom que o homem esteja sozinho. Farei alguém que o ajude e o complete".
>
> GÊNESIS 2.18

ORAÇÃO

Pai, obrigado pelo plano que estabeleceste para o casamento e o valioso papel que tens para cada um de nós. Ajuda-me a entender esses papéis e a cumprir minha parte com amor e sabedoria.

APLICAÇÃO

A ideia bíblica de o marido ser o cabeça da esposa tem sido um dos conceitos mais explorados de toda a Bíblia. Maridos cristãos obstinados fazem todo tipo de exigências tolas à esposa usando como base para a autoridade a frase "A Bíblia diz". Autoridade não significa que o marido tem o direito de tomar todas as decisões e simplesmente informar à esposa aquilo que vai acontecer.

A esposa é chamada a auxiliar o marido, de acordo com Gênesis 2.18. Sem ela, o homem estaria sozinho — o que Deus diz, sem rodeios, que não seria bom. A ajuda dela é claramente necessária e valiosa. Contudo, como ela poderá ser auxiliadora se não tiver oportunidade de compartilhar suas ideias? O sábio rei Salomão escreveu: "É melhor serem dois que um" (Ec 4.9). Isso certamente é válido no processo de tomada de decisões. Por que um marido iria querer tomar uma decisão limitada apenas a sua sabedoria quando Deus lhe deu uma auxiliadora?

Submissão e respeito

> Sujeitem-se uns aos outros por temor a Cristo. Esposas, sujeite-se cada uma a seu marido, como ao Senhor. [...] Maridos, ame cada um a sua esposa, como Cristo amou a igreja. Ele entregou a vida por ela.
>
> EFÉSIOS 5.21-22,25

Muitas esposas tremem quando ouvem o pastor dizer "Abra sua Bíblia em Efésios 5.22". Elas sabem que esse é o versículo que diz: "Esposas, sujeite-se cada uma a seu marido". "Mas você não conhece o meu marido", pensam. Às vezes imagino que Deus responde: "Mas você não entende o que é submissão". Submissão não é uma ordem que se aplica apenas às mulheres. Lemos em Efésios 5.21 que devemos nos sujeitar "uns aos outros" por causa de nosso amor a Cristo.

Tanto a instrução aos maridos a amar como a instrução às esposas a se submeter chamam a uma atitude de serviço. Submissão não significa que a esposa deve ser a única a ceder. O marido deve dar a vida por ela. Também não quer dizer que ela não pode expressar suas ideias. O objetivo da instrução de Paulo é a unidade, o que exige que ambos tenham uma atitude de serviço.

ORAÇÃO

Pai, entendo que deste tarefas desafiadoras a mim e meu cônjuge. Precisamos de tua ajuda para realizá-las. Ajuda-nos a amar e servir um ao outro de acordo com a tua vontade.

APLICAÇÃO

MARÇO 31 — DEVOCIONAL 90

As estações do casamento

> Tanto o dia como a noite pertencem a ti [Senhor]; criaste a luz das estrelas e o sol. Determinaste os limites da terra e fizeste o verão e o inverno.
>
> SALMOS 74.16-17

ORAÇÃO

Senhor, tu criaste as diferentes estações da terra, e podemos enxergar estações diferentes em nossa vida. Mas sei que não nos criaste para nos acomodarmos em relacionamentos frios e invernais. Anima-nos a renovar como casal a esperança e o otimismo em nosso relacionamento.

APLICAÇÃO

A Bíblia nos diz que Deus criou as fronteiras da terra, incluindo a rotação em torno do Sol, o que provoca a mudança das estações. As estações vêm e vão: inverno, primavera, verão e outono. O mesmo ocorre com as estações do casamento. Os relacionamentos estão num estado perpétuo de transição, movendo-se continuamente de uma estação para outra. Mas as estações do casamento nem sempre seguem a ordem da natureza. Seu casamento pode estar na primavera hoje e no inverno no mês seguinte. Como são as estações do casamento?

Às vezes nos vemos no inverno: desanimados, sozinhos e insatisfeitos. Em outros momentos, experimentamos a primavera, com abertura, esperança e expectativa. Ainda em outras ocasiões, estamos aquecidos sob o calor do verão: confortáveis, relaxados, desfrutando a vida. Então chega o outono, com sua incerteza, negligência e apreensão. O ciclo se repete muitas vezes durante a vida de um casamento, tal como as estações se repetem na natureza.

Nos próximos dias falaremos sobre essas estações recorrentes do casamento para ajudá-los a identificar em qual estação está seu casamento. Também darei sugestões de como melhorar as estações do casamento. Você nunca fica "empacado" numa estação; sempre é possível fazer mudanças positivas.

Enfrentando o inverno

1º ABRIL

DEVOCIONAL 91

> O conselho sincero de um amigo é agradável como perfume e incenso.
>
> PROVÉRBIOS 27.9

Fale-me sobre as emoções, atitudes e o comportamento que você tem em relação a seu cônjuge e eu lhe direi em qual estação seu casamento está. Hoje nos concentraremos no casamento que está no inverno.

Quais são as emoções do inverno? Dor, raiva, frustração, solidão, sentimento de rejeição. Quais são as atitudes de um casamento que está no inverno? Resumindo em uma palavra, negatividade. Você pode ouvir coisas como: "Estou desanimado com meu casamento", "Quanta frustração!", "Não sei como vamos resolver as coisas".

Quais são as ações de um casamento que está no inverno? Falar de modo áspero ou não falar nada, comportamento destrutivo e talvez violento. No inverno do casamento o casal não está disposto a negociar as diferenças. As conversas se transformam em discussões. Não há senso de proximidade. O casamento se assemelha a duas pessoas vivendo em iglus separados.

A boa notícia é que o casamento no inverno costuma deixar os casais suficientemente desesperados para pôr fim a seu sofrimento e buscar a ajuda de um pastor ou conselheiro. O livro de Provérbios fala da doçura que é o conselho de alguém que se importa conosco. O bom conselho é altamente valioso, e muitas vezes a perspectiva de alguém de fora do relacionamento é fundamental para pessoas que realmente querem mudar. Aqueles que buscarem ajuda a encontrarão.

ORAÇÃO

Pai, quando nosso relacionamento enfrentar dificuldades, dominado por rejeição e desânimo, ajuda-nos a encontrar um conselheiro sábio. Dá-nos a graça e a energia para buscarmos o rejuvenescimento do amor entre nós.

APLICAÇÃO

ABRIL 2

DEVOCIONAL 92

Sementes da primavera

> Lembrem-se: quem lança apenas algumas sementes obtém uma colheita pequena, mas quem semeia com fartura obtém uma colheita farta.
>
> 2CORÍNTIOS 9.6

ORAÇÃO

Pai, lembro-me da época em que vivi a primavera no meu casamento e quero isso outra vez. Peço-te que reacendas em nós o entusiasmo e o otimismo. Ajuda-nos a dedicar tempo e energia para plantar sementes em nosso relacionamento, a fim de que possamos obter um bom retorno.

APLICAÇÃO

Um casamento na primavera é cheio de esperança, expectativa, otimismo, gratidão, amor e confiança. Soa atraente? E é! Alguns de vocês estão dizendo: "Lembro-me dos primeiros anos de nosso casamento, quando estávamos na primavera". Quero sugerir que vocês podem ter repetidas primaveras! Um casamento saudável terá muitas primaveras com o passar dos anos.

Como os casais criam esse tipo de clima? Fazendo planos e se comunicando abertamente. Aqueles que querem viver um relacionamento na primavera estão dispostos a buscar a ajuda de um conselheiro ou ler um livro relevante. A primavera é um tempo de recomeço, quando os rios da comunicação estão correndo. O casal sente entusiasmo pela vida juntos. Os dois têm grandes esperanças para o futuro e estão plantando sementes das quais esperam obter uma colheita de felicidade. O versículo acima, extraído de 2Coríntios, nos dá esta promessa: se plantarmos com generosidade, obteremos um bom retorno de nosso trabalho. Aqueles que plantam sementes verão as flores da primavera.

O divertimento do verão

3 ABRIL

DEVOCIONAL 93

> E "não pequem ao permitir que a ira os controle". Acalmem a ira antes que o sol se ponha, pois ela cria oportunidades para o diabo.
>
> EFÉSIOS 4.26-27

O casamento que está no verão apresenta emoções como felicidade, satisfação, realização e união. Há um nível profundo de confiança e um compromisso com o crescimento. A vida é mais divertida e a comunicação, construtiva. O casal nesse estágio provavelmente frequenta congressos sobre casamento, lê livros e cresce espiritualmente.

O clima de um casamento no verão é confortável, apoiador e compreensivo. O casal resolve conflitos de maneira positiva. Tendo aceitado suas diferenças, eles buscam transformá-las em vantagens, utilizando-as para ajudar um ao outro. No verão, marido e esposa possuem um senso crescente de proximidade.

Existe um aspecto negativo no verão: sempre há vespas. Elas vivem escondidas e representam aqueles conflitos não resolvidos que foram colocados embaixo do tapete para que se tenha paz. Lembrem-se das sábias instruções de Efésios quanto a lidar com a ira imediatamente. Deixar as coisas inflamarem, mesmo em nome da pacificação, só piora as coisas. Em algum momento, você precisará atacar essas vespas, ou seu casamento no verão acabará chegando ao outono.

ORAÇÃO

Pai, obrigado pelo relacionamento confortável e positivo que tenho com meu cônjuge. Embora eu seja grato pela paz que existe entre nós, que eu não a busque à custa da resolução genuína de nossos problemas. Ajuda-me a lidar com eles de maneira amorosa.

APLICAÇÃO

ABRIL 4

DEVOCIONAL 94

O alerta do outono

> Nossa esperança está no Senhor; ele é nosso auxílio e nosso escudo. Nele nosso coração se alegra, pois confiamos em seu santo nome. Que o teu amor nos cerque, Senhor, pois só em ti temos esperança.
>
> SALMOS 33.20-22

ORAÇÃO

Senhor, eu te agradeço porque és a nossa esperança — para o mundo, para salvação e para nosso relacionamento. Dá-nos a coragem de abordar os problemas e fazer o que precisa ser feito.

APLICAÇÃO

Aqui na Carolina do Norte, onde vivo, o outono é marcado pela mudança da cor das folhas que, por fim, caem das árvores. Isso é o que acontece com o casamento que está no outono. Pode parecer belo do lado de fora, mas na verdade está desmoronando. No outono os casais sentem que alguma coisa está acontecendo, mas não sabem ao certo o que é. Um dos cônjuges ou ambos começam a se sentir abandonados. Estão se distanciando emocionalmente.

Num casamento que está no outono você começa a ver tristeza, apreensão, desânimo, medo e, por fim, ressentimento. Você negligenciou seu relacionamento e se afastou. Aumentam a preocupação e a incerteza, bem como a tendência de culpar o outro.

A estação do outono no casamento é um alerta para buscar ajuda: procure um conselheiro ou um pastor, leia um livro ou frequente um curso. Ao contrário das estações literais, um casamento pode sair do outono diretamente para a primavera, sem passar pelo inverno, mas vocês precisam agir para que isso aconteça. Se não o fizerem, chegarão em breve à frieza do inverno.

A Bíblia nos garante que sempre existe esperança. Confiem no Senhor como seu auxílio e deixem que o amor dele os cerque e encoraje com a promessa de que dias melhores estão por vir.

Casamento como aliança

5 ABRIL
DEVOCIONAL 95

> Aonde você for, irei; onde você viver, lá viverei. Seu povo será o meu povo, e seu Deus, o meu Deus. Onde você morrer, ali morrerei e serei sepultada.
>
> RUTE 1.16-17

Seu casamento é um contrato ou uma aliança? As duas coisas, mas a ênfase está na aliança. Por quê? Porque a maioria dos contratos se aplica a um período limitado de tempo — por exemplo, um contrato de *leasing* de um automóvel que pode durar três anos. Infelizmente, muitas pessoas entram no casamento com a mentalidade de contrato, pensando: "Se não der certo, nos divorciamos". Não à toa, algumas pesquisas indicam que metade dos casamentos termina depois de dois anos.

As alianças, em contrapartida, têm o propósito de ser permanentes, como vemos em vários lugares da Bíblia. Deus fez uma aliança com Noé que se estendeu a todas as gerações futuras (Gn 9). Fez o mesmo com Abraão (Gn 17). Alianças entre dois seres humanos também eram vistas como permanentes. Rute, por exemplo, disse a sua sogra viúva, Noemi, que iria aonde ela fosse e que ficaria com ela, adotando sua cultura e religião, até a morte. Essa linda declaração de compromisso é a linguagem do casamento como aliança. De fato, é similar àquilo que dizemos na maioria das cerimônias: "Na alegria e na tristeza, na riqueza e na pobreza, na saúde e na doença, todos os dias de nossa vida".

O casamento cristão é visto como uma aliança para toda a vida. É esse compromisso com o casamento que nos ajuda a passar pelos momentos difíceis da vida. Se tivermos uma mentalidade de contrato, então vamos cair fora quando as coisas esquentarem. Talvez seja tempo de lembrar a si mesmo que você está comprometido com um casamento que é uma aliança.

ORAÇÃO

Senhor Deus, fico maravilhado por teres feito alianças permanentes com seres humanos pecadores. Tu deixaste claro que o casamento deve ser uma aliança permanente também. Quando meu cônjuge e eu ficarmos frustrados em nosso relacionamento, lembra-nos de nosso compromisso. Que ele seja um incentivo e uma alegria para nós.

APLICAÇÃO

ABRIL 6

Amor na aliança

> Minhas ovelhas ouvem a minha voz; eu as conheço, e elas me seguem. Eu lhes dou a vida eterna, e elas nunca morrerão. Ninguém pode arrancá-las de minha mão.
>
> JOÃO 10.27-28

ORAÇÃO

Senhor Deus, obrigado por nos amares incondicionalmente. Mesmo quando fazemos coisas que as ovelhas de verdade fazem — fugir, agir de maneira tola, ignorar tua voz —, tu nos seguras em tuas mãos e nos amas. Que essa imagem me inspire enquanto tento amar meu cônjuge incondicionalmente. Renova nosso amor e compromisso, Pai.

APLICAÇÃO

Na meditação de ontem, destacamos que contratos são temporários, ao passo que alianças são permanentes. Qual é outra diferença entre um casamento como contrato e um como aliança? Contratos são condicionais: *Eu farei isso se você fizer aquilo*. O banco, por exemplo, permite que você dirija o carro financiado contanto que os pagamentos sejam feitos. Pare de pagar e o carro volta para o credor. Alguns casais veem o casamento da mesma forma. *Se você cumprir sua parte no acordo, eu cumprirei a minha*. Essa é uma visão barata do casamento.

O casamento como aliança se baseia no amor incondicional. Sou dedicado ao bem-estar de meu cônjuge, não importa o que aconteça. Não é esse o tipo de amor que Deus tem por nós? Quando aceitamos Cristo, tornamo-nos seus filhos. Podemos ser desobedientes, mas ainda pertencemos a ele. O Senhor não nos repudia. Ele nos considerará responsáveis por nossos atos, mas não se afastará de nós. Em João 10, Jesus compara a si mesmo com um pastor que se sacrifica pelas ovelhas. Ele dá vida eterna a suas ovelhas — aqueles que creem nele —, e ninguém é capaz de separá-las dele, por mais que se esforce. Esse é o retrato de uma aliança.

Esse é também o padrão para o casamento cristão. Devemos comprometer-nos a buscar o bem-estar do cônjuge, independentemente do que ele faça. Certamente cada um será responsável por seu comportamento pecaminoso, mas não abandonaremos o casamento, uma vez que somos a melhor fonte de ajuda um do outro. A aliança diz: "Sempre buscarei o melhor para você".

Aliança e reconciliação

7 ABRIL
DEVOCIONAL 97

> Então semearei uma safra de israelitas e os farei crescer para mim mesmo. Mostrarei amor por aquela que chamei "Não Amada". E àqueles que chamei "Não Meu Povo", direi: "Agora vocês são meu povo". E eles responderão: "Tu és nosso Deus!".
>
> OSEIAS 2.23

O casamento como aliança exige confrontação e perdão. Fazemos grandes promessas quando nos casamos, mas às vezes falhamos. As falhas não destruirão o casamento, mas deixar de tratar essas falhas poderá sim destruí-lo. A resposta adequada a uma falha é admiti-la e pedir perdão.

É assim que Deus nos trata. Ele diz: "Se violar minha aliança, você sofrerá, mas não deixarei de amá-lo. Também não trairei minha fidelidade". Deus não vai sorrir diante de nosso erro. Ele nos deixa sofrer as consequências, mas continua a nos amar e a buscar a reconciliação. O versículo acima contém algumas das lindas e tocantes palavras do livro de Oseias. O Senhor estava frustrado e zangado com os israelitas, que repetidas vezes se afastaram dele e adoraram ídolos. Várias passagens do livro detalham as consequências que o povo sofreria por ter se recusado a ouvir — mas essas passagens apresentam a seguir maravilhosas promessas como as que vimos aqui. O Senhor sempre busca a reconciliação. Ele está pronto a nos acolher de braços abertos.

O mesmo deve ser verdade no casamento. Não podemos tolerar o comportamento pecaminoso do cônjuge, mas podemos confrontá-lo amorosamente, com o desejo de perdoar e chegar a um acordo. Quando o cônjuge diz: "Sinto muito. Sei que estava errado. Você me perdoa?", a resposta típica de uma aliança é sempre: "Sim, quero renovar nossa aliança". O amor sempre busca a reconciliação.

ORAÇÃO

Pai, obrigado pelo poderoso exemplo que nos mostras por meio do livro de Oseias. Se tu podes repetidamente perdoar e nos receber de volta, também posso perdoar e reconciliar-me com meu cônjuge. Ajuda-me a ter em mente essa parte importante de um casamento como aliança.

APLICAÇÃO

ABRIL 8

DEVOCIONAL 98

Incentivando uma pessoa calada a falar

> As palavras sábias produzem muitos benefícios, e o trabalho árduo é recompensado. [...] O sábio dá ouvidos aos conselhos.
>
> PROVÉRBIOS 12.14-15

ORAÇÃO

Pai celestial, obrigado por me teres feito e a meu cônjuge tão diferentes. Tu sabes que um de nós gosta muito de falar e o outro não fala muito se não for incentivado. Ajuda-me a ser pronto para ouvir e tardio para falar quando for preciso. Quero conhecer mais meu cônjuge e comunicar-me com ele de maneira mais eficaz.

APLICAÇÃO

Quando o assunto é falar, existem dois tipos de personalidade. O primeiro é o que chamo de Mar Morto. Assim como o mar Morto, em Israel, que recebe água do rio Jordão mas não tem nenhuma saída, muitas pessoas são capazes de receber todo tipo de experiências o dia inteiro. Elas as armazenam na mente e têm pouca vontade de compartilhá-las.

E existe a personalidade que eu chamo de Ribeiro Murmurante. Qualquer informação que chega aos olhos ou aos ouvidos dessa pessoa rapidamente sai pela boca. Não é raro que pessoas desses dois tipos de personalidade se tornem marido e mulher. Elas podem ter um casamento feliz? Sim, desde que entendam suas diferenças de personalidade e busquem o crescimento.

É bem possível que Ribeiro Murmurante reclame, dizendo: "Meu parceiro não fala. Não sei nem o que ele está pensando. Sinto como se estivéssemos nos tornando estranhos". Como você faz uma pessoa calada falar?

Duas sugestões. Primeiramente, faça perguntas específicas. A pior coisa que você pode dizer a uma personalidade Mar Morto é: "Gostaria que você falasse mais". Essa declaração é assustadora e é entendida como condenação. É muito melhor fazer uma pergunta específica, porque geralmente até mesmo a pessoa mais calada vai responder.

Outra sugestão é interromper o fluxo de suas próprias palavras. Se quer que o outro fale mais, você precisa falar menos. Faça algumas pausas. Lembre-se que o rei Salomão escreveu que "o sábio dá ouvidos aos conselhos". Se perceber que está falando muito e seu cônjuge falando pouco, siga o conselho do apóstolo Tiago: "Estejam todos prontos para ouvir, mas não se apressem em falar" (Tg 1.19). Seu casamento ganhará muito com isso.

Libertando-se do medo

9 ABRIL
DEVOCIONAL 99

> Toda a glória seja a Deus que, por seu grandioso poder que atua em nós, é capaz de realizar infinitamente mais do que poderíamos pedir ou imaginar. A ele seja a glória.
>
> EFÉSIOS 3.20-21

Ontem conversamos sobre o fato de que a personalidade muitas vezes é a causa de um cônjuge não ser falante. Hoje quero abordar outra razão comum: o medo. Talvez na infância, num casamento anterior ou mesmo no casamento atual, o cônjuge tenha descoberto que revelar seus verdadeiros pensamentos e emoções provavelmente causará uma explosão. Não afeito a explosões, ele se cala.

Como superar esse bloqueio? Sugiro que você comece com uma confrontação amorosa. Aborde o assunto de maneira amável. Você pode dizer, por exemplo: "Quero que nosso casamento seja saudável, e acho que você quer o mesmo. Sinto que, no passado, quando revelava suas ideias, você deparou com minha raiva, ou talvez com a de seus pais ou de outra pessoa. Não sei quanto a eles, mas sei que não é isso o que quero. Estou pedindo a Deus que me ajude a ouvir você. Portanto, poderíamos começar falando apenas sobre um evento de nossa vida por dia? Acho que isso nos colocará num caminho positivo". Seu cônjuge provavelmente se sentirá aliviado por você ter tocado no assunto e estará disposto a tentar de novo. Lembre-se que a Bíblia deixa claro que a mudança é possível. O Senhor pode fazer mais até mesmo do que podemos imaginar, e certamente ele pode mudar padrões de comunicação estabelecidos.

ORAÇÃO

Pai, perdoa-me pelas vezes que calei meu cônjuge ao reagir com irritação. Peço tua ajuda para identificar as ocasiões em que ajo dessa forma. Por favor, toca o coração de meu cônjuge para que ele esteja disposto a tentar de novo.

APLICAÇÃO

ABRIL 10

DEVOCIONAL 100

Comunicação respeitosa

> Tratem todos com respeito e amem seus irmãos em Cristo. Temam a Deus e respeitem o rei.
>
> 1PEDRO 2.17

Já ouvi muitas pessoas dizerem: "Meu cônjuge não fala comigo". Se isso descreve o seu casamento, a pergunta é: por quê? A razão de muitos cônjuges ficarem calados são os padrões negativos de comunicação. Você encontrará aqui algumas perguntas que o ajudarão a pensar sobre seus próprios padrões. Analise se você demonstra que é negativo ou que vive reclamando.

- Escuto meu cônjuge quando ele fala, ou interrompo e dou minhas respostas?
- Permito que meu cônjuge tenha espaço quando precisa dele, ou forço a questão da comunicação, mesmo naqueles momentos em que ele precisa ficar sozinho?
- Guardo confidências para mim, ou revelo nossas conversas particulares a outras pessoas?
- Compartilho minhas próprias necessidades e desejos como pedidos ou como exigências?
- Dou a meu cônjuge a liberdade de ter opinião diferente da minha, ou sou rápido em colocá-lo "no devido lugar"?

Se você respondeu sim à segunda metade de alguma de minhas perguntas, pode ser hora de mudar os padrões de comunicação. É preciso tratar o cônjuge (e todos os cristãos) com respeito e amor, como 1Pedro 2.17 nos instrui. Fazer isso pode soltar a língua do cônjuge calado.

ORAÇÃO

Pai, perdoa-me pelas vezes que fui desrespeitoso com meu cônjuge na maneira de falar. Não escutei, fui exigente e controlador, e revelei confidências. Sei que esse tipo de comportamento não é amoroso. Oro pedindo tua ajuda para dedicar-me a um modo novo e melhor de me comunicar.

APLICAÇÃO

Comunicando amor

11 ABRIL

DEVOCIONAL 101

> Vivam em amor, seguindo o exemplo de Cristo, que nos amou e se entregou por nós como oferta e sacrifício de aroma agradável a Deus.
>
> EFÉSIOS 5.2

O que gostaria que seu cônjuge fizesse por você? É bem possível que a resposta a essa pergunta revele sua principal linguagem do amor. Se a resposta for limpar a garagem, pintar o quarto, varrer o chão, lavar a louça ou levar o cachorro para passear, então sua principal linguagem do amor são atos de serviço. Se você quiser muito que seu cônjuge lhe segure a mão quando saem para caminhar, sua principal linguagem do amor é provavelmente toque físico. Saber qual das cinco linguagens do amor faz que você e seu cônjuge estejam mais conectados dá a ideia do que precisa acontecer para que vocês dois se sintam amados.

Antes de fazer um sermão ao cônjuge sobre a importância de ele falar sua linguagem do amor, pare e pergunte a si mesmo: "Meu cônjuge se sente amado por mim?". Você pode até mesmo fazer esta pergunta a seu cônjuge: "Numa escala de 0 a 10, quanto está cheio o seu tanque de amor? Isto é, quanto você se sente amado por mim?". Se a resposta for qualquer coisa menor que 10, pergunte: "O que posso fazer para enchê-lo totalmente?". Seja o que for que seu cônjuge sugerir, faça da melhor maneira que puder. Afinal de contas, em Efésios 5 Paulo nos desafia a "viver em amor". Coisas boas acontecem quando seguimos o exemplo de Cristo e oferecemos amor livremente um ao outro. À medida que aprender a falar a linguagem do amor de seu cônjuge, é bem possível que ele aprenda a falar a sua.

ORAÇÃO

Senhor, quero agradar-te por meio dos atos de amor e serviço que presto a meu cônjuge. Ajuda-me a concentrar as energias nele, não em mim mesmo. Enriquece nosso casamento por meio de expressões de amor.

APLICAÇÃO

ABRIL 12 — DEVOCIONAL 102

Alegria por meio do serviço

> Os preceitos do Senhor são justos e alegram o coração. Os mandamentos do Senhor são límpidos e iluminam a vida.
>
> SALMOS 19.8

ORAÇÃO

Pai, seguir os teus mandamentos traz alegria. Obrigado pelo amor e pelo rejuvenescimento que surge quando servimos e comunicamos amor uns aos outros. Oro pedindo graça para fazer isso de bom grado.

APLICAÇÃO

O que fazer se a linguagem do amor de seu cônjuge forem atos de serviço? O que fazer se você descobrir que o que faz seu cônjuge realmente se sentir amado é levar o lixo para fora, lavar a louça ou cuidar das roupas? Um marido disse: "Eu diria que ela provavelmente não se sentirá amada". Bem, essa é uma abordagem, mas a maneira mais bíblica de agir é aprender a servir o cônjuge.

Pode não ser fácil para você aprender a falar a linguagem de atos de serviço. Lembro-me do que me disse uma esposa: "Tenho de admitir que houve alguns momentos penosos e hilariantes naquelas primeiras semanas, quando meu marido começou a me ajudar com as coisas da casa. Na primeira vez que lavou roupas, ele usou alvejante não diluído no lugar do sabão comum. Nossas toalhas azuis saíram da máquina cheias de pontos brancos. Mas ele estava me amando em minha linguagem, e meu tanque de amor foi se enchendo. Hoje ele sabe como fazer as tarefas de casa e sempre me ajuda. Passamos muito mais tempo juntos porque não preciso trabalhar o tempo todo. Acabei aprendendo a falar a linguagem do amor dele também. Somos um casal feliz".

O Senhor se alegra quando servimos uns aos outros em amor e colocamos as necessidades do outro acima das nossas. Quando seguimos seus mandamentos, o resultado é alegria — como mencionado no salmo acima e evidenciado no exemplo desse casal. Aprenda a falar a linguagem do amor de seu cônjuge e você também poderá ter um relacionamento saudável e próspero.

Não desista!

13 ABRIL

DEVOCIONAL 103

> O amor nunca desiste, nunca perde a fé, sempre tem esperança e sempre se mantém firme.
>
> 1CORÍNTIOS 13.7

Aconselho pessoas com problemas conjugais há mais de quatro décadas. É comum elas aparecerem sozinhas, uma vez que o cônjuge não se dispõe a vir com elas. Com frequência, também chegam sem esperanças. Estão vivendo casamentos muito problemáticos.

Não tenho a ilusão de que posso oferecer uma fórmula mágica para trazer cura a todos esses casamentos. Contudo, creio de fato que em todo relacionamento conturbado um dos parceiros pode dar passos positivos com potencial para mudar o clima emocional entre eles dois. O primeiro passo é tomar a decisão de não desistir. Leia um livro, converse com um conselheiro ou um pastor, fale com um amigo de confiança, mas não desista. De acordo com o versículo acima, extraído do famoso "capítulo do amor" do apóstolo Paulo, você está praticando o amor da maneira que Deus o define quando não desiste, não perde a fé, mantém a esperança e suporta tudo. Isso traz grande ânimo. Afinal de contas, nada é impossível para Deus.

ORAÇÃO

Pai, creio que nada é impossível para ti. Quando meu relacionamento parece tão difícil, ou até mesmo irreparável, venho a ti, aquele que cura. Peço-te que reacendas minha esperança e sopres nova vida em nosso casamento.

APLICAÇÃO

ABRIL 14

DEVOCIONAL 104

O amor promove mudanças

> Acima de tudo, revistam-se do amor que une todos nós em perfeita harmonia.
>
> COLOSSENSES 3.14

ORAÇÃO

Pai, quando enfrentar dificuldades no casamento, ajuda-me a reagir primeiramente com amor. Que meu amor terno e genuíno fale a meu cônjuge e abra caminho para a necessária entrada do amor firme. Peço-te que me guies os passos enquanto sigo por esse caminho.

APLICAÇÃO

O controle é uma questão importante em alguns relacionamentos. Uma esposa que enfrentava problemas com um marido controlador me disse: "Sinto-me como um pássaro numa gaiola. Na verdade, sinto-me mais como um *hamster* — já não tenho asas. Não quero o divórcio, mas não sei quanto tempo conseguirei viver debaixo de tamanha pressão". Essa esposa havia perdido a liberdade e sentia a dor do confinamento.

Existe esperança? Sim, e ela começa quando se crê que as coisas podem mudar. Seu marido pode mudar? Sim! A esposa pode ajudar a estimular essa mudança? Sim! A influência mais poderosa que ela pode exercer é o amor. O apóstolo Paulo escreve em Colossenses 3 que devemos buscar o amor acima de tudo. Por quê? Porque o amor tem o poder de formar um elo entre as pessoas, de uni-las ainda mais intensamente. Essa é uma influência poderosa no casamento.

Dois tipos de amor são necessários na situação que essa mulher enfrentava. Primeiramente vem o amor terno. Ela precisa aprender a falar a linguagem do amor do marido e procurar satisfazer as necessidades de amor emocional dele. Em segundo lugar, vem o amor firme. Ela pode dizer: "Eu o amo demais para ficar sentada aqui e não fazer nada enquanto você destrói nosso casamento". Assim, ela deve estabelecer algumas regras básicas e consequências — na verdade, dizer-lhe o que fará até que ele dê os passos necessários para mudar de comportamento.

Quando um cônjuge demonstra o amor terno, o outro é capaz de receber o amor firme.

Buscando companhia, evitando solidão

15 ABRIL
DEVOCIONAL 105

> Viva alegremente com a mulher que você ama todos os dias desta vida sem sentido que Deus lhe deu debaixo do sol, pois essa é a recompensa por todos os seus esforços neste mundo.
>
> ECLESIASTES 9.9

Um dos benefícios de estar casado é a companhia. Ter um cônjuge amoroso e apoiador é bom não apenas para a saúde emocional, mas também para a saúde física. Algum tempo atrás, um projeto de pesquisa envolvendo dez mil homens casados com mais de quarenta anos de idade descobriu que aqueles que tinham uma esposa amorosa e apoiadora tiveram muito menos problemas de coração. Um relacionamento íntimo no casamento melhora a saúde física.

Contudo, a solidão dentro do relacionamento conjugal é danosa para a saúde. O casamento foi planejado por Deus para prover companhia. Deus disse sobre Adão: "Não é bom que o homem esteja sozinho. Farei alguém que o ajude e o complete" (Gn 2.18). Em essência, os companheiros compartilham a vida juntos. Desse modo, quando um casal se comunica diariamente, ambos desenvolvem um senso de companhia. Estão comprometidos um com o outro. Ficam juntos ao enfrentar as incertezas da vida. Há algo na companhia que torna a vida mais suportável. Esse era o plano original de Deus. O rei Salomão escreveu em Eclesiastes que a esposa — e, por extensão, o marido — é um prêmio de Deus que nos dá alívio de todo trabalho aqui neste mundo.

Portanto, como casal, falem e ouçam um ao outro e edifiquem o relacionamento. Não permitam que a solidão lhes roube a saúde.

ORAÇÃO

Senhor Jesus, obrigado pela dádiva do casamento e a companhia que ele fornece. Quero oferecer a meu cônjuge amizade e parceria, não solidão. Ajuda-nos a fortalecer cada vez mais nosso relacionamento.

APLICAÇÃO

ABRIL 16

DEVOCIONAL 106

Quando seu cônjuge está irado

> A resposta gentil desvia o furor, mas a palavra ríspida desperta a ira.
>
> PROVÉRBIOS 15.1

ORAÇÃO

Pai, quando meu cônjuge está irado e me ataca, meu desejo é atacar de volta. É preciso ter muito autocontrole para, em vez disso, responder de modo gentil, mas sei que agir assim é o melhor para nosso relacionamento. Ensina-me a ouvir primeiro antes de responder e a ter certeza de que entendi a razão de meu cônjuge estar irado. Preciso de tua ajuda, Senhor.

APLICAÇÃO

Como reagir se seu cônjuge estiver irado? O natural é pagar na mesma moeda e responder com palavras iradas. Mas, como Provérbios 15.1 nos lembra, isso só levará a mais discussão. Se quer desviar a ira e chegar à raiz do problema, o primeiro passo é ouvir. Por que seu cônjuge está irritado? O que você fez para provocar a ferida? Talvez seja um simples mal-entendido, mas você não saberá até que ouça. Assim, se seu cônjuge está irado, a melhor coisa que você pode fazer é parar tudo e perguntar: "Meu bem, por que está irritado comigo?". Ouça a resposta.

O segundo passo é ouvir de novo. Faça perguntas para certificar-se do que está sendo comunicado. Você pode dizer:

— É isso o que você está dizendo? Está zangado porque deixou suas camisas na cadeira para que eu as levasse à lavanderia e, quando chegou em casa à noite, viu que estavam no mesmo lugar.

— Certo — diz seu parceiro. — Você prometeu que as levaria à lavanderia. Não entendo.

O terceiro passo é ouvir. Isso mesmo, ouça mais uma vez.

— Querido, você está dizendo que está desapontado por eu não ter levado suas camisas à lavanderia?

— Sim, e não tenho camisa para usar amanhã. Não sei o que vou fazer.

Ah, agora você está pronta para o quarto passo, que contarei na meditação de amanhã.

Reagindo à ira

17 ABRIL

DEVOCIONAL 107

> Escutem bem o que vou dizer, ouçam-me com atenção.
>
> JÓ 13.17

Lembra-se dos três primeiros passos para reagir diante do cônjuge irado? Ouvir. Ouvir. Ouvir. Somente depois de ouvir o cônjuge três vezes é que você terá um retrato claro da razão de ele estar irritado. Quando você faz perguntas e escuta com atenção, seu cônjuge sabe que você o está levando a sério. A história de Jó, conforme o relato bíblico, mostra que ele estava experimentando grande sofrimento físico e emoções intensas. Quanto mais falava sem sentir que alguém o escutava, mais irado e frustrado ficava. Um amigo — ou um cônjuge — que realmente ouve pode causar um impacto significativo.

O quarto passo é tentar entender o problema de seu cônjuge. Ou seja, coloque-se no lugar dele e tente enxergar o mundo através de seus olhos. É verdade que o que aconteceu talvez não tenha irritado você. Mas dadas as diferenças de personalidade entre os cônjuges, você consegue entender por que ele ficou tão irado?

Assim que conseguir compreender, o quinto passo é expressar sua compreensão dos fatos. Veja o exemplo a seguir:

— Querido, quando tento enxergar através de seus olhos, posso entender a razão de você estar irado. Se eu estivesse em seu lugar, provavelmente ficaria irritada também. Agora entendo.

Uau! Você não é mais um inimigo. Agora você é um amigo, e amigos podem ajudar os amigos a resolver problemas.

ORAÇÃO

Senhor Deus, quando meu cônjuge está irado, não quero tornar-me seu adversário. Em vez disso, ajuda-me a ouvir, entender e comunicar essa compreensão de modo que possa ser amigo dele. Dá-me a tolerância e a humildade para trabalhar com meu cônjuge no sentido de encontrar uma solução para o problema que estamos enfrentando.

APLICAÇÃO

ABRIL 18

DEVOCIONAL 108

Em busca da solução

> Sejam compreensivos uns com os outros e perdoem quem os ofender. Lembrem-se de que o Senhor os perdoou, de modo que vocês também devem perdoar.
>
> COLOSSENSES 3.13

ORAÇÃO

Senhor Jesus, eu te agradeço porque a ira não precisa destruir nosso relacionamento. À medida que meu cônjuge e eu procuramos responder calmamente à ira um do outro, ajuda-nos a trabalhar juntos para encontrar uma solução. Quando experimentarmos conflito, que possamos usá-lo como meio de aprendizado e descobrir uma maneira melhor de lidar com ele da próxima vez.

APLICAÇÃO

Conforme dissemos nos últimos dias, ao responder a um cônjuge irado você precisa ouvir e mostrar empatia para entender a razão da ira. Depois de ter feito isso, você estará pronto para o sexto passo: apresentar sua perspectiva. Muito provavelmente, você vê a situação de maneira diferente, e é bom transmitir isso. Diga, por exemplo: "Querido, deixe-me dizer-lhe o que tinha em mente quando disse aquilo", ou "Vou lhe dizer o que pensei quando falei daquele jeito". É bem provável que seu cônjuge consiga ouvir sua explicação, uma vez que você criou uma atmosfera amigável ao passar pelos cinco passos anteriores.

Finalmente, o sexto passo é a busca pela resolução. A pergunta agora é: "Como podemos resolver esse problema?". Dois adultos que já ouviram um ao outro podem agora encontrar uma solução. Se um erro verdadeiro foi cometido, então pode haver confissão e perdão, assim como uma conversa para evitar que o erro se repita. O texto de Colossenses 3.13 lembra os cristãos de que perdoar uns aos outros não é algo opcional. Vocês precisam estender graça um ao outro. Se um mal-entendido foi a razão da ira, então devem discutir como poderão lidar com isso de modo diferente no futuro.

Todo episódio de ira no casamento deve ser uma experiência de aprendizado, e agora vocês têm um plano para torná-la realidade.

Cuidando dos filhos como uma equipe

19 ABRIL

DEVOCIONAL 109

> Como o ferro afia o ferro, assim um amigo afia o outro.
>
> PROVÉRBIOS 27.17

É possível que pai e mãe que têm abordagens diferentes em relação à criação de filhos consigam chegar a um consenso? A resposta é um completo e absoluto sim. Já passei por isso. Descobrimos em nosso próprio casamento que eu tinha a tendência de ser o pai quieto, calmo, do tipo "vamos bater um papo sobre isso". Karolyn, minha esposa, tinha a tendência de ser a mãe do tipo "vamos resolver isso agora". Levou um tempo até que percebêssemos o que estava acontecendo, analisássemos nossos padrões e admitíssemos um ao outro quais eram nossas tendências básicas.

Finalmente, porém, começamos a nos concentrar na pergunta: "O que é melhor para nossos filhos?". Descobrimos que podíamos trabalhar juntos como uma equipe e que, na verdade, deveríamos agir assim. Nossas tendências básicas não mudaram, mas aprendemos a ajustá-las. Aprendi a agir de maneira responsável e combinar palavras com ações. Karolyn aprendeu a pensar antes de agir.

O conhecido provérbio citado no início desta meditação é frequentemente aplicado a amizades ou a grupos de prestação de contas. Mas também se aplica muito bem — senão melhor ainda — ao casamento. Quando reconhecemos que nosso cônjuge tem aptidões e abordagens diferentes que podem equilibrar as nossas, somos "afiados". Para aqueles que têm filhos, aceitar as diferenças e aprender a complementar um ao outro faz muito bem à criação de filhos e à saúde do casamento.

ORAÇÃO

Senhor Jesus, obrigado pela bênção de nossos filhos. Oro para que nos ajudes a encarar a criação de filhos como casal. Temos abordagens e pontos fortes diferentes, e não há problema nisso. Peço-te que nos dês sabedoria para mesclar essas abordagens da melhor maneira e para trabalhar como uma equipe.

APLICAÇÃO

ABRIL 20

DEVOCIONAL 110

Mesclando palavras e ações

> Pais, não tratem seus filhos de modo a irritá-los; antes, eduquem-nos com a disciplina e a instrução que vêm do Senhor.
>
> EFÉSIOS 6.4

ORAÇÃO

Senhor, obrigado pela oportunidade de criar os filhos tendo meu cônjuge como parte da equipe. Ajuda-nos a trabalhar juntos para definir o que for melhor para nossos filhos — uma abordagem que não os provoque à ira, mas que ajude a transformá-los nas pessoas que tu queres que eles sejam. Obrigado pela família que nos deste.

APLICAÇÃO

Caso tenham filhos, vocês sabem que as duas rodas sobre as quais anda a carruagem da criação deles são *ensino* e *treinamento*. O ensino geralmente usa palavras para se comunicar com a criança, ao passo que o treinamento faz uso de ações. Não é incomum que um dos pais enfatize as palavras e o outro dê ênfase às ações. Um desejará conversar com a criança para que ela obedeça, enquanto o outro simplesmente fará a criança obedecer. As duas abordagens têm valor, mas, quando levadas a extremos, ambas apresentam problemas. Uma pode levar ao abuso verbal e a outra, ao abuso físico.

A Bíblia é clara ao dizer que a boa criação de filhos não deve irritá-los, ou, como em traduções mais antigas, não deve provocá-los à ira. Embora esse versículo de Efésios seja direcionado ao homem, certamente se aplica também à mãe, uma vez que ambos podem irritar um filho por meio de um tratamento injusto, desrespeitoso ou desnecessariamente duro. A melhor abordagem é unir palavras e ações. Diga à criança exatamente o que se espera dela e quais serão os resultados da desobediência. Então, se ela não obedecer, de maneira gentil, mas firme, aplique as consequências. Se isso for feito de maneira constante, a criança aprenderá a obedecer.

Em vez de serem concorrentes na criação dos filhos, por que não montar uma equipe e combinar suas habilidades para estabelecer regras proveitosas e determinar as consequências? O resultado positivo é que vocês dois saberão o que fazer quando a criança desobedecer e, assim, serão consistentes. Naturalmente, tudo funciona melhor quando a criança se sente amada por ambos os pais. Criação de filhos é um esporte de equipe.

Demolindo o muro

21 ABRIL

DEVOCIONAL 111

> Portanto, confessem seus pecados uns aos outros e orem uns pelos outros para serem curados. A oração de um justo tem grande poder e produz grandes resultados.
>
> TIAGO 5.16

Muitos casais se encontram num beco sem saída porque permitiram que um muro se formasse entre eles. Os muros são erguidos um bloco por vez. Cada bloco representa o erro de um parceiro em um assunto específico. Pode ser algo tão pequeno quanto deixar de levar o lixo para fora ou tão grande quanto deixar de satisfazer as necessidades sexuais. Aquele que comete o erro costuma ignorá-lo em vez de tratá-lo. São oferecidas desculpas como: "Afinal de contas, o que ela quer? Estou fazendo a minha parte", ou "Por que ele não pensa nas minhas necessidades?".

Muitas vezes, um erro atrás do outro é ignorado até que um muro longo, alto e grosso se desenvolve entre duas pessoas que começaram "apaixonadas". A comunicação é interrompida, e a única coisa que resta é ressentimento.

Você quer derrubar o muro que se formou no relacionamento? Posso dizer-lhe como fazê-lo. Você consegue fazer isso derrubando os blocos de erros, um a um. Admita seus erros da maneira mais específica possível e peça ao cônjuge que o perdoe. Se você começar a derrubar o muro do seu lado, será mais fácil que seu cônjuge comece a demolição do lado dele.

A passagem de Tiago 5.16 deixa claro que os cristãos devem confessar os pecados uns aos outros. Isso é ainda mais importante dentro do contexto do casamento, em que esses pecados afetaram diretamente a outra pessoa. Disponha-se a admitir quando estiver errado. Se vocês dois estiverem dispostos a derrubar o muro da separação, então será possível remover todo o entulho e construir um belo relacionamento.

ORAÇÃO

Obrigado, Senhor, pelos recomeços. Ajuda-nos a nos dispormos a tratar as velhas feridas, confessar os erros e começar de novo com perdão. Obrigado pelo teu perdão sempre presente.

APLICAÇÃO

ABRIL 22

DEVOCIONAL 112

Uma consciência limpa

> Apegue-se à fé e mantenha a consciência limpa.
>
> 1TIMÓTEO 1.19

ORAÇÃO

Pai, obrigado por poder sempre confessar meus pecados a ti. O teu perdão é uma dádiva incrível. Ajuda-me a confessar os pecados a meu cônjuge também e a manter a consciência limpa.

Em Atos 24.16, o apóstolo Paulo fala sobre um princípio que guiou sua vida: "Por isso, procuro sempre manter a consciência limpa diante de Deus e dos homens". No caso dele, isso se devia em grande parte ao fato de ele não querer que nada atrapalhasse seu testemunho à medida que espalhava as boas-novas de Cristo. Esse é um bom motivo para nós também, mas conservar uma consciência limpa é igualmente bom para a saúde mental e relacional. Infelizmente, todos nós somos imperfeitos. Às vezes deixamos de cumprir os mandamentos de Deus. Você não precisa ser perfeito para ter um bom casamento, mas precisa lidar com seus erros.

Como é possível ter uma consciência limpa diante de Deus? Confessando-lhe seus pecados. Como obter uma consciência limpa diante das pessoas? Confessando seus pecados à pessoa contra a qual pecou. No casamento, essa pessoa é seu cônjuge.

APLICAÇÃO

É comum me perguntarem: "Mas e se meu cônjuge não estiver disposto a me perdoar?". Isso não é problema seu. Sua responsabilidade é admitir o erro e pedir perdão. Você não terá dado o primeiro passo até que tenha confessado as próprias falhas. Então seu cônjuge terá uma escolha: perdoar ou não perdoar. Seja qual for o caso, sua consciência está limpa, e agora você pode pedir ajuda a Deus para ser parte da solução em vez de parte do problema.

Assumindo a responsabilidade

> Cada um de nós é responsável pela própria conduta.
>
> GÁLATAS 6.5

Por que somos tão rápidos em colocar a culpa na pessoa a quem amamos quando as coisas não vão bem em nosso relacionamento? Infelizmente isso é da natureza humana, desde Adão e Eva. (Leia Gênesis 3 e você encontrará uma flagrante transferência de culpa entre os dois.) Mas Gálatas 6.5 nos lembra que cada um de nós é responsável pelas próprias escolhas e comportamento, o que inclui o papel que desempenhamos no relacionamento.

Posso sugerir uma abordagem melhor? Tente os passos a seguir:

1. Entendo que meu casamento não é o que deveria ser.
2. Paro de culpar meu cônjuge e peço que Deus me mostre onde estou falhando.
3. Confesso meu pecado e aceito o perdão de Deus, de acordo com 1João 1.9.
4. Peço a Deus que me encha com seu Espírito e me dê o poder para fazer mudanças construtivas em minha vida.
5. Vou até meu cônjuge, confesso meus erros e peço perdão.
6. No poder de Deus, continuo a buscar mudanças de comportamento, palavras e atitudes, de acordo com os princípios que encontro nas Escrituras.

Esse é o plano de Deus, e ele funciona. Culpar o cônjuge estimula ressentimento e antagonismo. Admitir os próprios erros e deixar que Deus mude seu comportamento cria um clima novo e positivo no casamento. É o caminho para um casamento saudável.

ORAÇÃO

Pai, tu sabes com que facilidade passo a culpar meu cônjuge pelas coisas que estão erradas em nosso relacionamento. Peço teu perdão por isso. Ajuda-me a, em vez disso, assumir total responsabilidade por meus próprios erros. Mostra-me claramente onde errei e ajuda-me a mudar. Sei que só posso fazer isso no teu poder.

APLICAÇÃO

ABRIL 24

DEVOCIONAL 114

Tratando primeiramente de si mesmo

> Por que você se preocupa com o cisco no olho de seu amigo enquanto há um tronco em seu próprio olho? Como pode dizer a seu amigo: "Deixe-me ajudá-lo a tirar o cisco de seu olho", se não consegue ver o tronco em seu próprio olho? Hipócrita! Primeiro, livre-se do tronco em seu olho; então você verá o suficiente para tirar o cisco do olho de seu amigo.
>
> MATEUS 7.3-5

ORAÇÃO

Pai, oro pedindo humildade e coragem para dar o primeiro passo. Ajuda-me a ver o erro com o qual contribuí para criar determinada situação e a confessá-lo, sem esperar que meu cônjuge aja primeiro. Abençoa nossos esforços.

APLICAÇÃO

Nas últimas meditações, falamos sobre assumir a responsabilidade pelos próprios erros em vez de culpar o cônjuge. Não quero dizer que não devemos jamais discutir os erros de nosso parceiro. Como casal, estamos tentando aprender a trabalhar juntos como equipe. Isso significa que, se eu achar que meu cônjuge está me tratando de maneira injusta, então devo, em amor, revelar meus sentimentos. Mas isso só é apropriado depois de eu ter tratado meus próprios erros.

Foi isso o que Jesus ensinou nos versículos acima, retirados de Mateus 7. Quando jogamos a culpa no parceiro sem primeiramente examinar a nós mesmos, é muito provável que deixemos de enxergar as próprias falhas e, como resultado, fica impossível ver o problema com clareza. Sempre que um relacionamento se rompe, as duas pessoas têm sua parte na ruptura. Um pode ter mais responsabilidade do que o outro, mas ambos podem cooperar para restaurar o relacionamento. Cada um deve lidar com o erro que cometeu pessoalmente.

Disponha-se a dar o primeiro passo. Não fique sentado, culpando seu cônjuge, e não desperdice tempo esperando que ele confesse. Se você confessar honestamente seus erros, isso poderá servir de estímulo para que seu cônjuge confesse os dele. O primeiro passo é o mais importante.

Importando-se o bastante para confrontar

25 ABRIL

DEVOCIONAL 115

> [O Senhor] me disse: "Os pecados do povo de Israel e de Judá são muito, muito grandes. Toda a terra se encheu de homicídio; a cidade está repleta de injustiça".
>
> EZEQUIEL 9.9

Algumas coisas são inadmissíveis num casamento. Abuso físico, infidelidade sexual, abuso de filhos, alcoolismo ou vício em drogas exigem ação amorosa. De fato, não estaremos amando se aceitarmos tal comportamento como estilo de vida. Por quê? Porque o amor está sempre preocupado com o bem-estar da pessoa amada, e tal comportamento destrói tanto o indivíduo como o casamento. O amor deve confrontar. Esse é o amor firme, esse é o amor real.

Na Bíblia, a confrontação muitas vezes é vista como um ato redentor. Sem dúvida, os profetas do Antigo Testamento eram frequentemente direcionados por Deus a confrontar Israel por seu pecado, como vimos no versículo acima, do livro do profeta Ezequiel. O tom do profeta costuma soar ríspido para nós, mas o propósito de mostrar às pessoas quanto elas foram longe era incentivá-las a voltar a ter um relacionamento correto com Deus.

Num nível interpessoal, Jesus disse: "Se um irmão pecar contra você, fale com ele em particular e chame-lhe a atenção para o erro" (Mt 18.15). O propósito da confrontação é que o relacionamento seja restaurado. Se houver arrependimento genuíno e mudança, poderá haver perdão genuíno, e o casamento terá condições de ser reconstruído. Sem confrontação e arrependimento, porém, o comportamento continuará igual. O amor firme se importa o bastante para confrontar.

ORAÇÃO

Pai, a confrontação é difícil para mim. Mas posso aprender na tua Palavra que algumas coisas não devem ser toleradas porque causam muita dor e prejuízo. Dá-me sabedoria para entender quando devo confrontar meu cônjuge e como devo reagir se ele me confrontar em razão de meu comportamento.

APLICAÇÃO

ABRIL 26

DEVOCIONAL 116

Quando chega a hora do amor firme

> Escrevi aquela carta com grande angústia, com o coração aflito e muitas lágrimas. Minha intenção não era entristecê-los, mas mostrar-lhes quanto amo vocês.
>
> 2CORÍNTIOS 2.4

ORAÇÃO

Senhor Deus, peço-te sabedoria para discernir quando o amor firme é necessário em nosso relacionamento. Ajuda-nos a amar um ao outro o suficiente para confrontar um comportamento destrutivo.

APLICAÇÃO

Não existe um tempo para você deixar de amar seu cônjuge, mas há uma época em que é preciso mudar a maneira de expressar esse amor. Se o cônjuge desenvolveu um padrão de comportamento destrutivo crônico e se recusou a mudar, muito embora você tenha procurado satisfazer as necessidades dele, pode ser hora de demonstrar o amor firme. O apóstolo Paulo fez uso do amor firme com a igreja de Corinto. Uma vez que seus membros haviam tolerado uma situação pecaminosa dentro da igreja, ele os repreendeu — não porque não se importava com eles, como deixa claro no versículo acima. Pelo contrário, ele os amava tanto que queria que pusessem fim àquilo que era prejudicial e que fizessem escolhas melhores.

O amor firme diz a um cônjuge abusivo: "Eu o amo demais para ajudá-lo a fazer uma coisa errada. Não ficarei sentada aqui, deixando você destruir a si mesmo e a mim ao me xingar todas as noites. Não consigo fazer você parar de agir desse modo, mas não estarei aqui para recebê-lo esta noite. Se quiser melhorar nosso casamento, estou disposta. Mas não contribuirei com esse processo nem permitirei que você me destrua".

Sua atitude não é de abandono, mas de amor. O amor por um cônjuge envolve cuidar do bem-estar da pessoa a tal ponto que você se recusa a fazer o jogo do comportamento doentio. Muitas pessoas são curadas quando alguém as ama o suficiente para se opor a suas ações destrutivas.

Palavras gentis

> A resposta gentil desvia o furor, mas a palavra ríspida desperta a ira.
>
> PROVÉRBIOS 15.1

Palavras positivas são ferramentas poderosas na construção de um casamento forte. Quando minha esposa me elogia por algo, quero receber mais. Quando ela me critica, sinto vontade de me defender e retribuir na mesma moeda. Se você quer que seu cônjuge se desenvolva, tente fazer um elogio por dia durante um mês, e veja o que acontece.

Você já notou que, quando fala de maneira branda, parece que seu cônjuge se acalma, ao passo que, quando fala de modo ríspido, ele tende a aumentar o volume de voz? Influenciamos um ao outro não apenas pelo que dizemos, mas também pela maneira como falamos. Gritar é um comportamento aprendido, e pode ser abandonado. Não precisamos elevar a voz um para o outro. O versículo acima, extraído do livro de Provérbios, nos diz aquilo que já sabemos instintivamente: palavras ríspidas levam a mais ira, mas palavras gentis podem mudar a situação. Tudo depende de como falamos.

Se existe um problema que você precisa discutir com seu cônjuge, escreva o que quer dizer. Coloque-se na frente de um espelho e faça uma apresentação em voz branda. Então peça que Deus o ajude a usar o mesmo tom de voz quando for conversar com seu cônjuge. Talvez nem tudo saia perfeito na primeira vez, mas você aprenderá a falar a verdade em amor e com delicadeza.

ORAÇÃO

Querido Senhor, quero incentivar meu cônjuge por meio das coisas que digo, bem como pela maneira de falar. Ajuda-me a lembrar que a gentileza sempre conseguirá mais coisas do que a crítica. Não permitas que eu grite com meu cônjuge; mostra-me como falar com gentileza e bondade.

APLICAÇÃO

ABRIL 28

DEVOCIONAL 118

Palavras de encorajamento

> A língua tem poder para trazer morte ou vida; quem gosta de falar arcará com as consequências.
>
> PROVÉRBIOS 18.20-21

ORAÇÃO

Pai celestial, obrigado pela dádiva do encorajamento. Quero ser um incentivador em meu casamento. Em vez de promover o desânimo e a frustração, quero trazer satisfação e esperança por meio do que falo. Ajuda-me enquanto tento desenvolver o hábito de dizer palavras positivas.

APLICAÇÃO

Esse provérbio é verdadeiro: "A língua tem poder para trazer morte ou vida". Você pode matar o ânimo de seu cônjuge por meio de palavras negativas ou pode conceder vida mediante palavras positivas. Palavras de encorajamento devem ser a norma em seu casamento. Você não pode usar o encorajamento como um extintor de incêndios, usando-o apenas quando for realmente necessário e, então, colocá-lo de volta no lugar. O encorajamento precisa ser um estilo de vida.

Palavras de encorajamento surgem de uma atitude de bondade. Quando escolho ser bondoso com meu cônjuge, procurar qualidades positivas nele e fazer coisas que facilitarão sua vida, as palavras positivas começam a surgir em meu vocabulário. Reclamação e comentários mordazes surgem de uma atitude negativa. Se me concentrar no que há de pior em meu cônjuge e pensar no que ele deveria estar fazendo para mim, eu me torno negativo. Destruirei meu cônjuge com minhas palavras negativas.

Quero incentivá-lo a dar vida a seu cônjuge ao optar por palavras positivas e de afirmação. A Bíblia nos diz que palavras sábias e úteis trazem satisfação. A passagem de Provérbios 20.15 compara o valor das palavras sábias ao ouro e aos rubis. O encorajamento pode realizar maravilhas num relacionamento. Procure algo bom em seu cônjuge e expresse apreciação. Faça isso hoje — e todo dia.

Aprendendo a encorajar

29 ABRIL

DEVOCIONAL 119

> Evitem o linguajar sujo e insultante. Que todas as suas palavras sejam boas e úteis, a fim de dar ânimo àqueles que as ouvirem.
>
> EFÉSIOS 4.29

Nem todo mundo nasceu sabendo como encorajar, por isso quero apresentar algumas ideias práticas sobre como aumentar o poder das palavras. Em primeiro lugar, *seja simples*. Algumas pessoas acham que, para encorajar, devem usar palavras rebuscadas. Costumo chamar isso de "rebuscadite". É muito melhor usar palavras simples e diretas que tenham a sua cara. Seu cônjuge ficará feliz diante do esforço genuíno que você fizer para expressar encorajamento.

Segundo, *seja sincero*. Incentivar não significa mentir ou exagerar para que o cônjuge se sinta melhor consigo mesmo. Se não for sincero, você perceberá e seu cônjuge também; então, qual o propósito de agir assim? É melhor um pequeno elogio sincero do que um longo discurso vazio.

Terceiro, *mantenha o foco em seu cônjuge, não em si mesmo*. Se o cônjuge tende a retribuir-lhe o elogio, dizendo: "Ah, você é muito melhor que eu nessa área", devolva gentilmente o elogio. O processo de incentivo gira em torno da outra pessoa, não de você.

A Bíblia deixa claro que os cristãos devem encorajar uns aos outros. O texto de Efésios 4.29 nos apresenta um desafio significativo: fazer que tudo o que dizemos seja bom e útil, de modo que os outros sejam encorajados. Fazer isso com seu cônjuge trará otimismo e bênção ao casamento.

ORAÇÃO

Senhor Deus, à medida que procuro crescer no encorajamento de meu cônjuge, ajuda-me a ter em mente essas três ideias. Quero transformar as palavras de encorajamento num hábito porque sei que isso ajuda nosso relacionamento conjugal a crescer e é agradável a ti.

APLICAÇÃO

ABRIL 30

DEVOCIONAL 120

Aprendendo a afirmar o outro

> Irmãos, encerro minha carta com estas últimas palavras: Alegrem-se. Cresçam até alcançar a maturidade. Encorajem-se mutuamente. Vivam em harmonia e paz. Então o Deus de amor e paz estará com vocês.
>
> 2CORÍNTIOS 13.11

ORAÇÃO

Pai, obrigado pelo encorajamento que recebo da tua Palavra. Ajuda-me a mudar minhas palavras de negativas para positivas. Mostra-me a melhor maneira de encorajar meu cônjuge de modo que ele se sinta incentivado e seguro do meu amor.

APLICAÇÃO

Hoje quero apresentar outras duas orientações sobre como aprender a usar palavras de afirmação. Primeiramente, *não encoraje por vias tortas*. Ou seja, não envolva seus comentários em sarcasmo. Por exemplo: "Você levou quase dois dias inteiros para acabar com aquele pacote de biscoitos. Admiro sua força de vontade". Eu nem precisaria dizer, mas comentários assim não transmitem afirmação. Deixe o sarcasmo de fora se quiser ser afirmativo.

Segundo, *não se entristeça se a reação de seu cônjuge não alcançar suas expectativas*. Lembre-se que cada pessoa reage aos elogios de maneira diferente. É claro que seria ótimo se ele reagisse à sua afirmação com um sorriso e um abraço, mas é possível que, em vez disso, você veja nele aquele olhar que diz: "Do que está falando?". Isso é especialmente real se você e seu cônjuge forem inexperientes na questão da afirmação. A boa notícia é que, quanto mais elogios fizer, melhor será a resposta obtida.

No final de sua segunda carta à igreja de Corinto, Paulo apresenta uma lista de pequenas diretrizes a seus destinatários. Entre elas, está a ordem de encorajarem uns aos outros. É um mandamento bíblico, algo que agrada a Deus e que fortalecerá seu casamento. Dê o primeiro passo hoje.

Atenção concentrada

> Amem-se com amor fraternal e tenham prazer em honrar uns aos outros.
>
> ROMANOS 12.10

Tenho observado que muitos maridos simplesmente não entendem as necessidades da esposa. Alguns acreditam que cumprirão o papel de marido se tiverem um emprego fixo e trouxerem um salário decente para casa. Possuem um conceito falho das necessidades emocionais e sociais da esposa. Consequentemente, não se esforçam para satisfazer tais necessidades. (Posso ouvir algumas das esposas dizendo "Sim!" ao lerem isso.)

Mas também observei que muitas esposas não entendem as necessidades do marido. Algumas esposas creem que serão boas esposas se cuidarem dos filhos e colaborarem com o marido para colocar comida na mesa e manter a casa com aparência de arrumada. Têm pouca noção das necessidades de admiração e afeição que o marido possui.

Muitas vezes, trata-se apenas de um problema de foco. Por qual razão dedicamos tanto tempo e atenção um ao outro quando namoramos, mas, depois de alguns anos de casados, nos concentramos em qualquer outra coisa? O fato é que precisamos encarecidamente um do outro. A Bíblia nos conclama a não apenas amar uns aos outros, mas a ter prazer nisso! Quero chamá-los a concentrar a atenção no cônjuge.

ORAÇÃO

Pai, tu sabes quanto meu cônjuge e eu precisamos um do outro. Tu nos criaste assim. Ajuda-nos a nos conscientizarmos das necessidades que cada um de nós tem e a sentir prazer em satisfazê-las.

APLICAÇÃO

Dedicação total

MAIO 2 — DEVOCIONAL 122

> [Josué disse:] "Portanto, temam o Senhor e sirvam-no de todo o coração. Lancem fora os ídolos que seus antepassados serviam quando viviam além do Eufrates e no Egito. Sirvam somente ao Senhor".
>
> JOSUÉ 24.14

ORAÇÃO

Senhor Deus, sei que preciso estar totalmente comprometido com meu cônjuge. Ele é um presente que tu me deste e pelo qual sou grato. Ajuda-me a mostrar comprometimento por meio de palavras e ações, para que ele se sinta seguro com o apoio que eu lhe der.

APLICAÇÃO

A maioria das mulheres tem uma necessidade emocional de segurança. É primeiramente uma necessidade física — estar livre de perigos dentro e fora de casa —, mas sua maior necessidade de segurança é em geral a certeza de que o marido está comprometido com ela.

O marido que ameaça a esposa com o divórcio ou faz comentários casuais como: "Você estaria melhor com outra pessoa", ou "Acho que vou procurar outra pessoa" está fazendo um jogo doentio.

Enquanto conduzia os israelitas à terra prometida, Josué os desafiou a se dedicarem completamente ao Senhor. Não poderiam mais servir ao Deus de Israel e ainda tentar adorar seus antigos ídolos. Eles precisavam fazer uma escolha. Enfrentamos uma questão similar no âmbito do casamento. Colocaremos de lado quaisquer pensamentos ou comentários sobre divórcio e nos dedicaremos plenamente ao cônjuge?

O marido sábio fará todos os esforços para comunicar à esposa que, aconteça o que acontecer, ele estará com ela. Se houver desacordos, ele se comprometerá a ouvir, entender e buscar uma solução. Se ela sofrer dor física ou emocional, ele estará ao lado dela. Toda esposa deve ser capaz de dizer: "Sei que meu marido está comigo, não importa o que aconteça. Ele está comprometido com nosso casamento". Todo marido precisa do mesmo compromisso por parte da esposa.

Cinco níveis de comunicação

> Que suas conversas sejam amistosas e agradáveis, a fim de que tenham a resposta certa para cada pessoa.
>
> COLOSSENSES 4.6

Identifiquei cinco níveis de comunicação que ocorrem num relacionamento. Você pode imaginar esses cinco níveis como cinco degraus ascendentes, cada um levando a um nível mais alto de comunicação. Hoje começaremos com o primeiro degrau, o mais inferior. Chamo este nível de *conversa de corredor*, porque é o tipo de conversa que se tem ao cruzar com alguém num corredor. Por exemplo:

— Oi, como vai?
— Bem, e você?
— Tudo bem, obrigado.

Nesse momento, vocês já passaram um pelo outro e a conversa acabou.

Esse nível de comunicação é comum no casamento, mas raramente é satisfatório. Vários anos atrás, uma jovem esposa cujo marido era piloto de avião me disse: "Meu marido fica fora três dias e depois passa três dias em casa. Essa é sua escala de trabalho. Ele chega em casa, depois de ter passado três dias fora, e pergunto: 'Como foram as coisas?'. Ele diz: 'Bem'. Três dias separados e tudo o que ele diz é: 'Bem'".

Você consegue entender a frustração dela? Alguns casais passam dias falando um com o outro apenas nesse nível; não é surpresa alguma que não tenham intimidade no relacionamento. Em Colossenses 4.9, Paulo descreve como deve ser nosso falar. A expressão "temperado com sal", usada em versões mais antigas, implica que a comunicação entre o casal não deve ser insípida e banal, mas significativa. Sem isso, não ficaremos satisfeitos. Nos próximos dias analisaremos os outros degraus da escada da comunicação.

ORAÇÃO

Pai, perdoa-me pelas vezes que fico tão perdido no meu próprio mundo a ponto de dispensar a meu cônjuge apenas uma conversa inexpressiva. Ajuda-nos a ter uma comunicação mais rica e profunda.

APLICAÇÃO

MAIO 4

DEVOCIONAL 124

Tão somente os fatos

> Todos se alegram quando dão a resposta apropriada; como é bom dizer a coisa certa na hora certa!
>
> PROVÉRBIOS 15.23

ORAÇÃO

Senhor, é importante que saibamos os detalhes da vida do cônjuge. Muitas vezes, porém, ficamos presos apenas aos fatos e não nos aprofundamos. Ajuda-me a estar pronto para entrar nos pensamentos e sentimentos de meu cônjuge.

APLICAÇÃO

Ontem analisamos o primeiro e menos significativo nível de comunicação, a conversa de corredor. Hoje subiremos um degrau na escada da comunicação, chegando à *conversa de relatório*. Essa comunicação envolve apenas os fatos: quem, o que, quando, onde e como.

Imagine, por exemplo, Emma conversando com Rich, seu marido:

— Falei com a Grace hoje de manhã, e ela me disse que o Michael está doente há seis dias. O médico pediu que ele fosse ao hospital para fazer alguns exames na sexta-feira.

— Hummmm — responde o marido. Então ele pergunta: — O Jimmy encontrou o cachorro?

— Sim — responde Emma. — Um vizinho o deixou trancado no quintal. Jimmy o ouviu latindo hoje à tarde e foi buscá-lo.

O marido balança a cabeça, sai da sala e vai cortar a grama.

Nesse nível de comunicação estamos simplesmente compartilhando informações. Não há expressão de sentimentos ou de opiniões. Alguns casais limitam quase toda a comunicação a esse nível e acham que têm um bom nível de comunicação. É fato que muitas palavras podem ser trocadas. Na realidade, porém, pouca intimidade é construída pela conversa de relatório, pois não falamos nada sobre nós mesmos. Que contraste com a "resposta apropriada" que Salomão mencionou em Provérbios 15.23. Nosso objetivo deve ser o envolvimento profundo um com o outro.

Troca de opiniões

5 MAIO

DEVOCIONAL 125

> Quem tem discernimento está sempre pronto a aprender; seus ouvidos estão abertos para o conhecimento.
>
> PROVÉRBIOS 18.15

O primeiro degrau da escada da comunicação é a conversa de corredor. O segundo nível é chamado de conversa de relatório. Hoje chegamos ao terceiro degrau: a *conversa intelectual*. Esse tipo de comunicação diz: "Sabe o que eu acho?".

Veja um exemplo. Imagine Olivia dizendo a John, seu marido:

— Fiquei sabendo que o George está com catarata.

O marido responde:

— Acho que ele precisava falar com o doutor Gillespie. Ouvi dizer que ele é o melhor da cidade.

— Não sei — responde a esposa. — Disseram que o doutor Reed é bom. Ele é mais jovem e conhece as técnicas mais recentes.

— Ainda assim, eu buscaria a experiência do doutor Gillespie — responde o marido. Então seguem para outro tópico da conversa.

Depois de a informação básica ter sido compartilhada (George tem catarata), os dois falam o que pensam sobre o assunto. Normalmente, quando conversam nesse nível, as pessoas prestam atenção na resposta do outro. Se uma delas fica na defensiva, a outra provavelmente encerrará a conversa ou caminhará para um assunto mais seguro.

Esse tipo de conversa permite que expressemos nossa opinião, mas não vai muito além disso, pois não estamos de fato interagindo com as ideias do outro. Como diz o provérbio acima, aquele que tem discernimento e é sábio busca conhecimento — não está contente com aquilo que sabe. Precisamos buscar conhecimento sobre nosso cônjuge.

ORAÇÃO

Senhor Jesus, ensina-me a ouvir e a aprender. Oro para que, como casal, sejamos capazes de compartilhar ideias e discuti-las de maneira mais aprofundada. Que nossa comunicação fortaleça nosso relacionamento.

APLICAÇÃO

Compartilhamento de emoções

> Entendam isto, meus amados irmãos: estejam todos prontos para ouvir, mas não se apressem em falar nem em se irar.
>
> TIAGO 1.19

ORAÇÃO

Pai celestial, perdoa-me pelas vezes que calei meu cônjuge por causa de uma atitude defensiva. Ajuda-me a ouvir e a incentivar a conversa sobre nossas emoções. Que isso gere frutos para nosso relacionamento.

Conforme temos conversado, a comunicação possui cinco níveis. O quarto degrau é a *conversa emocional*, que diz: "Vou lhe dizer o que sinto". Chegamos agora a uma comunicação de alto nível. Alguns encontrarão mais dificuldade em compartilhar seus sentimentos do que em falar sobre suas ideias porque os sentimentos são muito mais pessoais. Muitos casais têm pouca comunicação neste nível porque temem que seus sentimentos sejam rejeitados.

Veja este exemplo. Peter diz: "Começo a achar que você não gosta de mim". Rachel, sua esposa, pode tornar-se defensiva. A reação dela pode ser tanto começar a chorar e se afastar como expressar ira verbalmente e dizer a Peter que ele é muito tolo por pensar assim. Nunca é correto ou benéfico dizer à pessoa como ela deveria se sentir.

Uma resposta alternativa e saudável seria dizer: "Sinto muito. Não tinha ideia de que você se sentia assim. Fale sobre isso". Se ela incentivar Peter a ter uma conversa emocional, então poderão lidar com o problema. Senão, sua conversa retrocede a um nível inferior e não há crescimento.

A conversa emocional é um componente normal de um casamento saudável. Se isso lhe parece ameaçador, tente modificar sua resposta inicial. Como Tiago 1.19 nos lembra, devemos ser rápidos para ouvir e lentos para falar. Se perceber que está ficando defensivo em resposta às emoções do cônjuge, faça uma pergunta. Ouça. Considere calmamente o que foi dito. Lembre-se que ter abertura para discutir as emoções é uma maneira de deixar o relacionamento crescer.

APLICAÇÃO

Comunicação honesta

7 MAIO

DEVOCIONAL 127

> [O amor] não exige que as coisas sejam à sua maneira. Não é irritável, nem rancoroso. Não se alegra com a injustiça, mas sim com a verdade.
>
> 1CORÍNTIOS 13.5-6

Hoje chegamos ao ápice da comunicação. Chamo esse nível de *conversa honesta* porque ele permite que falemos a verdade em amor. Somos honestos, mas não condenamos; somos abertos, mas não exigimos que as coisas sejam do nosso jeito. A conversa honesta dá a cada um a liberdade de pensar e sentir de maneiras diferentes. Tentamos entender um ao outro e procurar maneiras de crescer juntos apesar das diferenças. Esse tipo de comunicação espelha parte da definição de amor apresentada por Paulo em 1Coríntios 13. Quando falamos honestamente, estamos sendo gentis, alegrando-nos com a verdade e não buscando os próprios interesses. Nossos mais elevados objetivos são amor e intimidade mais profundos.

Se isso lhe parece fácil, deixe-me dizer que não é. Se soa impossível, quero garantir que também não é. Embora seja fato que muitos casais experimentam pouca comunicação nesse nível, mais e mais casais estão descobrindo que, com a ajuda de Deus, a comunicação aberta e amorosa leva a um senso mais profundo de intimidade no casamento.

Muitas vezes, esse tipo de comunicação melhora quando o casal participa de algum grupo de ajuda conjugal que se reúne regularmente e ajuda a desenvolver habilidades de comunicação. Considere a ideia de procurar um grupo como esse na sua igreja ou comunidade. Junte-se a ele e suba na escada da comunicação.

ORAÇÃO

Pai, obrigado por essa imagem da comunicação amorosa. Ajuda-me a ter uma comunicação honesta hoje. Que eu possa ser franco, paciente e amoroso ao conversar com meu cônjuge.

APLICAÇÃO

Administrando as finanças juntos

> Irmãos, suplico-lhes em nome de nosso Senhor Jesus Cristo que vivam em harmonia uns com os outros e ponham fim às divisões entre vocês. Antes, tenham o mesmo parecer, unidos em pensamento e propósito.
>
> 1CORÍNTIOS 1.10

ORAÇÃO

Pai celestial, oro pedindo sabedoria e senso de equipe ao administrar nossas finanças juntos. Que tenhamos alegria no processo.

APLICAÇÃO

Como vocês lidam com o dinheiro? Antes de se casarem, vocês provavelmente compravam o que queriam. Mas assim que duas pessoas juntam seus recursos, esse padrão não pode mais continuar. Depois do casamento, há duas pessoas gastando dinheiro, e se as duas comprarem o que quiserem, provavelmente terão problemas. Vocês não precisam necessariamente pedir permissão um ao outro toda vez que quiserem gastar alguns trocados, mas realmente necessitam de um plano para evitar gastos desnecessários.

Obviamente, certas quantias devem ser separadas para aluguel ou financiamento de imóveis, combustível para o carro, despesas com mercado e outras contas. Espero também que acabem chegando a um acordo sobre quanto ofertarão a Deus todo mês. Mas uma vez que os pagamentos e gastos regulares estejam reservados, vocês saberão quanto dinheiro está disponível para outras despesas. Então poderão decidir quanto poupar e quanto gastar. Deixem-me dar uma ideia. Separem certa quantia por mês para que cada um gaste como quiser. (O valor vai depender do excedente disponível.) O restante do dinheiro vocês devem usar juntos.

O apóstolo Paulo nos lembra que devemos estar "unidos em pensamento e propósito". Como casal, precisamos trabalhar na direção desse objetivo em todas as áreas do relacionamento, incluindo o dinheiro. Esforcem-se para alcançar a harmonia enquanto planejam como usar o dinheiro. Administrar as finanças juntos pode ser divertido e altamente recompensador.

Planejando as finanças

9 MAIO
DEVOCIONAL 129

> Quem planeja bem e trabalha com dedicação prospera; quem se apressa e toma atalhos fica pobre.
>
> PROVÉRBIOS 21.5

A palavra *orçamento* assusta alguns casais que não querem se sentir presos. O fato é que eles já estão. O orçamento é simplesmente um plano para lidar com o dinheiro. O plano de algumas pessoas é gastá-lo no mesmo dia em que o recebem. As lojas ficam abertas até tarde para ajudá-las a fazer isso. O plano de outras é gastar o dinheiro antes mesmo de recebê-lo. Tudo o que precisam fazer é pagar uma quantia por mês. Os dois métodos podem trazer estresse ao casamento. A pergunta não é: "Vocês têm um orçamento?", mas "Vocês poderiam ter um orçamento melhor?".

O rei Salomão fez uma sábia observação no versículo acima. Não creio que ele esteja dizendo que a riqueza está ao alcance de qualquer um que faça planos. Creio, isto sim, que ele está declarando um fato da vida: se você planejar e fizer escolhas calculadas, os resultados serão melhores do que se tão somente seguir o fluxo da correnteza. Isso é certamente válido para nossas finanças. Planejar faz parte da boa administração e revela sabedoria no uso de recursos.

Se vocês nunca colocaram seu orçamento no papel, sugiro que não o façam hoje. Em vez disso, façam um acompanhamento por dois meses. Registrem todo dinheiro que ganharam e onde ele está sendo gasto, todas as contribuições e quanto conseguiram guardar. Ao final dos dois meses, terão seu orçamento no papel — ou pelo menos um registro dos gastos nos últimos dois meses. Então poderão examiná-lo e perguntar: "Gostamos de nosso orçamento? Se continuarmos nesse plano, onde estaremos em dois meses?".

Se não gostarem da maneira como têm despendido seu dinheiro, então poderão mudá-la juntos. Um orçamento funcional é um bem muito valioso para um casamento saudável.

ORAÇÃO

Senhor Jesus, é impressionante perceber como o dinheiro pode escorregar por entre os dedos se não formos cuidadosos. Queremos ser melhores administradores daquilo que nos deste. Peço-te que nos concedas a disciplina para fazer e cumprir um orçamento inteligente.

APLICAÇÃO

MAIO 10

DEVOCIONAL 130

Doação

> Busquem, em primeiro lugar, o reino de Deus e a sua justiça, e todas essas coisas lhes serão dadas.
>
> MATEUS 6.33

ORAÇÃO

Pai, queremos fazer o que é certo com o dinheiro. Ajuda-nos a buscar o teu reino em primeiro lugar e a fazer dessa a nossa principal preocupação. Confiamos em ti, Senhor, e queremos mostrar essa confiança por meio de nossas finanças.

APLICAÇÃO

Existem apenas três coisas que você pode fazer com dinheiro: gastar, poupar ou doar. Quero sugerir que o lugar por onde começar é a doação. Em Mateus 6.33, Jesus disse a seus ouvintes que buscassem o reino de Deus "em primeiro lugar" e Deus supriria suas necessidades. No contexto, "todas essas coisas" referia-se a comida, roupas e abrigo. O Senhor sabe que precisamos dessas coisas e satisfará nossas necessidades se o colocarmos em primeiro lugar.

O rei Salomão nunca esteve tão certo como quando disse: "Honre o Senhor com suas riquezas e com a melhor parte de tudo que produzir. Então seus celeiros se encherão de cereais, e seus tonéis transbordarão de vinho" (Pv 3.9-10). Já tentaram descobrir por que o celeiro está vazio, por que passam por dificuldades financeiras? Talvez isso se deva ao fato de não estarem honrando o Senhor com seus primeiros frutos, ou seja, com a melhor parte daquilo que possuem. Não deem a Deus o que sobra no sábado à noite. Em vez disso, estabeleçam um compromisso de, como casal, dar o melhor a Deus, como um símbolo de que tudo o que vocês têm pertence a ele. Definam juntos uma quantia ou um percentual de sua renda a ser dado à igreja local que frequentam ou a um ministério e contribuam com alegria. Essa generosidade lhes dará um senso de união e abençoará seu casamento.

Precavendo-se com sabedoria

11 MAIO
DEVOCIONAL 131

> O prudente antevê o perigo e toma precauções; o ingênuo avança às cegas e sofre as consequências.
>
> PROVÉRBIOS 22.3

Você sabia que os eletrodomésticos não são eternos? Refrigeradores quebram, geralmente quando você está na praia, de férias. Você sabia que, quando o refrigerador quebra, será preciso gastar bastante dinheiro para substituí-lo? Você está poupando para o dia da morte de seu refrigerador?

Como lemos em Provérbios 22.3, ser sábio envolve olhar à frente e tomar precauções. Um plano de poupança regular é uma prova de administração inteligente. Perceba que eu disse "regular". Poupar alguns reais por semana é melhor do que guardar o que tiver sobrado no final da semana. Se você planejar, vai sair na frente. Você pode fazer uma poupança que não dependa da memória por meio de aplicações automáticas em sua conta corrente no banco.

Dê a Deus primeiro, pague as contas depois (poupe) e então viva com o restante. Talvez seja preciso baixar o padrão de vida para seguir tal plano, mas essa não é uma má ideia. A Bíblia diz: "O sábio possui riqueza e luxo, mas o tolo gasta tudo que tem" (Pv 21.20). Os problemas fazem parte da vida. Carros quebram, casas necessitam de reparos, crianças ficam doentes. Se esses eventos já provocam desequilíbrio nas finanças, trarão mais estresse do que vocês imaginam ao relacionamento. Sejam sábios e deem início a um plano regular de poupança. Estar preparado para os imprevistos é um grande passo rumo a um casamento saudável.

ORAÇÃO

Pai, sei que as despesas inesperadas podem ser fonte de tensão no meu casamento. Ajuda-nos a ser suficientemente disciplinados para poupar para o futuro, sabendo que poupar é uma prova de boa administração do que tu nos dás, além de nos preparar para o que vier pela frente. Agradeço porque sei que o futuro está em tuas mãos.

APLICAÇÃO

MAIO 12

DEVOCIONAL 132

Estabelecendo objetivos para o casamento

> Esquecendo-me do passado e olhando para o que está adiante, prossigo para o final da corrida, a fim de receber o prêmio celestial para o qual Deus nos chama em Cristo Jesus.
>
> FILIPENSES 3.13-14

ORAÇÃO

Pai celestial, é fácil desperdiçar meu tempo com coisas que não são de fato importantes. Mas então percebo quanto estou longe do que mais importa. Ajuda-nos, como casal, a estabelecer os objetivos corretos. Quero dedicar-me a fazer o que é melhor para nosso relacionamento.

APLICAÇÃO

Uma das barreiras para um casamento saudável é a falta de tempo. Uma esposa disse: "Gostaria de ter um bom casamento, mas acho que não tenho tempo para isso". Muitas pessoas se identificam com essa declaração. Afinal de contas, há refeições para preparar, crianças para cuidar, gramados para aparar e patrões para agradar. Como encontrar tempo para tudo isso e ainda ter tempo um para o outro? Gostaria de compartilhar algumas ideias sobre como superar a barreira do tempo.

Em primeiro lugar, devemos estabelecer objetivos. Fazemos isso nos negócios; por que não fazê-lo no casamento? Com que frequência vocês gostam de sair juntos para comer? Ou viajar em um fim de semana, ou caminhar no parque? Quantas vezes gostariam de fazer sexo por mês? Que tipo de atividade manteria o casamento vivo? Gostariam de ter um "momento diário de compartilhamento" no qual cada um conta ao outro o que aconteceu durante o dia? São perguntas desse tipo que levam ao estabelecimento de objetivos importantes.

O apóstolo Paulo escreveu em Filipenses 3 sobre nosso objetivo derradeiro: prosseguir para o fim da corrida, da vida de serviço a Deus, e ganhar o prêmio da aprovação divina. Ele deixou de lado tudo o mais para fazer desse alvo seu objetivo principal. Esse tipo de foco traria grandes benefícios ao casamento também. Lembrem-se: estabelecer objetivos é o primeiro passo para superar a barreira do tempo, pois nossos objetivos nos lembram continuamente do que é realmente mais importante.

Foco no objetivo

13 MAIO
DEVOCIONAL 133

> Olhe sempre para frente; mantenha os olhos fixos no que está diante de você. Estabeleça um caminho reto para seus pés; permaneça na estrada segura. Não se desvie nem para a direita nem para a esquerda; não permita que seus pés sigam o mal.
>
> PROVÉRBIOS 4.25-27

Não é irônico que, mesmo com todos os avanços da tecnologia moderna que nos prometem "economizar tempo", tenhamos ainda menos tempo um para o outro? Micro-ondas, controle remoto, lava-louças e *smartphones* deveriam nos poupar um tempo valioso. Mas o que aconteceu com aquele tempo extra? Aparentemente foi engolido por outras atividades. Podemos recuperar um pouco desse tempo para nosso casamento? A resposta é sim, *contanto que* estabeleçamos objetivos e separemos tempo para alcançá-los.

O texto acima, de Provérbios 4, mostra o conselho do rei Salomão para alcançar objetivos. Essencialmente tudo se resume a saber aonde se está indo, traçar um caminho direto para chegar lá e não se desviar. Essa é a abordagem que precisamos assumir se quisermos alcançar nossos objetivos para o casamento.

Como arrumar tempo? Eliminando algumas das coisas boas que estamos fazendo de modo que tenhamos tempo para fazer coisas ainda melhores. O sentido da vida não reside em dinheiro, esportes, compras, sucesso acadêmico ou realizações profissionais, por melhores que sejam todas essas coisas. Reside nos relacionamentos, primeiramente com Deus e a seguir com as pessoas. Se você é casado, nada é mais importante que o relacionamento conjugal. Ele é o arcabouço no qual Deus deseja que você invista sua vida e experimente o amor do Senhor. O marido deve "amar" a esposa, e ela é instruída a "honrar" o marido. Que melhor maneira de amar e honrar do que arrumar tempo um para o outro?

ORAÇÃO

Pai, obrigado pelos objetivos que temos conseguido estabelecer para nosso relacionamento. Oro pedindo sabedoria e autocontrole para continuar olhando para a frente, na direção do objetivo. Que não nos distraiamos por aquilo que nos possa impedir de alcançar o objetivo, ainda que sejam coisas boas. Mostra-nos como fortalecer nossas prioridades.

APLICAÇÃO

MAIO 14

DEVOCIONAL 134

Ferramentas práticas para arrumar tempo

> Portanto, sejam cuidadosos em seu modo de vida. Não vivam como insensatos, mas como sábios. Aproveitem ao máximo todas as oportunidades.
>
> EFÉSIOS 5.15-16

Não conheço nada que gere maiores dividendos do que investir tempo no casamento. Isso impactará sua saúde física, mental e espiritual, bem como a saúde de seu cônjuge e de seus filhos. Também trará glória ao Deus que instituiu o casamento. Temos conversado nos últimos dias sobre estabelecer objetivos e arrumar tempo um para o outro. Quero sugerir duas coisas mais que os ajudarão a atingir esses objetivos: delegar responsabilidades e agendar momentos com o cônjuge.

Quando considerar a questão de delegar responsabilidades, comece com seus filhos. Que tal responsabilizá-los por lavar a louça, a roupa e o cachorro? Ou, se for financeiramente viável, você pode contratar o vizinho adolescente para cortar a grama do jardim ou passar o aspirador no carpete. Passar tarefas para outros lhe dá mais tempo para investir no casamento. Quando seu cônjuge disser: "Sabe, gosto de ver que estamos nos tornando amigos de novo", você saberá que esse investimento está dando um bom retorno.

A segunda sugestão é refletir as prioridades na agenda. Se seu objetivo é sair para jantar pelo menos uma vez por semana, já marcou o compromisso desta semana na agenda? O que dizer da semana que vem? Se não agendar as coisas, elas provavelmente não acontecerão. Quero incentivá-los a sentar juntos com as agendas nas mãos e tomar nota de todos os momentos que desejam passar juntos, sejam grandes ou pequenos. Escrever o nome do cônjuge na agenda comunica que ele é importante para você. Você está tirando o máximo proveito de cada oportunidade, como sugerem as Escrituras, e está no caminho certo para superar a barreira do tempo.

ORAÇÃO

Pai, obrigado por essas ideias que nos ajudarão a cumprir as metas que estabelecemos para nosso relacionamento. Ajuda-me a fazer minha parte para manter esses objetivos bem diante de mim. Meu cônjuge é minha maior prioridade depois do relacionamento que tenho contigo; ajuda-me a me lembrar dessa verdade e a agir de acordo com ela.

APLICAÇÃO

Expressando amor por meio de presentes

15 MAIO — DEVOCIONAL 135

> "Aqui está Rebeca; tome-a e leve-a com você. Que ela seja mulher do filho do seu senhor, como disse o Senhor." Quando o servo de Abraão ouviu a resposta, prostrou-se no chão e adorou o Senhor. Em seguida, entregou a Rebeca joias de prata e ouro e vestidos. Também deu presentes valiosos ao irmão e à mãe de Rebeca.
>
> GÊNESIS 24.51-53

Minha formação acadêmica é em antropologia. Em todas as culturas já estudadas por antropólogos, nunca se viu uma na qual os presentes não sejam parte do processo de amor e casamento. Vemos esse costume claramente no relato bíblico do noivado de Rebeca e Isaque. Assim que Rebeca e a família concordaram que ela seria esposa de Isaque, o servo de Abraão lhe deu presentes caros para mostrar a sinceridade e o respeito de seu senhor. Dar presentes como expressão de amor é algo universal. O presente é um sinal visível que diz: "Pensei em você".

Receber presentes é a principal linguagem do amor de algumas pessoas. Nada lhes fala mais alto sobre a devoção do cônjuge. Infelizmente, não raro essas pessoas se casam com outras que não são muito fluentes nessa linguagem do amor.

Um homem pode dar presentes antes do casamento porque acha que isso é parte do processo do namoro, mas, depois do casamento, o hábito cessa. Talvez ele expresse amor de outras maneiras, mas deixou de dar presentes. Lembro-me da esposa que disse: "Meu marido diz que me ama, mas, para mim, as palavras não valem muito. 'Eu te amo. Eu te amo.' Estou cansada das palavras. E os presentes?". As palavras do marido podiam ser sinceras, mas ele estava falando a linguagem do amor errada. Para essa esposa, um presente valia mais que mil palavras.

Se isso acontece com seu cônjuge, não deixe de procurar uma maneira adequada de expressar o amor que sente.

ORAÇÃO

Senhor Deus, às vezes me esqueço do que um pequeno gesto pode significar para meu cônjuge — ainda que sua principal linguagem do amor não sejam presentes. Ajuda-me a ser atencioso e a mostrar-lhe quanto me importo.

APLICAÇÃO

MAIO 16

DEVOCIONAL 136

Evidência de amor

> Quando [os magos] viram a estrela, ficaram muito alegres. Ao entrar na casa, viram o menino com Maria, sua mãe, e se prostraram e o adoraram. Então abriram seus tesouros e o presentearam com ouro, incenso e mirra.
>
> MATEUS 2.10-11

ORAÇÃO

Pai, obrigado pelo exemplo dos magos, que trouxeram do melhor que tinham para mostrar o amor que sentiam por Jesus. Ajuda-me a dar do melhor de mim para expressar amor a meu cônjuge por meio de presentes significativos e que demonstrem atenção.

APLICAÇÃO

Quando foi a última vez que você deu um presente ao seu cônjuge? Qual foi ele? Se não conseguir responder a essas perguntas, está na hora de dar um presente. Dar presentes é uma das cinco fundamentais linguagens do amor. O presente dado ao cônjuge é a prova visível de seus pensamentos amorosos.

Os presentes mais famosos da Bíblia, sem dúvida, são os que os magos deram ao menino Jesus. Aqueles homens trouxeram presentes caros, ouro e especiarias raras, e, ao fazê-lo, honraram Jesus e mostraram que acreditavam ser ele um rei. Estou certo de que Maria e José ficaram surpresos diante daquelas coisas maravilhosas que representavam o amor por seu filho.

O presente não precisa ser caro. Rapazes, vocês podem conseguir flores de graça. Só precisam ir ao jardim de casa e pegar uma delas. Seus filhos fazem isso. Não há flores no seu jardim? Procure no jardim do vizinho. Peça permissão; ele lhe dará uma flor.

Contudo, se você tem condições de comprar um presente, não dê flores gratuitas. Por que não investir no casamento um pouco do que você ganha? Dê ao cônjuge algo que você sabe que será apreciado. Se não tiver certeza, pergunte! Explique que quer fazer algo agradável e peça uma lista de coisas que seu cônjuge gostaria de ter. Essa informação é valiosa. Use-a para edificar o relacionamento.

Tomando decisões juntos

17 MAIO
DEVOCIONAL 137

> Confie no Senhor de todo o coração; não dependa de seu próprio entendimento. Busque a vontade dele em tudo que fizer, e ele lhe mostrará o caminho que deve seguir.
>
> PROVÉRBIOS 3.5-6

É possível desenvolver um método de tomada de decisão em que não haja discussões? Creio que a resposta é sim, mas isso não é sinônimo de ditadura. O marido que governa com "mão de ferro" ou a esposa que insiste em ter a última palavra podem até conseguir anuência, mas jamais alcançam união. A união exige que tratemos um ao outro com respeito. Sabemos que não concordaremos sempre, mas, quando discordarmos, devemos respeitar as ideias um do outro, ainda que não as entendamos plenamente.

"É melhor serem dois que um", diz a Bíblia (Ec 4.9), mas como isso pode ser demonstrado se a pessoa age sozinha? A maioria das decisões ruins de um casamento é tomada em isolamento. Se tomo uma decisão sem consultar minha esposa, fico limitado a minha própria sabedoria. Isso é trágico. Deus instituiu o casamento como uma parceria na qual duas pessoas trabalham juntas como equipe. Quando somamos nossa sabedoria à do cônjuge, a possibilidade de tomar uma decisão sábia é muito maior.

A Bíblia nos instrui claramente a não nos apoiarmos no próprio entendimento, como vemos em Provérbios 3. Está claro que, como casal, acima de tudo, precisamos pedir sabedoria a Deus para tomar decisões. Ao fazer isso, o *insight* de ambos os parceiros é necessário e valioso.

A vida é dura. Por que enfrentá-la sozinho? Trate seu cônjuge como um parceiro valioso. Reconheça que Deus lhe concedeu abundância de sabedoria ao lhe dar um cônjuge.

ORAÇÃO

Pai, obrigado pelo presente que é meu cônjuge e pela sabedoria que ele representa. Quando tomarmos decisões, ajuda-me a não abdicar da responsabilidade nem a assumi-la totalmente. Ajuda-nos a conversar, analisar bem e tomar decisões sábias.

APLICAÇÃO

MAIO 18

DEVOCIONAL 138

Chegando a um acordo

> Que Deus, aquele que concede paciência e ânimo, os ajude a viver em completa harmonia uns com os outros, como convém aos seguidores de Cristo Jesus.
>
> ROMANOS 15.5

ORAÇÃO

Senhor Jesus, oro pedindo harmonia em nosso casamento. Quando tomarmos decisões, quero comprometer-me a esperar até que cheguemos a um acordo em vez de seguir adiante com aquilo que desejo. Dá-nos sabedoria e união.

APLICAÇÃO

O que devemos fazer se não concordarmos com uma decisão? Creio que devemos esperar. Se a decisão puder esperar, por que seguir adiante com algo com que os dois não concordam? A maioria das decisões pode esperar até o dia seguinte, a semana seguinte ou até o mês seguinte. Enquanto esperam, vocês dois devem orar pedindo a direção de Deus. Você pode pedir o conselho de um amigo. Pode ser que, amanhã, vocês consigam chegar a um acordo. Senão, continuem a esperar. Creio que devem esperar quanto puderem. Estar de acordo é mais importante que a decisão em si.

O apóstolo Paulo orou pedindo que Deus ajudasse os cristãos a viver em união e harmonia. Isso é importante para a igreja e ainda mais importante para o casamento. Quando um cônjuge toma uma decisão sem a concordância do outro, a desarmonia arruína o relacionamento.

Eis um exemplo. Conheço uns sujeitos que compraram motocicletas sem que a esposa concordasse. Sabe o que eles descobriram depois de cinco semanas na estrada? Que é difícil dormir com uma motocicleta. Estar em concordância é mais importante do que a decisão. Não seria melhor esperar e orar para chegar a um consenso? Assim que concordarem, vocês poderão passear de motocicleta juntos. Ou poderão concluir que a vida em união é muito mais importante do que correr com uma motocicleta. Vale a pena esperar para chegar a um acordo.

Lidando com a irresponsabilidade

19 MAIO
DEVOCIONAL 139

> Cada um preste muita atenção em seu trabalho, pois então terá a satisfação de havê-lo feito bem e não precisará se comparar com os outros. Porque cada um de nós é responsável pela própria conduta.
>
> GÁLATAS 6.4-5

Por que alguns maridos e esposas são irresponsáveis? No casamento, esperamos que o cônjuge carregue sua parte da carga. Mas se ele não trabalha, não mostra interesse na criação dos filhos e nos ignora, então existe um problema. A Bíblia deixa claro que cada um deve ser responsável pelo próprio comportamento e trabalho, como vemos na passagem acima. Os parceiros conjugais estão no mesmo time, mas se metade do time não está contribuindo, o time não vai para a frente. Se essa é a sua situação e você quer ajudar seu cônjuge, deve primeiramente descobrir a fonte de tal comportamento. Deixe-me sugerir algumas possibilidades. O cônjuge irresponsável:

1. Pode estar seguindo o modelo de um dos pais.
2. Pode estar se rebelando contra o modelo de um dos pais. Talvez ele tenha visto a mãe controlar cada movimento de seu pai e promete que isso nunca lhe acontecerá.
3. Pode ter desenvolvido uma atitude centrada em si mesmo. O mundo gira em torno dele.
4. Pode estar expressando ressentimento com o parceiro. Ele não consegue verbalizar esse sentimento, mas o demonstra por meio de sua conduta.

Como descobrir a fonte do comportamento do cônjuge? Fazendo perguntas. Não perguntas diretas como: "Por que você é tão irresponsável?", mas perguntas de avaliação como: "Que tipo de relacionamento você tinha com seu pai?", ou "De que maneira minhas palavras ferem você?". Quando iniciar esse tipo de diálogo e receber respostas honestas, você estará no caminho certo para entender seu cônjuge. Esse é o primeiro passo para lidar com a irresponsabilidade.

ORAÇÃO

Deus Pai, tu sabes como me frustro ao ver irresponsabilidade em meu cônjuge, e nem sempre reajo bem. Ajuda-me a dar um passo para trás e fazer meu melhor para entender a causa fundamental desse comportamento. Mostra-me as perguntas certas a fazer e dá-me ouvidos para ouvir as respostas.

APLICAÇÃO

MAIO 20

DEVOCIONAL 140

Promovendo mudanças

> Logo, todo aquele que está em Cristo se tornou nova criação. A velha vida acabou, e uma nova teve início!
>
> 2CORÍNTIOS 5.17

ORAÇÃO

Senhor, sou grato porque tu desejas transformar vidas. Embora seja tentador pensar que meu cônjuge é o único que precisa mudar, sei que isso não é verdade. Dá-me a disposição de mudar também. Mostra-me como ser um marido ou esposa melhor, e dá-me humildade para confessar meus erros a meu cônjuge sem primeiro exigir mudanças da parte dele.

APLICAÇÃO

Viver com um cônjuge irresponsável não é agradável. Contudo, ver a mudança num cônjuge irresponsável pode ser muito prazeroso. Na meditação de ontem sugeri que o primeiro passo para atacar essa questão é descobrir por que o cônjuge é irresponsável. Hoje quero sugerir que o próximo passo é reconhecer seus próprios erros do passado.

Se quiser ver mudanças em seu cônjuge, é sempre bom começar a mudar a si mesmo. Tanto você como ele sabem que você não é nem nunca foi perfeito. Ao confessar suas falhas a si mesmo, a Deus e ao cônjuge, você está pavimentando o caminho que leva ao crescimento de ambos. O apóstolo Paulo deixa claro em 2Coríntios 5.17 que aqueles que pertencem a Cristo deram início a uma nova vida. Nunca se esqueça de que Deus tem poder para transformar seu coração, assim como o de seu cônjuge. Quando você começa com aquilo sobre o que tem controle — você mesmo — e pede a Deus que o transforme, as mudanças em seu cônjuge não demorarão a acontecer.

Considere a ideia de dizer a seu cônjuge: "Sei que tenho feito muitas críticas. Percebi que, em muitos aspectos, não fui o cônjuge cristão que deveria ter sido. Sei que nem sempre lhe dei o incentivo de que precisava. Espero que me perdoe. Quero que o futuro seja diferente". Com essa comunicação, o clima entre vocês muda imediatamente. Você abriu a porta para o crescimento.

Expressar amor promove mudança

> [O filho pródigo] voltou para a casa de seu pai. Quando ele ainda estava longe, seu pai o viu. Cheio de compaixão, correu para o filho, o abraçou e o beijou.
>
> LUCAS 15.20

Como é possível estimular o crescimento quando se está casado com um cônjuge irresponsável? Você pode exercer influência positiva sobre o cônjuge *se* assumir a abordagem correta.

Falamos sobre localizar a fonte do comportamento do cônjuge. Faça perguntas para tentar descobrir a razão de ele ser irresponsável. Depois, falamos sobre abrir a porta para a mudança ao admitir os próprios erros e pedir perdão. Hoje, quero incentivá-lo a procurar satisfazer a necessidade de amor emocional de seu cônjuge. Você pode estar pensando: "Espere um pouco. Sou eu a pessoa que não se sente amada". Entendo, mas você também é a pessoa mais responsável. É você que quer ver mudanças.

Ao falar a principal linguagem do amor de seu cônjuge, você está dando um passo positivo para estimular a mudança. Por quê? Porque uma pessoa que se sente amada e segura está muito mais aberta a mudar. Jesus não nos amou quando não merecíamos ser amados? Ele morreu por nós quando ainda éramos pecadores (Rm 5.8). A Bíblia não diz que nós o amamos porque ele nos amou primeiro (1Jo 4.19)? Encontramos um belo exemplo disso na história do filho pródigo, registrada em Lucas 15. Quando o filho voltou para casa depois de gastar todo o dinheiro que tinha, o pai correu até ele e o abraçou antes mesmo de saber como estava o coração do filho. Do mesmo modo, amar o cônjuge antes de ver qualquer mudança é um dos maiores passos que você pode dar para estimular a transformação.

ORAÇÃO

Senhor, obrigado pelo exemplo do pai do filho pródigo. Ele abraçou o filho de maneira literal e figurada antes mesmo de saber se ele mudaria ou não. Ajuda-me a agir assim também com meu cônjuge. Que eu expresse amor sem esperar qualquer coisa antes.

APLICAÇÃO

MAIO 22

DEVOCIONAL 142

Tendo a atitude de Cristo

> Tenham a mesma atitude demonstrada por Cristo Jesus. Embora sendo Deus, não considerou que ser igual a Deus fosse algo a que devesse se apegar. Em vez disso, esvaziou a si mesmo; assumiu a posição de escravo e nasceu como ser humano. Quando veio em forma humana, humilhou-se e foi obediente até a morte, e morte de cruz.
>
> FILIPENSES 2.5-8

Como meu relacionamento com Deus afeta meu casamento? Profundamente! Por natureza, sou centrado em mim mesmo e acabo levando essa atitude para o casamento. Então, quando as coisas não saem como eu quero, começo a discutir ou faço cara feia. Isso impede que o casamento se desenvolva. Minha atitude deve mudar, e é aqui que Deus entra em cena. Ele é especialista em promover mudança de atitudes.

O apóstolo Paulo diz: "Tenham a mesma atitude demonstrada por Cristo Jesus". Qual foi a atitude dele? Ele se dispôs a sair do céu e vir à terra para se identificar conosco, um processo a que a Bíblia se refere como esvaziamento. Depois de tornar-se homem, ele se dispôs a descer um pouco mais e morrer por nós. A atitude de Jesus é, antes de qualquer coisa, uma atitude de amor sacrificial e serviço. Se essa for minha atitude, terei um casamento saudável.

Minha pesquisa demonstrou que nenhuma esposa na história deste país assassinou o marido enquanto ele lavava a louça. Nenhuma! Isso é uma brincadeira, mas pode nos dizer algo.

Desenvolver uma atitude de serviço talvez pareça impossível, mas não é. Nunca subestime o poder de Deus para transformar um indivíduo disposto a mudar.

○ **ORAÇÃO**

Senhor Jesus, fico maravilhado diante de tua atitude de servidão humilde. Não posso nem ao menos entender como deve ter sido abdicar de tanto para tornar-se um ser humano limitado — e, ainda por cima, morrer por nós. Obrigado, Senhor. Preciso de tua transformação para ter a mesma atitude. Dá-me um coração disposto a mudar.

○ **APLICAÇÃO**

_____
_____
_____
_____
_____
_____
_____

O poder de Deus para transformar

> Venham a mim todos vocês que estão cansados e sobrecarregados, e eu lhes darei descanso. Tomem sobre vocês o meu jugo. Deixem que eu lhes ensine, pois sou manso e humilde de coração, e encontrarão descanso para a alma. Meu jugo é fácil de carregar, e o fardo que lhes dou é leve.
>
> MATEUS 11.28-30

Deus faz diferença no casamento? Milhares de casais darão testemunho de que ele fez diferença no casamento deles. Como acontece essa transformação? Primeiramente, devemos estabelecer um relacionamento com Deus. Isso significa que devemos ir até ele, reconhecendo que seguimos por nosso próprio caminho e descumprimos suas leis. Dizemos a ele que precisamos de perdão e que queremos nos afastar de nossos pecados.

Ele se coloca de braços abertos e diz: "Venham a mim todos vocês que estão cansados e sobrecarregados, e eu lhes darei descanso". É um convite belíssimo e surpreendente. Se estivermos dispostos a ir até ele, não apenas ele nos perdoa, como também envia seu Espírito para viver dentro de nós.

O Espírito Santo é quem muda nossa atitude. Quando ele assume o controle de nossa vida, começamos a olhar para as coisas de modo diferente. Ele nos mostra que pessoas são mais importantes do que coisas e que servir aos outros é mais importante do que ser servido. Ele trabalha dentro de nós para produzir maravilhosas qualidades de caráter, como amor, paciência, bondade e mansidão (Gl 5.22-23). Só ele pode realizar mudança tão substancial em nossa forma de pensar e agir.

Você percebe como essas novas atitudes podem transformar seu relacionamento? Nada possui maior potencial para mudar um casamento do que pedir que Deus entre em sua vida, perdoe seus pecados e faça você ver o mundo da maneira que ele vê.

ORAÇÃO

Deus Pai, obrigado por nos convidares a vir a ti. Sou grato por teu perdão, teu ensinamento e teu Espírito Santo, que vive em mim e me dirige. Preciso de tua transformação. Ajuda-me a dar espaço para que tu me transformes.

APLICAÇÃO

MAIO 24

DEVOCIONAL 144

A verdade leva à liberdade

> Vocês são verdadeiramente meus discípulos se permanecerem fiéis a meus ensinamentos. Então conhecerão a verdade, e a verdade os libertará.
>
> JOÃO 8.31-32

ORAÇÃO

Senhor Deus, muitas vezes me vejo como um fracasso ou alguém sem valor. Apego-me a meu cônjuge em busca de afirmação, mas então não acredito em suas palavras. Entendo como isso é destrutivo. Ajuda-me a ver-me como tu me vês. Teu amor me valoriza grandemente. Peço-te que me libertes das mentiras em que tenho acreditado.

APLICAÇÃO

A maneira como você vê a si mesmo impacta profundamente seu casamento. Algumas pessoas crescem pensando que são um verdadeiro fracasso. A mensagem que ouviram dos pais foi: "Você não presta para nada". Essa percepção as mantém presas. A atitude delas é: "Por que tentar? Vou falhar, de qualquer maneira". Quando essas pessoas se apaixonam e se casam, levam consigo para o casamento tal percepção distorcida que têm de si mesmas.

Posso dizer que o cônjuge de uma pessoa assim será alguém muito frustrado. A pessoa que se vê como um fracasso muitas vezes espera que o cônjuge a anime, mas não levará muito tempo para ele descobrir que tais esforços são inúteis.

Se você reconhece que possui uma autopercepção distorcida, por favor, admita que seu cônjuge não pode mudar a maneira como você vê a si mesmo. Só você pode fazer isso.

Sendo assim, por onde começar? Em João 8, Jesus disse que a verdade nos libertará — do pecado e dos padrões errados de pensamento. Qual é a verdade sobre você, de acordo com a Palavra de Deus? Você foi criado à imagem dele (Gn 1.27), é altamente estimado por ele (Mt 10.31, entre tantas referências) e especialmente capacitado para servir em seu reino (1Co 12; Hb 13.20-21).

Creia na verdade sobre si mesmo. Descubra quais são suas habilidades e entregue-as a Deus. Ele o transformará num sucesso. Ao fazer isso, você libertará seu cônjuge da batalha de ter de mudar a maneira como você se vê — e você se libertará do pensamento negativo.

Admitindo os erros

25 MAIO

DEVOCIONAL 145

> Sem uma liderança sábia, a nação cai; ter muitos conselheiros lhe dá segurança.
>
> PROVÉRBIOS 11.14

Você já ouviu isto: "Você é quem tem problemas. Não preciso de aconselhamento"? A pessoa que acha que está sempre certa está enganada. Nenhum de nós é perfeito. Todos precisamos de ajuda. O livro de Provérbios diz que muitos conselheiros nos dão segurança. Por quê? Porque outras pessoas muitas vezes podem ter uma visão mais clara de nossos problemas. A pessoa que se recusa a buscar conselho e tenta lidar sozinha com as coisas costuma ser insegura. Acha que admitir que cometeu um erro é provar que é incapaz, e esse é seu maior temor. Talvez seu pai lhe tenha dito que jamais conseguiria fazer nada e, por isso, esteja se esforçando para provar que ele estava errado.

Como você pode ajudar caso seja casado com alguém assim? Dê amor incondicional. Fale a principal linguagem do amor dele com bastante frequência. Mostre orgulho por ele na frente de seus amigos, tanto na presença dele como na ausência. Concentre-se em suas realizações. Quando ele descobrir que está seguro em seu amor, talvez consiga admitir que não é perfeito. Quando o fizer, diga-lhe quanto o admira por admitir seus erros. Quando perceber que, para ter sucesso, não precisa de perfeição, ele poderá relaxar e tornar-se a pessoa que Deus deseja que ele seja.

ORAÇÃO

Pai, às vezes é difícil admitir os próprios erros. Ajuda-me a entender que fingir que sou perfeito não faz que os problemas desapareçam, mas apenas piora as coisas. Quando meu cônjuge enfrentar dificuldades com isso, mostra-me como agir de maneira amorosa, a fim de edificá-lo. Ajuda-me a amar incondicionalmente, não com base no que ele faz.

APLICAÇÃO

Mudando a percepção de si mesmo

> Não imitem o comportamento e os costumes deste mundo, mas deixem que Deus os transforme por meio de uma mudança em seu modo de pensar.
>
> ROMANOS 12.2

ORAÇÃO

Pai, obrigado por teres o poder de nos transformar de dentro para fora. Quero mudar a maneira de olhar para mim mesmo e as formas negativas de interagir com meu cônjuge. Não quero ficar preso aos mesmos padrões. Peço-te que me mudes. Ajuda-me a estar disposto a dar esses passos.

APLICAÇÃO

Como você se descreveria? Como descreveria seu cônjuge? Você é otimista, positivo e elogiador, ou pessimista, negativo e crítico? Seu cônjuge é extrovertido, falador e paciente, ou introvertido, calado e impaciente? A maneira como você se vê e ao cônjuge fará diferença em seu comportamento e, consequentemente, em seu casamento.

Em geral, tratamos essas características como traços de personalidade. Infelizmente, temos sido levados a crer que eles foram fixados em concreto aos cinco ou seis anos de idade e que não podemos mudá-los. A boa notícia é que não precisamos ser controlados por essas ideias. A mensagem da Bíblia é que podemos mudar, com a ajuda de Deus. O texto de Romanos 12.2 deixa claro que, se estivermos dispostos, Deus nos transformará. Ele pode nos mudar no profundo do coração, ao alterar nossa forma de pensar.

Eis um jeito de começar: se você se vê como negativo e crítico, então pratique a arte de fazer elogios. Você pode começar fazendo um elogio a si mesmo. Descubra alguma coisa que tenha feito bem e, então, pare um pouco e diga: "Ei, fiz um bom trabalho aqui!". Se fizer um elogio a si mesmo por dia, não demorará muito até que mude a percepção que tem de si próprio. Faça o mesmo com seu cônjuge e verá como ele vai começar a fazer elogios também.

Você pode mudar a percepção que tem de si mesmo e a maneira de interagir com seu cônjuge — tudo para melhor.

O exemplo de trabalho em equipe estabelecido por Deus

27 MAIO
DEVOCIONAL 147

> [Deus] nos predestinou para si, para nos adotar como filhos por meio de Jesus Cristo, conforme o bom propósito de sua vontade. [...] E, quando creram em Cristo, ele colocou sobre vocês o selo do Espírito Santo que havia prometido.
>
> EFÉSIOS 1.5,13

Parece-me que, se pudéssemos entender melhor Deus, também entenderíamos melhor o casamento. Já percebeu como Deus Pai, Deus Filho e Deus Espírito Santo trabalham juntos como uma equipe? Leia o primeiro capítulo de Efésios e observe como o Pai planejou nossa salvação, o Filho derramou seu sangue para realizá-la e o Espírito Santo selou-a. Deus é um no mistério da Trindade, e essa união é expressa na diversidade de papéis necessários para realizar um objetivo: nossa salvação.

As Escrituras dizem que, no casamento, marido e esposa devem se tornar um só. Contudo, essa união não significa que somos clones um do outro. Pelo contrário, somos duas criaturas distintas que trabalham juntas como equipe para realizar um objetivo: a vontade de Deus para nossa vida. Complementamos um ao outro em coisas simples, como lavar roupas e varrer o chão, ou em coisas excitantes, como servir refeições para pessoas carentes ou liderar um estudo bíblico. O marido que cuida dos filhos enquanto a esposa conduz um estudo bíblico está compartilhando o ministério com ela. De fato, dois se tornam um quando trabalham juntos como equipe.

ORAÇÃO

Pai, sou grato por teu exemplo de trabalho em equipe. Não consigo entender plenamente a Trindade, mas sei que tu és três pessoas trabalhando juntas em perfeita união. Peço-te esse tipo de união no relacionamento que tenho com meu cônjuge. Ajuda-nos a trabalhar tranquilamente como equipe, sendo generosos um com o outro e mantendo nosso objetivo final em mente. Que nosso casamento te glorifique conforme fazemos tua vontade.

APLICAÇÃO

MAIO 28

DEVOCIONAL 148

Lançando o fundamento do trabalho em equipe

> Eu plantei e Apolo regou, mas quem fez crescer foi Deus. Não importa quem planta ou quem rega, mas sim Deus, que faz crescer. Quem planta e quem rega trabalham para o mesmo fim, e ambos serão recompensados por seu árduo trabalho. Pois nós somos colaboradores de Deus, e vocês são lavoura de Deus e edifício de Deus.
>
> 1CORÍNTIOS 3.6-9

ORAÇÃO

Pai celestial, é fácil iniciar uma competição com meu cônjuge. Preocupo-me demasiado em determinar quem está fazendo mais que o outro. Em vez disso, mostra-me como ser um bom colega de equipe. Ajuda-nos a trabalhar juntos pelo objetivo comum de tornar agradável a vida em família.

APLICAÇÃO

Trabalho em equipe é ingrediente essencial para um casamento bem-sucedido. Pense no primeiro mandamento que Deus deu a Adão e Eva: "Sejam férteis e multipliquem-se" (Gn 1.22). Esse mandamento exigia trabalho em equipe; naturalmente nem o homem nem a mulher poderiam gerar um bebê sozinhos. Assim como o trabalho em equipe é exigido nesse objetivo biológico simples, também é necessário no restante do casamento.

O apóstolo Paulo escreveu sobre o conceito de trabalho em equipe em 1Coríntios 3, em resposta a alguns cristãos que promoviam divisão ao proclamar fidelidade a Paulo ou a Apolo. Ele os lembrou de que não importa quem completa a tarefa se ambos tiverem o mesmo objetivo. Tanto ele como Apolo fizeram a parte que lhes cabia ao pregar o evangelho e deixaram o resultado nas mãos de Deus. Isso é trabalho em equipe.

O conceito de trabalho em equipe é especialmente útil no dia a dia. Cozinhar, lavar a louça, pagar as contas e dirigir são tarefas necessárias para manter a vida. Quem fará o que e com que regularidade são perguntas que levam ao trabalho em equipe. Se vocês estabelecerem essas questões logo no início, vão se livrar de muitos conflitos. É certamente indesejável acordar meses ou anos de casamento depois e perceber que passaram muito tempo brigando, quando poderiam ter gastado aqueles anos realizando algo produtivo.

Tarefas de casa não são determinadas pelo sexo dos cônjuges. Alguns homens cozinham melhor que a esposa. Algumas mulheres são melhores em matemática que o marido e devem lidar com as finanças. Vocês são colegas de equipe, e não concorrentes. Por que não elaborar um plano de equipe que faça uso dos melhores dons de cada um? Lembrem-se: vocês não são adversários. Ambos estão na mesma equipe.

A verdadeira grandeza

29 MAIO
DEVOCIONAL 149

> Jesus se sentou, chamou os Doze e disse: "Quem quiser ser o primeiro, que se torne o último e seja servo de todos".
>
> MARCOS 9.35

A escravidão endurece o coração e cria ira, amargura e ressentimento. É por isso que esposas que são forçadas a servir ao marido raramente o amam de verdade. É difícil amar alguém que nos trata como um escravo. Quando as pessoas são forçadas a servir, perdem a liberdade de servir de verdade.

As Escrituras nos chamam ao serviço que é realizado livremente, não por medo, mas por escolha. Ele resulta da descoberta pessoal de que "Há bênção maior em dar que em receber" (At 20.35). Esse tipo de serviço é a marca da verdadeira grandeza. Jesus disse que, em seu reino, o maior líder precisaria ser o maior servo.

Servir ao cônjuge é uma maneira de praticar os ensinamentos de Jesus. Se o serviço não começar no casamento, onde mais começará? Jesus disse que todas as vezes que servimos a uma de suas criaturas, estamos servindo a ele mesmo (Mt 25.40). Isso coloca nosso serviço em um nível ainda mais nobre. Sempre que limpo o chão para minha esposa, estou servindo a Jesus. Traga o aspirador.

ORAÇÃO

Senhor Jesus, obrigado por nos lembrares que, quando servimos um ao outro, na verdade estamos servindo a ti. Ajuda-nos a desenvolver uma atitude humilde de serviço um para com o outro.

APLICAÇÃO

MAIO 30

DEVOCIONAL 150

Servir, não exigir

> Depois, [Jesus] derramou água numa bacia e começou a lavar os pés de seus discípulos, enxugando-os com a toalha que estava em sua cintura. [...] [Disse ele:] "E uma vez que eu, seu Senhor e Mestre, lavei seus pés, vocês devem lavar os pés uns dos outros. Eu lhes dei um exemplo a ser seguido. Façam como eu fiz a vocês".
>
> JOÃO 13.5,14-15

ORAÇÃO

Senhor Jesus, fico maravilhado diante de teu exemplo de serviço. Se tu realizaste uma tarefa servil para teus discípulos, quanto mais não deveria eu servir ao meu cônjuge? Ajuda-me a desenvolver a atitude correta de serviço.

APLICAÇÃO

Em toda vocação, aqueles que se destacam são os que possuem um desejo genuíno de servir aos outros. Os médicos mais notáveis veem sua vocação como um chamado para servir aos enfermos e doentes. Os políticos verdadeiramente grandes se veem como "servos do povo". O maior de todos os educadores procura ajudar os alunos a alcançarem seu pleno potencial.

Não é diferente na família. Os grandes maridos são os homens que sabem que seu papel é ajudar a esposa a alcançar os objetivos dela. As grandes esposas são aquelas que se entregam para ajudar o marido a ser bem-sucedido. Ao dedicarem sua vida um ao outro, ambos se tornam vencedores.

Apegar-se a direitos e exigir que o cônjuge lhe sirva é exatamente o oposto daquilo que a Bíblia ensina. As Escrituras dizem: "Deem e receberão" (Lc 6.38), e não: "Exijam e todos farão o que você ordena". O fato é que a maioria das pessoas não responde bem às exigências, mas poucas rejeitarão um serviço requisitado com amor. O serviço segue o exemplo de Jesus e é a marca registrada da grandeza.

Enfrentando o silêncio

31 MAIO
DEVOCIONAL 151

> Então Acabe foi para casa indignado e aborrecido por causa da resposta de Nabote. O rei foi deitar-se, virou o rosto e não quis comer.
>
> 1REIS 21.4

Jill disse a Mike, seu marido, que queria passar um fim de semana na praia com as moças do escritório onde trabalhava. Mike respondeu com silêncio. Nenhuma explosão, nada de palavras em voz alta, sem discussão, nada — apenas silêncio. Ele já estava calado havia quatro dias quando Jill foi ao meu escritório em busca de ajuda.

Fiz três suposições:
1. Aquela não era a primeira vez que Mike lhe aplicara o "tratamento do silêncio".
2. Mike estava muito triste com a ideia de Jill viajar para a praia com as amigas.
3. Jill não estava satisfazendo as necessidades emocionais de amor de Mike.

Mais tarde descobri que estava certo em todas as três suposições.

Deixe-me dizer-lhe que, se você quer um casamento saudável, não deve conformar-se com o silêncio. Se você é o parceiro que parou de falar, então precisa perceber que está dando um tiro no próprio pé e sabotando seu casamento. Ficar em silêncio pode ser melhor do que atacar com raiva, mas, como solução de longo prazo, raramente serve para alguma coisa. Um exemplo bastante vívido do tratamento do silêncio vem do rei Acabe, um rei de Israel famoso pela maldade. Quando um homem chamado Nabote recusou-se a vender sua vinha ao rei, Acabe foi para casa e deitou-se na cama, com o rosto virado para a parede — definitivamente uma reação nada produtiva.

Se você é a pessoa que está recebendo o tratamento do silêncio, a primeira lição é entender que, quando seu cônjuge para de falar, sempre há uma razão, e geralmente mais do que uma. Se quiser que seu cônjuge fale, então deve pensar mais e falar menos. Criticar a pessoa amada por não falar provavelmente só prolongará o silêncio.

ORAÇÃO

Pai, perdoa-me pelas vezes que parei de falar com meu cônjuge por causa da ira. Mostra-me uma maneira melhor de reagir. Quando meu cônjuge parar de falar comigo, mostra-me como ouvir melhor e descobrir a razão.

APLICAÇÃO

JUNHO 1º

DEVOCIONAL 152

As razões por trás do silêncio

> Mesmo que meu pai e minha mãe me abandonem, o Senhor me acolherá. Ensina-me a viver, Senhor.
>
> SALMOS 27.10-11

ORAÇÃO

Pai celestial, tu sabes como alguns padrões de comunicação estão enraizados. Mostra-nos o caminho que leva a maneiras novas e melhores de conversar e lidar com os problemas. Obrigado por nos ensinares.

APLICAÇÃO

Sempre há razões para um dos cônjuges aplicar o "tratamento do silêncio". Em geral, elas se dividem em contemporânea, emocional e histórica. A *razão contemporânea* é qualquer coisa que tenha acabado de acontecer e que seu cônjuge considera censurável. Para Mike, citado em nosso exemplo de ontem, foi o anúncio de Jill de que ela passaria o final de semana na praia com as amigas do trabalho.

A *razão emocional* envolve os sentimentos mais profundos despertados pelo evento. Em nosso exemplo, Mike não se sentiu seguro do amor de Jill. Ele pensou: "Se ela me amasse, ia querer ficar comigo, não viajar no final de semana".

A *razão histórica* costuma envolver padrões de comunicação. Mike aprendeu o "tratamento do silêncio" na infância. Seus pais não lhe permitiam discutir com eles, de modo que aprendeu a ficar em silêncio quando se sentia ferido ou irritado. Se você aprendeu padrões negativos com seus pais, quero incentivá-lo a lembrar que não está preso a eles. O Senhor pode renovar sua mente e ensinar-lhe novos caminhos, como a passagem acima nos lembra.

Se você tem recebido o "tratamento do silêncio" de seu cônjuge, quero que responda às perguntas a seguir para analisar as três possíveis razões para a situação:

- O que acabei de fazer ou deixei de fazer que meu cônjuge considerou censurável?
- Meu cônjuge sente-se seguro de meu amor? Tenho falado a linguagem do amor correta ultimamente e entendido suas emoções?
- O que sei sobre o histórico ou a infância de meu cônjuge que pode ajudar-me a entender seu silêncio?

Amanhã falaremos sobre uma estratégia para romper o silêncio.

Rompendo o silêncio

2 JUNHO — DEVOCIONAL 153

> Seja exemplo para todos os fiéis nas palavras, na conduta, no amor, na fé e na pureza.
>
> 1TIMÓTEO 4.12

Você pode sentir-se impotente quando seu cônjuge lhe oferece o "tratamento do silêncio", mas você não é. É possível romper o silêncio. Contudo, isso não será feito criticando o cônjuge por ele não falar. Em vez disso, você pode tentar entender o que está se passando dentro da pessoa a quem ama e abordar essas questões.

Posso ouvir alguém dizer: "Mas como vou saber o que está se passando dentro dele se ele não fala?". A resposta é: Pense. Pense nas necessidades emocionais de seu cônjuge. Não nos comportamos bem quando nossas necessidades emocionais não são atendidas, e o silêncio é uma das formas que esse mau comportamento pode assumir.

Jill abordou a questão quando disse ao marido: "Mike, percebo que não tenho falado sua linguagem do amor ultimamente. Sinto muito por isso. Ando tão ocupada que me esqueci do principal: amo você. Creio que seu silêncio provavelmente está relacionado ao fato de sentir-se negligenciado por mim. Se é isso, gostaria de fazer um trato. Quero que da próxima vez você simplesmente diga: 'Meu tanque de amor está vazio. Preciso saber que você me ama'. Prometo que vou responder, porque de fato amo você".

Adivinhe o que aconteceu. Em resposta a esse pedido amoroso e honesto, Mike começou a falar. Como menciona o versículo acima, nossas palavras precisam estar acima de qualquer reprovação e nosso amor deve ser evidente. Quando isso acontece, há um efeito positivo sobre o outro.

ORAÇÃO

Senhor, dá-me a maturidade, o autocontrole e a sabedoria para responder de modo amoroso a meu cônjuge quando ele parar de falar comigo. Mostra-me como abordar as questões principais relacionadas às necessidades emocionais dele. Sara nosso relacionamento.

APLICAÇÃO

JUNHO 3

DEVOCIONAL 154

O poder de ligação do sexo

> Honrem o casamento e mantenham pura a união conjugal, pois Deus certamente julgará os impuros e os adúlteros.
>
> HEBREUS 13.4

ORAÇÃO

Pai celestial, obrigado pela dádiva que é o sexo em meu casamento. Sou grato pela ligação física, emocional e espiritual que resulta de nossa relação sexual. Oro pedindo graça para manter esse elo forte e puro.

APLICAÇÃO

O livro de Gênesis diz que, quando o marido e a esposa têm relação sexual, eles se tornam "um só" (2.24). Em outras palavras, a vida dos dois é ligada. O sexo é a consumação do casamento. Temos uma cerimônia pública e a consumação particular desse compromisso firmado diante de testemunhas. O ato sexual é a expressão física da união interior de duas vidas.

Tanto nas Escrituras hebraicas antigas como nos textos do Novo Testamento o ato sexual é visto como algo reservado ao casamento. Essa não é uma condenação arbitrária do sexo fora do casamento, mas simplesmente um esforço para ser fiel à natureza do relacionamento sexual. Tal ligação profunda é imprópria fora de um compromisso amoroso para a vida toda entre marido e mulher. O autor do livro de Hebreus falou sobre manter o leito conjugal puro — em outras palavras, manter o relacionamento sexual como uma união especial que acontece tão somente entre o marido e a esposa.

Sexo não é apenas a junção de dois corpos que foram feitos de maneira singular um para o outro. Também envolve um elo intelectual, emocional, social e espiritual. O sexo foi ideia de Deus, e o casamento é o contexto no qual ele encontra seu significado máximo.

Estudando o cônjuge

4 JUNHO
DEVOCIONAL 155

> O marido deve satisfazer as necessidades conjugais de sua esposa, e a esposa deve fazer o mesmo por seu marido.
>
> 1CORÍNTIOS 7.3

Devemos entender as diferenças entre homem e mulher a fim de descobrir o ideal de Deus para a intimidade sexual. A ênfase do marido normalmente se dá mais sobre os aspectos físicos: ver, tocar e sentir. A esposa, em contrapartida, enfatiza tipicamente o aspecto emocional. Para ela, sentir-se amada, cuidada e tratada com ternura é o que abrirá caminho para a intimidade sexual.

As palavras do apóstolo Paulo deixam claro que, como casal, nosso objetivo deve ser a satisfação das necessidades sexuais um do outro. Isso exige trabalho deliberado. O marido deve aprender a se concentrar nas necessidades emocionais de amor da esposa. A esposa deve entender o aspecto físico e visual dos desejos sexuais do marido. Assim como em todas as outras esferas do casamento, essa área exige aprendizado. Se os casais se concentrarem em fazer da experiência sexual um ato de amor, cada um buscando dar prazer ao outro, encontrarão uma intimidade sexual prazerosa. Mas caso se limitem a fazer o que é naturalmente instintivo, encontrarão apenas frustração sexual.

Fica óbvio que não podemos separar a intimidade sexual da intimidade emocional, intelectual, social e espiritual. Podemos estudá-las separadamente, mas, no contexto das relações humanas, elas jamais podem ser compartimentalizadas.

O senso de proximidade, de ser um, de encontrar satisfação mútua é reservado ao casal que se dispõe a fazer o duro trabalho de aprender um sobre o outro. O amor pode ser aprendido, e a intimidade sexual é um dos resultados.

ORAÇÃO

Senhor Jesus, é fácil tender para o egoísmo no que se refere ao sexo. Ajuda-nos, como casal, a nos concentrarmos um no outro. Que nosso desejo de agradar-nos mutuamente cresça e fortaleça nosso relacionamento.

APLICAÇÃO

Aceitando as diferenças

> Seu amor é delicioso, minha amiga, minha noiva. Seu amor é melhor que vinho; seu perfume é mais agradável que especiarias. [...] Você é meu jardim particular, minha amiga, minha noiva, nascente fechada, fonte escondida.
>
> CÂNTICO DOS CÂNTICOS 4.10,12

ORAÇÃO

Pai, obrigado pelas diferenças entre mim e meu cônjuge. Peço-te que nos dês paciência para estudar um ao outro, para entender como o outro responde sexualmente e para tratar-nos mutuamente com amor.

APLICAÇÃO

Homens e mulheres são similares, mas profundamente diferentes. Esse foi o plano de Deus em muitas áreas, incluindo a sexual. Os homens são estimulados pelos olhos. O simples fato de ver a esposa se trocar na penumbra do quarto de dormir pode preparar um homem para o sexo. (Sinto muito, homens. A esposa pode ver o marido tirando a roupa e ficar impassível. O que quero dizer é que essa ideia talvez nem passe pela cabeça dela.)

As mulheres tendem a ser estimuladas muito mais pelo toque terno, por palavras de afirmação e por atos que refletem consideração. É por isso que muitas esposas já disseram: "O sexo não começa no quarto; começa na cozinha. Não começa à noite; começa pela manhã". A maneira como ela é tratada e o clima das conversas durante o dia terão um efeito profundo sobre seu desejo de ter intimidade sexual à noite.

A passagem acima, extraída de Cântico dos Cânticos, demonstra maravilhosamente o prazer que pode vir do fato de reconhecer que o cônjuge está cheio de segredos a serem descobertos. As diferenças não precisam levar à frustração; podem ser encantadoras também. Estou convencido de que, se os maridos seguirem a orientação bíblica de ser "compreensivos no convívio" com a esposa (1Pe 3.7), descobrirão a intimidade sexual que Deus deseja que o casamento ofereça.

Enxergando como o Senhor enxerga

JUNHO 6
DEVOCIONAL 157

> Deixem que o Espírito renove seus pensamentos e atitudes e revistam-se de sua nova natureza, criada para ser verdadeiramente justa e santa como Deus.
>
> EFÉSIOS 4.23-24

Atitude diz respeito à maneira como escolho pensar nas coisas. É resultado do meu foco. Dois homens olharam por entre as barras de uma prisão: um viu a lama, outro viu as estrelas. Duas pessoas enfrentavam um casamento problemático: uma amaldiçoou, a outra orou. A diferença está na atitude.

Pensamento negativo tende a gerar mais pensamento negativo. Concentre-se na gravidade da situação e ela se tornará ainda pior. Concentre-se numa coisa positiva e outra aparecerá. Na noite mais escura de um casamento problemático sempre existe uma luz tênue. Foque-se nessa luz e ela terminará iluminando toda a sala.

Manter uma atitude positiva em um casamento problemático pode parecer impossível, mas, como cristãos, temos ajuda externa. A passagem acima, extraída da carta aos Efésios, fala sobre pensamentos e atitudes renovados. Quando fomos redimidos, ganhamos uma nova natureza e deixamos de ser escravos da velha maneira de pensar. Se pedirmos ao Senhor, ele desenvolverá em nós uma nova atitude. Ore desta maneira: "Senhor, ajuda-me a ver meu casamento como tu vês. Ajuda-me a ver meu cônjuge como tu vês. Ajuda-me a ter os pensamentos que tu tens em relação a ele". Quando começar a ver seu cônjuge como uma pessoa amada por Deus — uma pessoa valiosa por quem Cristo morreu —, você começará a desenvolver uma atitude positiva.

ORAÇÃO

Pai, tenho dificuldades com minha atitude. Não quero ser escravo de pensamentos negativos, concentrando-me apenas no pior. Ajuda-me a transformar meu pensamento. Mostra-me como me concentrar nas coisas boas. Dá-me sabedoria para ver meu cônjuge e meu casamento da maneira que tu os vês. Desenvolve amor e otimismo em mim, para o bem de meu casamento.

APLICAÇÃO

JUNHO 7

DEVOCIONAL 158

Mantenha uma atitude positiva

> Não vivam preocupados com coisa alguma; em vez disso, orem a Deus pedindo aquilo de que precisam e agradecendo-lhe por tudo que ele já fez. Então vocês experimentarão a paz de Deus, que excede todo entendimento [...]. Concentrem-se em tudo que é verdadeiro, tudo que é nobre, tudo que é correto, tudo que é puro, tudo que é amável e tudo que é admirável. Pensem no que é excelente e digno de louvor.
>
> FILIPENSES 4.6-8

ORAÇÃO

Pai, obrigado por permitires que levemos qualquer coisa a ti em oração. Ajuda-me a entregar-te minhas preocupações, sabendo que estás no controle. Quando te agradeço por aquilo que já fizeste, sou lembrado de como agiste em meu favor no passado e, assim, posso ser mais positivo em relação ao futuro. Peço-te que me encorajes a ter a atitude correta.

APLICAÇÃO

Tentar manter uma atitude positiva não é ideia nova. Ela é encontrada claramente nos textos do apóstolo Paulo, escritos no primeiro século. Ele incentivou a igreja de Filipos a orar pelos problemas em vez de preocupar-se com eles. Por quê? Porque a preocupação leva à ansiedade e à negatividade, ao passo que orar leva à paz e a um panorama mais positivo. Assim, Paulo revelou a chave para ter uma atitude positiva: pensar em coisas positivas — tudo aquilo que for "excelente e digno de louvor".

Somos responsáveis por nossa forma de pensar. Escolhemos nossa atitude até mesmo na pior situação conjugal. Manter uma atitude positiva requer oração. Como Paulo disse, podemos apresentar nossos pedidos a Deus. Podemos dizer-lhe tudo de que precisamos e ser gratos pelo que ele já fez. Deus sempre fará aquilo que pedirmos? Não, mas o que de fato acontece é que, conforme nos libertamos das preocupações e expressamos gratidão, a paz de Deus nos invade a mente e o coração. Deus acalma nossas emoções e direciona nossos pensamentos.

Quando nos virmos em dificuldades em algum aspecto do casamento, tentemos desenvolver uma perspectiva mais otimista. Com uma atitude positiva, passamos a fazer parte da solução, e não do problema.

A atitude influencia o comportamento

8 JUNHO
DEVOCIONAL 159

> Estejam sempre alegres. Nunca deixem de orar. Sejam gratos em todas as circunstâncias, pois essa é a vontade de Deus para vocês em Cristo Jesus.
>
> 1TESSALONICENSES 5.16-18

Uma das razões por que as atitudes são tão importantes é que elas afetam as ações, ou seja, o comportamento e as palavras. Se minha atitude for pessimista, derrotista e negativa, isso se expressará em palavras e comportamento negativos. É fato que não consigo controlar o ambiente. Talvez tenha enfrentado dificuldades como doença, um cônjuge alcoólico, um adolescente envolvido com drogas, uma mãe que me abandonou, um pai que abusou de mim, um cônjuge irresponsável, pais idosos e assim por diante. Qualquer uma dessas situações pode ser avassaladora. Mas é fundamental perceber que *eu* sou responsável por aquilo que *eu* faço em meu ambiente. Minha atitude influenciará meu comportamento.

O texto de 1Tessalonicenses 5 nos apresenta alguns passos fundamentais para desenvolver uma atitude positiva: alegrar-se, orar sempre e ser agradecido em todas as circunstâncias. Conforme falamos na leitura de ontem, a gratidão pode renovar nossa perspectiva, lembrando-nos aquilo que Deus já fez por nós e dando-nos o incentivo de que ele nos ajudará no futuro.

Se quiser descobrir qual é sua atitude, olhe para suas palavras e seu comportamento. Se suas palavras são críticas e negativas, então você tem uma atitude negativa. Se você se comporta de forma que fira o cônjuge ou se vingue dele, então tem uma atitude negativa. Paulo dá um conselho direto em Filipenses 2.14: "Façam tudo sem queixas nem discussões". Seguir esse conselho e tomar precauções em relação à atitude são as coisas mais poderosas que se pode fazer para afetar o comportamento. E o comportamento influencia grandemente o casamento.

ORAÇÃO

Pai celestial, quando tenho uma atitude ruim, isso se revela em meu modo de conversar com meu cônjuge. Perdoa-me pelas palavras duras e pela negatividade. Quero ter como objetivo evitar queixas e discussões. Ajuda-me, em vez disso, a alegrar-me, orar e ser grato. Sei que a atitude positiva resultante abençoará meu cônjuge e fortalecerá nosso casamento.

APLICAÇÃO

JUNHO 9

DEVOCIONAL 160

Oração intercessora

> Não deixo de agradecer a Deus por vocês. Em minhas orações, peço que Deus, o Pai glorioso de nosso Senhor Jesus Cristo, lhes dê sabedoria espiritual e entendimento para que cresçam no conhecimento dele.
>
> EFÉSIOS 1.16-17

ORAÇÃO

Pai celestial, tua Palavra deixa clara a importância da oração. Quero levar a ti meu cônjuge, minha família e outras pessoas, com seriedade e constância. Ajuda-nos, como casal, a desenvolver bons hábitos de oração. Enquanto oramos juntos, que essa experiência compartilhada e o desejo comum de que tua vontade seja feita possam nos aproximar um do outro.

APLICAÇÃO

Martinho Lutero disse: "Assim como o ofício do alfaiate é fazer roupas e o do sapateiro é consertar sapatos, o ofício dos cristãos é orar". A intercessão é um ministério que não exige nenhum dom espiritual. Todos os cristãos estão equipados para orar.

A oração intercessora é não apenas um ministério, mas também uma responsabilidade. O profeta Samuel disse aos israelitas: "Certamente não pecarei contra o Senhor, deixando de orar por vocês. Continuarei a lhes ensinar o que é bom e correto" (1Sm 12.23). O apóstolo Paulo abriu muitas de suas epístolas dizendo aos leitores quão frequentemente orava por eles. A oração é um dos meios que Deus escolheu para nos deixar cooperar com ele na realização de sua obra. É um ministério que marido e esposa podem realizar juntos. Eles podem orar um pelo outro, assim como por filhos, pais, pastores, outros ministérios e missões mundiais.

Se você não tem um momento diário de oração com seu cônjuge, por que não começar hoje? Peça-lhe que passe cinco minutos orando com você. Se não quiserem orar em voz alta, então orem silenciosamente. Dê o primeiro passo no aprendizado do ministério da oração intercessora.

Por que orar?

> Se meu povo, que se chama pelo meu nome, humilhar-se e orar, buscar minha presença e afastar-se de seus maus caminhos, eu os ouvirei dos céus, perdoarei seus pecados e restaurarei sua terra.
>
> 2CRÔNICAS 7.14

O escritor e professor Harold Lindsell disse certa vez: "Por que esperar que Deus faça *sem* oração aquilo que prometeu que faria *se* orássemos?". A Bíblia contém muitos chamados à oração, incluindo as palavras de Deus a Salomão registradas em 2Crônicas 7. *Se* o povo se humilhasse e orasse depois de ter pecado, Deus o ouviria, perdoaria e restauraria. Seu convite é claro: "Pergunte-me e eu lhe contarei coisas maravilhosas, segredos que você não sabe, a respeito do que está por vir" (Jr 33.3). O autor de Hebreus nos instrui a nos aproximarmos "com toda confiança" do trono de Deus, onde receberemos misericórdia e graça (4.16).

Vamos até Deus, nosso Pai, cientes de que ele quer fazer coisas boas para seus filhos. Mas devemos estar prontos para recebê-las. Dessa forma, ele diz: "Peçam, e receberão" (Mt 7.7). Contudo, é certo que Deus não fará tudo o que pedirmos. Ele nos ama demais e é sábio demais para fazer tal coisa. Se aquilo que pedimos não for para nosso bem derradeiro, então ele fará algo melhor. Sua vontade está sempre certa.

Os casais que aprendem a orar juntos estão simplesmente respondendo ao convite de Deus. Ele quer estar envolvido no casamento. Orar juntos é uma maneira de reconhecer que vocês desejam a presença e o poder de Deus. Por meio da oração ele pode mudar suas atitudes e seu comportamento. Lembrem-se: Deus é amor, e ele pode ensiná-los a amar um ao outro. "Peçam, e receberão."

ORAÇÃO

Senhor, fico maravilhado diante de teu convite constante para que oremos, para que nos comuniquemos contigo, o Senhor do universo! Sou grato por teu amor e por tua orientação. Ajuda-me e a meu cônjuge a reservar tempo para orarmos juntos. Que possamos nos achegar "com toda confiança" a ti e que, por meio de nossas orações, sejamos levados para mais perto um do outro e de ti.

APLICAÇÃO

JUNHO 11

DEVOCIONAL 162

Evitando o divórcio

> Portanto, guardem seu coração; permaneçam fiéis à esposa de sua mocidade.
>
> MALAQUIAS 2.15

ORAÇÃO

Pai celestial, há momentos em que o divórcio parece tentador. Mas sei que essa nunca é uma solução fácil; é um caminho repleto de dor e dificuldade. Dá-me um comprometimento sólido com meu cônjuge, independentemente do que venha a acontecer. Mostra-me como expressar amor a ele e como realizar mudanças em nosso relacionamento.

APLICAÇÃO

Ao longo dos anos, aconselhei um número suficiente de divorciados para saber que, embora remova algumas pressões, o divórcio cria uma infinidade de outras. Se você está considerando a ideia de se divorciar, reflita sobre os seguintes fatos: somente uma pequena porcentagem de pessoas divorciadas afirma ter encontrado maior felicidade num segundo ou terceiro casamento. Aliás, enquanto a taxa de divórcio no primeiro casamento chega a 40%, a mesma taxa em segundos casamentos é de 60% e em terceiros alcança 75%. A esperança de a grama ser mais verde do outro lado da cerca é um mito.

Não sou tão ingênuo a ponto de sugerir que o divórcio possa ser eliminado da existência humana. Estou apenas dizendo que casais demais optaram pelo divórcio cedo demais a um preço alto demais. O divórcio deveria ser a última alternativa possível. Deveria ser precedido por todos os esforços para conciliar diferenças, tratar questões e resolver problemas. Creio que muitos casais divorciados poderiam ter se reconciliado se tivessem buscado e encontrado ajuda adequada.

Não aceite o mito de que não há esperança para seu casamento. Com a informação correta e o apoio adequado, você pode ser um agente de mudança positiva no seu relacionamento. Siga o conselho de Deus apresentado em Malaquias 2 e guarde o coração. Seja fiel e continue buscando ajuda.

Escolhendo o amor

DEVOCIONAL 16

> Agora eu lhes dou um novo mandamento: Amem uns aos outros. Assim como eu os amei, vocês devem amar uns aos outros.
>
> JOÃO 13.34

O livro *As 5 linguagens do amor*, que escrevi vários anos atrás, ajudou centenas de milhares de casais a redescobrir empolgantes sentimentos afetuosos um pelo outro. Bem, isso não aconteceu porque alguém decidiu: "A partir de hoje, voltarei a sentir afeto por meu cônjuge". Começou quando a pessoa tomou a decisão: "Expressarei amor por meu cônjuge *apesar de* não sentir mais afeto por ele". Essa pessoa aprendeu a linguagem do amor que falava mais profundamente ao cônjuge e a expressou com regularidade.

O que aconteceu? A pessoa que recebia tal amor começou a sentir afeto pelo cônjuge que estava manifestando amor. Com o tempo, quem recebia amor passou a responder e aprendeu a falar a linguagem do amor do outro. Agora ambos possuem sentimentos afetuosos um pelo outro.

O amor emocional pode ser redescoberto. A chave é aprender a linguagem do amor do cônjuge e escolher usá-la regularmente. Sentimentos afetuosos resultam de ações amorosas. Jesus ordenou a seus discípulos — e, por extensão, a todos os cristãos — que amassem uns aos outros como ele os amou. O amor do Senhor não é medido por sentimentos afetuosos, embora eu não duvide de que eles existam. Em vez disso, sabemos que Jesus nos ama por causa daquilo que ele fez por nós. O amor é uma escolha e, quando fazemos essa escolha, imitamos nosso Salvador.

○ **ORAÇÃO**

Senhor Jesus, obrigado por me amares tanto a ponto de teres morrido na cruz para me salvar. Tu és o exemplo maior de amor. Ajuda-me a tomar a decisão de amar meu cônjuge. Sei que, ao agir de maneira amorosa, os sentimentos amorosos surgirão.

○ **APLICAÇÃO**

Amando em meio à dor

13 JUNHO — DEVOCIONAL 164

> Amem os seus inimigos e orem por quem os persegue. Desse modo, vocês agirão como verdadeiros filhos de seu Pai, que está no céu. Pois ele dá a luz do sol tanto a maus como a bons e faz chover tanto sobre justos como injustos.
>
> MATEUS 5.43-45

ORAÇÃO

Pai, obrigado por nos amares mesmo quando não te amávamos. Ajuda-me a seguir esse exemplo. Dá-me a coragem para amar meu cônjuge primeiro, independentemente dos erros que tenhamos cometido no passado. Transforma nosso relacionamento e nosso futuro.

APLICAÇÃO

Como podemos expressar amor pelo cônjuge quando estamos cheios de mágoa, raiva e ressentimento em razão de erros passados? A resposta a essa pergunta reside na natureza essencial de nossa humanidade. Somos criaturas capazes de fazer escolhas. No passado, vocês dois provavelmente fizeram escolhas ruins. Posso ouvir alguém dizer: "É mesmo, mas meu cônjuge fez mais escolhas ruins do que eu". Talvez você esteja certo, mas lembre-se das palavras de Jesus: "Amem os seus inimigos e orem por quem os persegue".

Por que Jesus disse isso? Porque o amor é a arma mais poderosa para mudar o coração de outra pessoa. A Bíblia diz que nós amamos porque ele nos amou primeiro (1Jo 4.19). Alguém precisa optar por amar, a despeito dos erros passados. Quando fazemos isso, estamos agindo como Deus age — ou, nas palavras de Jesus, agindo "como verdadeiros filhos de seu Pai, que está no céu". Que pensamento maravilhoso!

Quando expressamos amor a uma pessoa usando sua principal linguagem do amor, tal pessoa é "tocada" no âmbito emocional. Esse toque emocional cria um ambiente favorável para que o cônjuge admita erros do passado e mude de comportamento. O amor não apaga o passado, mas faz que o futuro seja diferente.

Satisfazendo necessidades emocionais

14 JUNHO

> Os maridos devem amar cada um a sua esposa, como amam o próprio corpo, pois o homem que ama sua esposa na verdade ama a si mesmo.
>
> EFÉSIOS 5.28

Satisfazer a necessidade emocional de amor de minha esposa é uma escolha que faço todos os dias. Se sei qual é sua principal linguagem do amor e opto por falá-la, a mais profunda necessidade emocional que ela tiver será satisfeita, e ela se sentirá segura do meu amor. Se ela fizer o mesmo por mim, minhas necessidades emocionais serão satisfeitas e nós dois viveremos com o "tanque de amor" sempre cheio.

Nesse estado de contentamento emocional, nós dois podemos dedicar energia criativa a muitos projetos saudáveis fora do casamento ao mesmo tempo que continuamos mantendo um relacionamento empolgante e sempre em crescimento.

Como se cria esse tipo de casamento? Tudo começa com a opção por amar. Reconheço que, como marido, Deus me deu a responsabilidade de satisfazer as necessidades de amor de minha esposa. As palavras de Paulo em Efésios 5 deixam isso claro. Não devo apenas amar minha esposa, mas amá-la como amo meu próprio corpo. Essa é uma obrigação difícil, mas, com a ajuda do Espírito Santo, escolho aceitar tal responsabilidade. Então aprendo a falar sua principal linguagem do amor e opto por usá-la regularmente. O que acontece? A atitude e os sentimentos de minha esposa para comigo tornam-se positivos. Ela retribui, e minha necessidade de amor também é satisfeita. O amor é uma escolha.

ORAÇÃO

Pai celestial, tu nos deste padrões elevados para amar um ao outro. Precisamos de ajuda para fazer as escolhas certas para amar. Revigora-nos com o teu Espírito Santo e rejuvenesce nosso relacionamento.

APLICAÇÃO

Falando a linguagem do amor do outro

> Que o amor seja seu maior objetivo!
>
> 1CORÍNTIOS 14.1

ORAÇÃO

Deus Pai, tu sabes que às vezes a linguagem do amor de meu cônjuge não me parece natural. Ajuda-me a agir conforme a linguagem dele em qualquer situação, e a fazê-lo totalmente por amor.

APLICAÇÃO

O que fazer se a linguagem do amor de seu cônjuge não for natural para você? A resposta é simples: você *aprende* a falá-la.

A linguagem do amor de minha esposa são atos de serviço. Uma das coisas que faço regularmente para ela como ato de amor é passar o aspirador de pó na casa. Você acha que passar o aspirador de pó é uma ação natural para mim? Quando eu era criança, minha mãe me obrigava a passar o aspirador. Aos sábados, só podia sair para jogar bola depois que terminasse de aspirar a casa inteira. Naqueles dias, eu dizia a mim mesmo: "Se um dia eu sair daqui, uma coisa que nunca vou fazer é passar aspirador de pó em casa!".

Dinheiro nenhum do mundo seria capaz de me fazer passar aspirador pela casa. Existe uma única razão para eu fazer isso: amor. Veja, quando uma ação não lhe é natural, realizá-la é uma enorme expressão de amor. Minha esposa sabe que, sempre que passo o aspirador na casa, não se trata de outra coisa senão 100% de amor puro e completo e, assim, recebo os méritos por todo o trabalho. A Bíblia nos lembra que o amor deve ser nosso maior alvo. Podemos transformá-lo num objetivo alcançável ao falar a linguagem do amor do cônjuge, mesmo quando essa não for nossa linguagem.

Como me beneficio disso? Tenho o prazer de viver com uma esposa que tem um tanque de amor cheio. Isso é que é vida!

Educando os filhos para serem independentes

> O pai dos justos tem motivos para se alegrar; é uma grande alegria ter filhos sábios.
>
> PROVÉRBIOS 23.24

São muitas as piadas de sogra, mas o fato é que, se você tem filhos e viver tempo suficiente, muito provavelmente será sogra ou sogro também. Cheguei a esse estágio da vida e, acredite, não é assim tão ruim. Como nos tornamos bons sogros?

Será útil lembrar nosso objetivo na criação de filhos. Do nascimento ao casamento, treinamos os filhos para a independência. Queremos que eles sejam capazes de andar com os próprios pés e agir como pessoas maduras diante de Deus. Se fizemos bem nosso trabalho, ensinamos os filhos a preparar refeições, lavar a louça, arrumar a cama, aparar a grama, comprar roupas, poupar dinheiro e tomar decisões responsáveis. Ensinamos os filhos a respeitar a autoridade e a valorizar o indivíduo. Em resumo, procuramos levá-los à maturidade.

Esperamos que, na época do casamento deles, tenhamos ajudado todos a sair de um estado de completa dependência dos pais como crianças para uma total independência como adultos. Assim que tenham chegado à idade adulta — e particularmente quando se casarem —, nosso relacionamento com eles deve mudar. É uma alegria ver os filhos agindo como adultos maduros e dedicados a Deus — uma alegria que o rei Salomão deve ter sentido também, conforme lemos no versículo acima. Oramos para que eles alcancem esse ponto, mas, quando o fazem, é necessário um pouco de flexibilidade e desprendimento de nossa parte. Nos próximos dias analisaremos como fazer essa transição.

ORAÇÃO

Pai, obrigado por meus filhos. Sei que preciso criá-los de tal maneira que, um dia, eles sejam independentes, quer esse dia esteja perto quer ainda distante. Quando chegar a hora, ajuda-me a relaxar e ser o pai respeitoso de um adulto.

APLICAÇÃO

A vida como sogro e sogra

> Eu não poderia ter maior alegria que saber que meus filhos têm seguido a verdade.
>
> 3JOÃO 1.4

ORAÇÃO

Senhor Deus, conforme meus filhos ficam mais velhos, ajuda-me a dar-lhes o respeito que merecem. Ensina-me quando e como relaxar. Ajuda-nos, como casal, a amá-los respeitosamente.

APLICAÇÃO

Se seu filho ou sua filha se casou, da noite para o dia você se tornou um sogro ou sogra. O que fazer agora? Vamos começar do princípio: como pais de filhos casados, devemos vê-los agora como adultos. Jamais devemos impor novamente nossa vontade sobre eles; precisamos respeitá-los como iguais. Ah, para alguns de nós isso é bem difícil. Somos pais há tanto tempo que achamos que sabemos o que é melhor para eles. Temos uma vontade enorme de lhes dizer o que devem fazer.

Resista a esse desejo. Se continuar no modo de funcionamento pai-filho, você se tornará um "espinho na carne" para eles. Talvez acabe por ver seu filho ou filha se afastando de você ou sua nora ou genro tornando-se hostil.

A regra número um para os sogros é tratar o jovem casal como dois adultos. Você os criou para serem independentes; agora, deixe-os viverem sua independência. Eles cometerão alguns erros? Provavelmente, mas desenvolverão a maturidade durante o processo. É muito mais importante que eles alcancem a maturidade do que sua proteção para que eles não cometam alguns erros. Festeje a independência deles.

Fortalecendo os relacionamentos com sogro e sogra

18 JUNHO

DEVOCIONAL 169

> Livrem-se de toda amargura, raiva, ira, das palavras ásperas e da calúnia, e de todo tipo de maldade. Em vez disso, sejam bondosos e tenham compaixão uns dos outros, perdoando-se como Deus os perdoou em Cristo.
>
> EFÉSIOS 4.31-32

Os recém-casados precisam do calor humano que vem de um relacionamento sadio entre os sogros dos dois lados, e os pais precisam do calor humano que vem do casal. Afinal de contas, como pais, fizemos um grande investimento em nossos filhos. Mas não somos perfeitos. Às vezes dizemos coisas que ferem. Talvez não tenhamos agido da maneira que nossos filhos interpretaram, mas o relacionamento fica desgastado.

A vida é curta demais para relacionamentos rompidos. Confessar os erros e pedir perdão são princípios bíblicos fundamentais que devem ser aplicados aos relacionamentos com os parentes por afinidade, assim como no relacionamento conjugal. Não é preciso concordar um com o outro para que haja relacionamentos sadios, mas a amargura e o ressentimento são sempre errados, como vemos claramente na passagem citada de Efésios 4. Como cristãos, devemos facilitar as coisas no relacionamento com os filhos adultos. Nossos ideais devem ser a bondade, a compaixão e o perdão.

Liberdade e respeito mútuos devem ser os princípios orientadores para pais e filhos casados.

ORAÇÃO

Pai, muitas coisas podem ameaçar o relacionamento com nossos pais e nossos filhos. Ajuda-nos a não nos ofendermos à toa. Quando um erro for cometido, lembra-nos que devemos perdoar e ser bondosos em vez de sentir amargura e indignação. Sei que, por causa disso, nossos relacionamentos familiares serão melhores.

APLICAÇÃO

Refreando a ira distorcida

> Naamã ficou indignado e disse: "Imaginei que ele sairia para me receber! Esperava que movesse as mãos sobre a lepra, invocasse o nome do Senhor, seu Deus, e me curasse!".
>
> 2REIS 5.11

ORAÇÃO

Senhor Jesus, perdoa-me pelas vezes que me precipitei por causa da ira. Afasta-me da ira distorcida e mostra-me como esperar para agir até que tenha a verdade.

APLICAÇÃO

Não raro nos irritamos com as coisas erradas. Veja o exemplo dessa história bíblica. Naamã, um comandante militar da Síria, fora acometido de lepra. Depois de viajar para Israel e pedir que Eliseu o curasse, o comandante irritou-se quando o profeta de Deus não saiu para vê-lo nem falar diretamente com ele. Em vez disso, Eliseu mandou dizer que, para ser curado, Naamã precisava mergulhar sete vezes no rio Jordão. Naamã sentiu-se desrespeitado porque achava que Eliseu não havia reconhecido que ele era uma pessoa importante. Tomado de ira, estava indo embora quando um servo humilde insinuou que a ira dele estava distorcida — fora de proporção — e era imprópria. Naamã se arrependeu, fez o que o profeta sugeriu, e foi curado.

O orgulho de Naamã havia sido ferido, e nós somos muito parecidos com ele. Com frequência nos irritamos porque algo que nosso cônjuge diz ou faz nos constrange, ou porque algo que ele deixou de fazer nos perturba. Um marido cuja esposa está demorando para chegar em casa pode começar a pensar: "Não posso contar com ela para nada. Ela não me ama. Se me amasse, não deixaria isso acontecer. Ela só pensa em si mesma". Ele pode estar a meio caminho do divórcio antes de descobrir que a esposa está no hospital. Sua ira está distorcida.

Quando estiver irado, pense antes de agir. Certifique-se de que conhece todos os fatos. Ore pedindo sabedoria. Você talvez descubra que sua ira está distorcida.

Informação, não condenação

20 JUNHO
DEVOCIONAL 171

> Assim, cada um de nós será responsável por sua vida diante de Deus. Portanto, deixemos de julgar uns aos outros. Em vez disso, resolvam viver de modo a nunca fazer um irmão tropeçar e cair.
>
> ROMANOS 14.12-13

A ira distorcida é aquela emoção que você experimenta quando o cônjuge não atende a suas expectativas. O que você faz com ela pode ajudar ou prejudicar o relacionamento.

Vejamos um exemplo. Quando Beth e Patrick dividiram as tarefas de casa, concordaram que Beth seria responsável por cuidar das roupas. Hoje Patrick está irritado porque Beth se esqueceu de levar as camisas dele à lavanderia. O que ele está prestes a fazer?

Patrick poderia esbravejar usando palavras duras: "Não posso depender de você para nada. Nunca vi ninguém mais irresponsável". Se ele assumir essa abordagem, as coisas vão piorar. Se, porém, ele disser: "Querida, estou frustrado. Vi minhas camisas sujas ainda penduradas na cadeira. Não tenho uma camisa limpa sequer para amanhã", então poderia ouvi-la dizer: "Oh, Patrick, sinto muito. Estava com pressa e me esqueci delas. Não se preocupe, querido. Vou lhe arrumar uma camisa limpa".

Qual é a diferença? Numa declaração, Patrick transmitiu condenação. Na outra, transmitiu informação: "Estou frustrado porque não tenho uma camisa limpa para amanhã". Transmitir informação é sempre melhor do que transmitir condenação — não apenas porque induz a uma resposta melhor, mas também porque segue um conselho bíblico. O texto de Romanos 14 diz aos cristãos que parem de condenar uns aos outros, porque uma condenação dura pode fazer que outro cristão tropece. Quando responde com dureza, você pode provocar o cônjuge à ira ou ao desânimo. Transmitir informação raramente gera esses efeitos negativos. Tente isso na próxima vez que sentir que seu cônjuge o desapontou.

ORAÇÃO

Pai, é fácil condenar meu cônjuge sem nem mesmo pensar, mas sei por experiência própria quanto isso pode ser danoso. Ajuda-me, em vez disso, a compartilhar informação. Abranda nosso diálogo de modo que não seja caracterizado pela ira distorcida.

APLICAÇÃO

JUNHO 21

DEVOCIONAL 172

Palavras adequadas

> Dos lábios do justo vêm palavras proveitosas.
>
> PROVÉRBIOS 10.32

ORAÇÃO

Senhor Deus, quero que minhas palavras sejam proveitosas, não prejudiciais. Quando discutirmos os problemas do casal, dá-nos o desejo de encontrar uma solução juntos. Ajuda-me a abrir mão da necessidade de dar a última palavra.

APLICAÇÃO

Ira distorcida é o tipo de ira que você sente quando a pessoa a quem ama o desaponta. Um modo de lidar com isso é algo que chamo de "negociação com entendimento". Se você se sente irado ou ferido, isso precisa ser processado com seu cônjuge de maneira positiva.

Eis um exemplo. Você pode começar falando assim: "Quero compartilhar algo com você que não tem o propósito de desanimá-lo. Amo você e quero que nosso relacionamento seja aberto e genuíno, por isso sinto que devo compartilhar algumas das dificuldades que tenho enfrentado. Nos últimos meses, tenho me sentido desapontada, ferida e negligenciada. Muito disso tem a ver com o fato de você ir à academia três noites por semana. Por favor, entenda que não sou contra seus esforços de ficar em forma. Não estou sequer pedindo que você mude isso. Só quero que saiba o que estou sentindo. Espero que possamos encontrar uma resposta juntos".

Essas são palavras adequadas e mostram que o objetivo principal é encontrar uma solução, não dar a última palavra. De acordo com Provérbios 10.32, os justos usam palavras proveitosas como essas. Portanto, ao assumir tal abordagem, você está agindo da maneira que Deus aprova. Uma abordagem positiva e aberta cria o cenário para que vocês dois negociem com entendimento e encontrem um casamento saudável.

Expressando arrependimento

22 JUNHO
DEVOCIONAL 173

> Confesso, porém, minha culpa; sinto profundo lamento do que fiz.
>
> SALMOS 38.18

Há muitas expressões que traduzem um pedido de desculpas, e uma delas é o arrependimento. O pedido de desculpas é gerado no ventre do arrependimento. Arrependemo-nos da dor que causamos, do desapontamento, do inconveniente, da traição da confiança. A pessoa ofendida quer alguma prova de que percebemos quanto a ferimos. Para algumas pessoas, é isso que importa num pedido de desculpas. Sem a expressão do arrependimento, não consideram que o pedido de desculpas é adequado.

Um simples "sinto muito" pode fazer muito para a restauração da imagem, mas esse tipo de pedido de perdão tem mais impacto quando é específico. Pelo que você sente muito? "Sinto muito por ter me atrasado. Sei que você se esforçou para chegar na hora e acabou que eu não estava aqui. Sei como isso pode ser frustrante. Sinto-me muito mal por ter feito isso com você. O problema foi que perdi a hora. Espero que me perdoe e que ainda tenhamos uma noite agradável."

A inclusão de detalhes revela quanto você compreende a situação e quanto lamenta ter aborrecido o cônjuge. Quando confessamos os pecados a Deus, como no salmo citado acima, somos específicos sobre os erros que cometemos e sinceros na expressão de nossa tristeza. Devemos estender esse tipo de pedido de perdão a nosso cônjuge também.

ORAÇÃO

Pai, sei que, quando meu cônjuge expressa arrependimento sincero, isso faz enorme diferença na maneira como eu recebo seu pedido de desculpas. Ajuda-me a conceder esse tipo de pedido de perdão a ele também, a fim de que possamos lidar com os erros entre nós.

APLICAÇÃO

Transferindo a culpa

JUNHO 23
DEVOCIONAL 174

> "Quem lhe disse que você estava nu?", perguntou Deus. "Você comeu do fruto da árvore que eu lhe ordenei que não comesse?" O homem respondeu: "Foi a mulher que me deste! Ela me ofereceu do fruto, e eu comi". Então o Senhor Deus perguntou à mulher: "O que foi que você fez?". "A serpente me enganou", respondeu a mulher. "Foi por isso que comi do fruto."
>
> GÊNESIS 3.11-13

O arrependimento diz: "Perdoe-me. Sinto-me mal por ter machucado você". O arrependimento sincero se apresenta sozinho. Jamais deve ser seguido por um "mas...".

Um marido me disse: "Minha esposa pede desculpas e, então, atribui suas ações a algo que fiz para provocá-la. O fato de me culpar não contribui em nada para que eu considere suas desculpas sinceras". Uma esposa disse: "Ele se desculpa, mas em seguida diz que me comportei como um bebê e que, portanto, ele tinha o direito de fazer o que fez. Que tipo de desculpa é esse?". Em minha opinião, isso não é um pedido de desculpa; é transferir a culpa para o outro.

É fácil colocar a culpa no outro; isso aconteceu já com os primeiros seres humanos, Adão e Eva. Na passagem acima, de Gênesis 3, vemos claramente que ambos tentam se eximir da culpa. Essa não é uma reação espiritual e madura — e, no caso deles, Deus percebeu e responsabilizou ambos.

Quando transferimos a culpa, saímos do pedido de desculpa para o ataque. Culpar e atacar nunca leva ao perdão e à reconciliação. Quando se desculpar, deixe que o "sinto muito" se apresente sozinho. Não prossiga apresentando justificativas como "mas se você não tivesse gritado comigo eu não teria agido assim". Deixe o *mas* de fora de seu pedido de desculpa e assuma a responsabilidade pelas próprias ações.

ORAÇÃO

Pai, com frequência tento justificar meu comportamento atribuindo-o a algo que meu cônjuge fez. Perdoa-me. Sei que isso é imaturo. Preciso assumir a responsabilidade por meus atos. Ajuda-me a fazer isso quando pedir desculpa a meu cônjuge.

APLICAÇÃO

Redescobrindo o amor

24 JUNHO
DEVOCIONAL 175

> O amor é paciente e bondoso. O amor não é ciumento, nem presunçoso. Não é orgulhoso, nem grosseiro. Não exige que as coisas sejam à sua maneira. Não é irritável, nem rancoroso. Não se alegra com a injustiça, mas sim com a verdade. O amor nunca desiste, nunca perde a fé, sempre tem esperança e sempre se mantém firme.
>
> 1CORÍNTIOS 13.4-7

É comum casais virem a mim em meio a um casamento difícil, praticamente já decididos pela separação. Quando pergunto por que estão cogitando essa ideia, apresentam seus pontos de atrito e concluem com a declaração: "Simplesmente não nos amamos mais". Isso tem o propósito de pôr fim ao assunto. Dizem que "perderam" o amor e que isso está além de seu controle. Não acredito nisso. Posso concordar que tenham perdido os sentimentos afetuosos, mas o amor real é outra coisa.

A Bíblia faz algumas declarações fortes sobre o amor dentro do casamento. Em Efésios 5.25, os maridos recebem a ordem de amar a esposa. Em Tito 2.4, diz-se às esposas que elas devem aprender a amar o marido. Qualquer coisa que possa ser ordenada e que possa ser ensinada e aprendida não está além de nosso controle.

O capítulo 13 de 1Coríntios descreve o amor como sendo paciente e bondoso, não arrogante ou rude. Declara que o amor se recusa a manter uma lista dos erros cometidos e a guardar rancor. Essas palavras não descrevem um sentimento. Pelo contrário, estão falando sobre nosso modo de pensar e agir. Podemos amar sem sentir "arrepios" ao nos aproximar do outro. O fato é que a maneira mais rápida de ver a emoção de volta é começar a amar um ao outro por meio de ações que condigam com os termos de 1Coríntios 13.

ORAÇÃO

Pai celestial, obrigado pela bela definição de amor que nos deste por meio do apóstolo Paulo. Ela é desafiadora, e às vezes me pergunto se sou capaz de alcançar esse padrão. Ajuda-me. Enquanto me dedico a agir de acordo com essas palavras, ensina-me a maneira correta de amar meu cônjuge.

APLICAÇÃO

Amando por meio de palavras

> A língua tem poder para trazer morte ou vida; quem gosta de falar arcará com as consequências.
>
> PROVÉRBIOS 18.20-21

ORAÇÃO

Senhor Jesus, ajuda-me a lembrar que minhas palavras são poderosas. Quero usá-las para edificar e conceder vida, não para diminuir e trazer desânimo. Ajuda-me a usar minhas palavras hoje para expressar amor a meu cônjuge.

APLICAÇÃO

Existem duas maneiras de expressar amor no casamento: palavras e ações. Hoje vamos nos concentrar nas palavras. Lemos em 1Coríntios 8.1 que "o amor fortalece". Portanto, se quero amar, usarei palavras que fortalecerão meu cônjuge. "Você ficou bem com essa roupa", "Obrigada por levar o lixo para fora", "Adorei a refeição, obrigado por seu esforço", "Fiquei feliz por você ter levado o cachorro para passear na terça-feira à noite, foi uma grande ajuda". Todas essas expressões manifestam amor.

Lemos em Provérbios 18.21 que "a língua têm poder para trazer morte ou vida". As palavras são poderosas. Você pode esmagar o espírito de seu cônjuge com palavras negativas — aquelas que depreciam, desrespeitam ou desconcertam. Você pode dar vida por meio de palavras positivas — aquelas que incentivam, afirmam ou fortalecem. Conversei certa vez com uma mulher que reclamava porque não conseguia pensar em nada positivo para dizer sobre seu marido.

— Ele toma banho? — perguntei.
— Sim — respondeu ela.
— Então eu começaria por aí — disse eu. — Há homens que não fazem isso.

Jamais encontrei uma pessoa sobre a qual não se pudesse achar alguma coisa boa para dizer. Quando você o faz, algo dentro da pessoa quer ser melhor. Diga hoje a seu cônjuge alguma coisa agradável e que dê vida e veja o que acontece.

Amando por meio de ações

> Filhinhos, não nos limitemos a dizer que amamos uns aos outros; demonstremos a verdade por meio de nossas ações.
>
> 1JOÃO 3.18

Afirmei na meditação de ontem que existem duas maneiras de expressar amor ao cônjuge: por meio de palavras ou de ações. Hoje vamos conversar sobre as ações. Como vemos no versículo acima, o apóstolo João escreveu que devemos mostrar amor uns pelos outros por meio de ações, e não apenas de palavras. Pode ser fácil dizer palavras, mas nossa sinceridade é provada por meio daquilo que fazemos. *Faça* alguma coisa para mostrar seu amor.

O amor é bondoso, diz a Bíblia (1Co 13.4). Assim, para expressar amor, descubra alguma coisa bondosa e faça-a. Pode ser dar ao cônjuge um presente que ele não esperava ou lavar seu carro. Quem sabe seja a disposição de ficar em casa com os filhos enquanto ela sai para fazer compras ou caminhar. Talvez seja passar no supermercado e comprar o jantar ao saber que o dia dela foi muito agitado. Há quanto tempo você não escreve uma carta de amor a seu cônjuge?

O amor é paciente (1Co 13.4). Portanto, pare de bater o pé no chão enquanto sua esposa se apronta para sair. Sente-se, relaxe, leia a Bíblia e ore. O amor também é cortês, o que nos lembra a época da corte, ou namoro. Sendo assim, faça coisas que vocês faziam quando estavam namorando. Coloque a mão na perna dele ou segure a mão dela. Abra a porta para ela. Diga "por favor" e "obrigado". Seja educado. Expresse seu amor por meio de ações.

ORAÇÃO

Senhor, sei que tanto as palavras como as ações são importantes. Ajuda-me a expressar amor por meio das coisas que digo e faço. Quero mostrar a meu cônjuge quanto meu amor é sincero.

APLICAÇÃO

JUNHO 27

DEVOCIONAL 178

Acolhendo as diferenças

> O corpo humano tem muitas partes, mas elas formam um só corpo. O mesmo acontece com relação a Cristo.
>
> 1CORÍNTIOS 12.12

ORAÇÃO

Senhor Jesus, obrigado por nos lembrares que tua igreja é mais forte por ser formada por muitas pessoas, cada uma com diferentes dons e habilidades. Quando eu me frustrar por perceber quanto sou diferente de meu cônjuge, ajuda-me a ter em mente que essas diferenças podem nos transformar numa equipe melhor. Mostra-nos como valorizar a singularidade de cada um.

APLICAÇÃO

Quais são as diferenças entre você e seu cônjuge? Se você é otimista, talvez seu cônjuge seja pessimista. É comum que um dos cônjuges seja calado e o outro falante. Um tende a ser organizado, com cada coisa em seu lugar; o outro passa metade da vida procurando as chaves do carro.

Depois de anos de discussão sobre as diferenças, os casais frequentemente concluem que são incompatíveis. De fato, a incompatibilidade — ou as "diferenças irreconciliáveis" — é frequentemente citada como a causa do divórcio. Contudo, depois de décadas aconselhando casais, estou convencido de que não existem diferenças irreconciliáveis, mas apenas pessoas que se recusam a se reconciliar.

Na mente de Deus, as diferenças têm o propósito de ser complementares, não de causar conflitos. O princípio é ilustrado pela igreja, como o apóstolo Paulo descreve em 1Coríntios 12. Cada membro desempenha um papel diferente, mas todos são vistos como uma parte importante do corpo. Os cristãos podem realizar muito mais quando trabalham como equipe. Por que não agir assim no casamento? Tudo começa ao aceitar as diferenças como um bem valioso em vez de considerá-las um peso. Por que não começar agradecendo a Deus pelo fato de você e seu cônjuge não serem exatamente iguais?

Aprendendo com as diferenças

28 JUNHO — DEVOCIONAL 179

> Nosso corpo tem muitas partes, e Deus colocou cada uma delas onde ele quis. O corpo deixaria de ser corpo se tivesse apenas uma parte. Assim, há muitas partes, mas um só corpo. O olho não pode dizer à mão: "Não preciso de você". E a cabeça não pode dizer aos pés: "Não preciso de vocês".
>
> 1CORÍNTIOS 12.18-21

Você já agradeceu a Deus pelo fato de você e seu cônjuge serem tão diferentes? Na maior parte do tempo, vemos nossas diferenças como coisas que nos perturbam. Nathan é, por natureza, bastante sossegado. Ashley, sua esposa, está sempre fazendo alguma coisa. No passado, ela via Nathan como preguiçoso; ele a via como uma pessoa tão nervosa que não conseguia relaxar. Era comum discutirem por causa de suas diferenças, mas, na maior parte do tempo, simplesmente viviam com certo ressentimento um do outro.

A partir do dia em que descobriram que as diferenças tinham o objetivo de ser uma bênção, e não uma maldição, cada um deles agradeceu a Deus pelo outro. O passo seguinte foi perguntar: "O que podemos aprender um com o outro?". Ashley aprendeu a relaxar e a assistir a um programa na televisão sem levantar para fazer outra coisa ao mesmo tempo. Nathan aprendeu a ajudar com as tarefas de casa de modo que Ashley pudesse ter tempo de relaxar e não se sentir culpada. Juntos eles enriqueceram a vida um do outro.

Isso é casamento. Tentamos aprender a extrair o máximo de nossas diferenças. Mais uma vez, a Bíblia deixa claro que o corpo de Cristo se beneficia do trabalho conjunto de pessoas diferentes. Na igreja, assim como no casamento, precisamos uns dos outros. Não podemos operar sem a diversidade, e essa constatação deve nos levar a agradecer a Deus pelas diferenças. Depois de ter feito isso, peça ao Senhor que mostre a ambos o que podem aprender um com o outro. Talvez vocês se surpreendam com a resposta de Deus.

ORAÇÃO

Pai, dá-me a humildade de perceber que posso aprender com meu cônjuge. Ajuda-me a ver nossas diferenças como oportunidades para crescer, e não como motivo de frustração. Obrigado por nos teres criado tão diferentes e, ainda assim, nos teres preparado de forma que nos encaixássemos perfeitamente.

APLICAÇÃO

JUNHO 29

DEVOCIONAL 180

Aceitando o conselho proveitoso

> "O que você está fazendo não é bom", disse o sogro de Moisés. [...] "É um trabalho pesado demais para uma pessoa só. [...] Escolha dentre todo o povo homens capazes e honestos que temam a Deus e odeiem suborno. Nomeie-os líderes [...]". Moisés aceitou o conselho do sogro e seguiu todas as suas recomendações.
>
> ÊXODO 18.17-18,21,24

ORAÇÃO

Senhor Jesus, obrigado pela sabedoria e pela experiência que deste a meus pais e meus sogros. Tu sabes como tenho facilidade em desconsiderar as sugestões deles. Quando derem um conselho sábio, mostra-me como aceitá-lo de bom grado.

APLICAÇÃO

Ao nos casarmos, firmamos o compromisso de deixar os pais e nos unir ao cônjuge. Mas deixar os pais não significa que não consideraremos suas sugestões. Afinal de contas, nossos pais são mais velhos que nós e provavelmente mais sábios. Seus pais ou sogros podem ter bons conselhos para dar.

Vemos no livro de Êxodo que Moisés era um administrador sobrecarregado, até que deu ouvidos ao conselho de seu sogro. Jetro observou que Moisés gastava horas julgando todos os desacordos dos israelitas e advertiu o genro de que ele estava prestes a ter uma estafa. Quando lhe apresentou o princípio da delegação, Moisés disse a si mesmo: "Por que não pensei nisso antes?". Naquela noite, conversou com a mulher sobre a ideia e, no dia seguinte, colocou uma placa na frente de seu escritório: Precisa-se de ajuda. Bem, não foi exatamente assim. Mas ele de fato designou vários gerentes, a quem delegou boa parte de seu trabalho. Foi uma das melhores decisões que Moisés tomou, e a ideia veio de seu sogro.

Ao seguir o conselho de Jetro, Moisés deu mostras de maturidade. Não se sentiu compelido a rebelar-se contra uma boa ideia simplesmente porque ela viera do sogro. Não sentiu necessidade de demonstrar sua inteligência. Em vez disso, estava bastante ciente de seu valor próprio e seguro de que poderia aceitar uma boa ideia, independentemente de qual fosse sua origem. Espero que vocês sejam tão sábios quanto Moisés.

Tratando conflitos dentro do casamento

30 JUNHO
DEVOCIONAL 181

> Se um irmão pecar contra você, fale com ele em particular e chame-lhe a atenção para o erro.
>
> MATEUS 18.15

O princípio de "deixar" os pais tem implicações quando surgem conflitos no casamento. Uma jovem esposa que sempre dependeu muito da mãe terá a tendência de "correr para a mamãe" quando surgirem problemas em seu casamento. Toda vez que aparece um problema, ela conta para a mãe. Quando isso se torna um padrão, não demora muito para que a mãe passe a ter uma atitude amarga em relação ao genro que arruína o relacionamento do jovem casal. Em casos extremos, ela pode até mesmo incentivar a filha a deixar o marido.

Lembrem-se que "unir-se" a seu par se aplica aos momentos de conflito e também às épocas de paz. Se vocês têm conflitos no casamento — e a maioria de nós os tem —, procurem resolvê-los por meio da confrontação direta com o cônjuge. Jesus instruiu seus discípulos que, se outro cristão os ferisse, eles deveriam ir falar diretamente com a pessoa. O mesmo princípio é válido para o casamento. O primeiro impulso precisa ser lidar diretamente e a sós com seu cônjuge. O conflito deve ser um passo importante para o crescimento.

Se descobrir que precisa de ajuda externa, então procure seu pastor ou um conselheiro conjugal cristão. Eles são treinados e equipados por Deus para fornecer ajuda prática. Podem ser objetivos e ajudá-los a tomar decisões sábias. Em contrapartida, os pais tendem a ver o lado dos filhos e torna-se quase impossível serem objetivos.

ORAÇÃO

Pai, quando tenho um conflito com meu cônjuge, é comum querer apresentar meu lado da história a alguém que seja solidário comigo. Mas ajuda-me a lembrar que os conflitos em nosso casamento precisam ficar entre nós. Oro pedindo graça para lidar com as questões que surgirem.

APLICAÇÃO

JULHO 1º

DEVOCIONAL 182

Promovendo unidade

> Que [os cristãos] sejam encorajados e unidos por fortes laços de amor.
>
> COLOSSENSES 2.2

ORAÇÃO

Senhor Jesus, sei que teu desejo é que sejamos unidos como casal. Oro pedindo cada vez mais intimidade, mais trabalho em equipe, mais compreensão e mais senso de unidade. Mostra-nos como fazer isso.

APLICAÇÃO

As Escrituras aconselham que marido e esposa se tornem "um" (Gn 2.24). Devem compartilhar a vida a tal ponto que tenham um senso de união, de intimidade. No versículo acima, o apóstolo Paulo apresenta sua visão para os cristãos: devem ser unidos por "fortes laços de amor". Isso é fundamental para todos os cristãos e ainda mais para os parceiros de casamento. Você descreveria seu casamento usando algumas das formas a seguir?

- Somos um time.
- Conhecemos um ao outro.
- Entendemos um ao outro.
- Optamos por caminhar lado a lado.
- Nossas vidas estão inseparavelmente unidas.
- Somos um.

São declarações de casais felizes. Tal intimidade não é alcançada sem que haja muita comunicação, e ela é uma via de mão dupla. Eu falo, e você ouve; você fala, e eu ouço. É esse processo simples que desenvolve a compreensão e a intimidade.

Quanto tempo por dia você passa conversando com seu cônjuge? Vocês têm um momento diário de compartilhamento? Com que regularidade cumprem esse compromisso? Nas próximas meditações, vamos analisar maneiras de melhorar a comunicação e aumentar a unidade.

AS 5 LINGUAGENS DO AMOR NA PRÁTICA +++ 190

Tornando-se um

2 JULHO
DEVOCIONAL 183

> Como a corça anseia pelas correntes de água, assim minha alma anseia por ti, ó Deus. Tenho sede de Deus, do Deus vivo; quando poderei estar na presença dele?
>
> SALMOS 42.1-2

Depois da criação de Adão e Eva, Deus disse que os dois deveriam tornar-se um. Tornar-se "um" não significa que perdemos a identidade pessoal. Retemos nossa personalidade e ainda temos objetivos e ambições pessoais. Cada um tem suas próprias atividades; o marido e a esposa típicos passam várias horas por dia separados geograficamente. "Unidade" conjugal não significa uniformidade. É, pelo contrário, aquele sentimento interior que nos assegura que estamos "juntos" mesmo quando estamos separados.

Tal unidade não é automática. Tornar-se "um" é o resultado do compartilhamento de muitas atividades, pensamentos, sentimentos, sonhos, frustrações, alegrias e tristezas. Em resumo, é consequência de compartilhar a vida.

Vários casais descobriram que o segredo para crescer na unidade é estabelecer um momento diário de compartilhamento. Muitas pessoas reservam uma "hora tranquila" com Deus com o propósito de aproximar-se dele. Como o autor do salmo 42 comunica tão belamente, quando nosso relacionamento com Deus é forte, ansiamos por ele e desejamos estar perto dele. É algo circular. Quando conhecemos a Deus, desejamos passar tempo com ele. Se ficamos um tempo com ele, passamos a desejá-lo mais. O mesmo pode acontecer com seu cônjuge. Quanto mais tempo reservamos para ficar juntos, mais importante esse tempo se torna para nós.

Quero incentivá-lo a considerar a ideia de ter um momento diário de compartilhamento com seu cônjuge visando se aproximarem mais um do outro. Reservem um período de tempo por dia para conversar e dividir seus pensamentos, emoções e preocupações. A conversa leva ao entendimento e à unidade.

ORAÇÃO

Pai, quero desejar-te como a corça anseia por água. Da mesma forma, desejo uma conexão mais profunda com meu cônjuge. Ajuda-me a lembrar que a conexão e a unidade são alcançadas com tempo e esforço. Abençoa nossos esforços de separar tempo um para o outro.

APLICAÇÃO

Conhecendo um ao outro

> Ó Senhor, tu examinas meu coração e conheces tudo a meu respeito. Sabes quando me sento e quando me levanto; mesmo de longe, conheces meus pensamentos.
>
> SALMOS 139.1-2

O salmo 139 deixa claro que Deus conhece todos os nossos pensamentos e até nossas palavras antes mesmo de as dizermos. O Senhor nos conhece — sem fazer qualquer esforço — mais do que conhecemos a nós mesmos. Mas um homem e uma mulher precisam se esforçar para conhecer um ao outro. Você entende por que a comunicação é uma necessidade absoluta quando o assunto é conhecer o cônjuge?

Não podemos conhecer os pensamentos, sentimentos ou desejos de nosso cônjuge a não ser que ele opte por nos contar e nós optemos por ouvir. É por essa razão que um momento diário de compartilhamento é tão importante para o casamento. Não podemos desenvolver um senso de "intimidade" a não ser que conversemos regularmente um com o outro.

O momento diário de compartilhamento é um tempo reservado todos os dias com o propósito de falar e ouvir. Se você não souber sobre o que falar, tente isto: "Diga-me três coisas que aconteceram em sua vida hoje e como você se sentiu em relação a elas". É um tempo que pode começar com apenas dez minutos e estender-se por meia hora ou mais. O segredo não é a duração, mas a regularidade. Nunca vi um casamento realmente bem-sucedido no qual não se reservasse tempo para a comunicação.

ORAÇÃO

Pai, sou grato porque tu nos conheces por dentro e por fora. Ajuda-nos a nos abrirmos um para o outro de modo que nossa intimidade cresça. Aumenta nossa unidade, Senhor.

APLICAÇÃO

Em busca de companhia

4 JULHO

DEVOCIONAL 185

> É melhor serem dois que um, pois um ajuda o outro a alcançar o sucesso. Se um cair, o outro o ajuda a levantar-se. Mas quem cai sem ter quem o ajude está em sérios apuros.
>
> ECLESIASTES 4.9-10

O casamento foi planejado por Deus para satisfazer a necessidade que o homem tem de companhia. Deus disse sobre Adão: "Não é bom que o homem esteja sozinho. Farei alguém que o ajude e o complete" (Gn 2.18). Contudo, alguns casais não encontraram companhia no casamento. Continuam sozinhos, isolados e abandonados.

Tal solidão pode ser dolorosa, mas não precisa durar para sempre. Podemos vencer a solidão ao agir de maneira positiva. Sugiro dar "passos de bebê". Não olhe para a situação como um todo e conclua que seu casamento está muito ruim. Em vez disso, concentre-se em um único passo que você pode dar para torná-lo melhor.

Rompa o silêncio com um ato de gentileza. Dê a seu cônjuge uma flor e diga: "Pensei em você hoje". Reflita sobre algo que ele faz bem e diga-lhe quanto o aprecia por isso. Dê-lhe um beijo apaixonado e diga: "Queria que você lembrasse como era no início do casamento. Estou disposta a recomeçar, se você também estiver". Lembrem-se de que a Bíblia é clara quanto aos benefícios da companhia, como lemos no livro de Eclesiastes. Somos feitos um para o outro e podemos nos apoiar mutuamente de inúmeras maneiras. Continuem dando passos na direção um do outro, e a solidão evaporará.

ORAÇÃO

Pai, tu sabes como às vezes me sinto sozinho. Agradeço por teres me dado meu cônjuge. Obrigado por nos criares para sermos companheiros que podem ajudar um ao outro, além de pôr fim à solidão de ambos. Dá-nos coragem de dar esses primeiros passos na direção de um companheirismo mais intenso.

APLICAÇÃO

JULHO 5

DEVOCIONAL 186

Solidão no casamento

> Duas pessoas que se deitam juntas aquecem uma à outra. Mas como fazer para se aquecer sozinho? Sozinha, a pessoa corre o risco de ser atacada e vencida, mas duas pessoas juntas podem se defender melhor.
>
> ECLESIASTES 4.11-12

Existem dois tipos de solidão: a emocional e a social. Podemos sentir ambas, até mesmo no casamento.

Solidão emocional é não se sentir próximo do cônjuge. É sentir que vocês dois não conhecem de fato um ao outro. Solidão social é o sentimento de isolamento que surge quando você e seu cônjuge não compartilham atividades. Vocês não fazem nada juntos.

A cura para a solidão emocional não é alcançada ao reclamar do mundo, mas ao dar início a uma conversa. Comece com perguntas simples: "Você comeu algo gostoso hoje?", ou "Qual foi o melhor momento do seu dia?". Então passe para perguntas mais importantes: "O que eu poderia fazer para tornar sua vida melhor no futuro?".

A cura para a solidão social é começar a realizar atividades juntos. Em vez de reclamar que nunca fazem nada juntos, planeje algo que você acha que seu cônjuge gostaria de fazer e convide-o a juntar-se a você. Ações positivas são sempre melhores que reclamações negativas. Uma jornada de mil quilômetros começa com um passo — e essa é uma jornada que vale a pena. Como o livro de Eclesiastes nos lembra, existem muitas razões pelas quais dois é melhor do que um. Abrace esse conceito e procure ter um companheirismo mais profundo com seu cônjuge.

ORAÇÃO

Senhor Deus, fico animado com essas ideias de coisas a serem feitas para combater a solidão que sinto. Ajuda-me a iniciar conversas e atividades que nos aproximem como casal. Quero dar o primeiro passo. Obrigado por nos criares para sermos companheiros.

APLICAÇÃO

Você está trabalhando demais?

6 JULHO

DEVOCIONAL 187

> Que vantagem há em ganhar o mundo inteiro, mas perder a vida? E o que daria o homem em troca de sua vida?
>
> MATEUS 16.26

O trabalho é um esforço nobre. De fato, a Bíblia diz que, se alguém não quiser trabalhar, que também não coma (2Ts 3.10).

Mas temos permissão de trabalhar demais? Deus não instituiu o sábado, um dia de descanso a cada sete dias? Os Dez Mandamentos instruem que o sétimo dia da semana deve ser um dia separado do trabalho regular e dedicado ao Senhor. Por quê? Para seguir o exemplo do próprio Deus, que descansou no sétimo dia depois de criar o universo. Jesus também desafiou seus discípulos, na passagem acima, pedindo que avaliassem o sucesso terreno em comparação com o sucesso espiritual.

Vale a pena destruir o casamento por causa do sucesso profissional? As Escrituras ensinam que o sentido da vida não reside nas coisas, mas nos relacionamentos — primeiramente com Deus e, em segundo lugar, com a família e outras pessoas. É aqui que a vida encontra o verdadeiro significado: conhecer a Deus e amar a família.

Será que você precisa reajustar seu estilo de vida? Você e seu cônjuge estão ficando cada vez mais distantes? Poderiam viver com menos e ser mais felizes se dedicassem mais tempo um ao outro? Seus filhos vão se lembrar de você como o pai que trabalhava ou como o pai que amava?

ORAÇÃO

Senhor Deus, ajuda-me a considerar honestamente o equilíbrio em minha vida. Estou trabalhando demais em busca de sucesso financeiro ou profissional a ponto de ignorar meu relacionamento contigo e com minha família? Ajuda-me a encontrar as prioridades corretas e a ter a coragem de agir de acordo com elas.

APLICAÇÃO

Equilibrando trabalho e família

JULHO 7
DEVOCIONAL 188

> Viva alegremente com a mulher que você ama todos os dias desta vida sem sentido que Deus lhe deu debaixo do sol, pois essa é a recompensa por todos os seus esforços neste mundo.
>
> ECLESIASTES 9.9

ORAÇÃO

Senhor Jesus, sou grato pelo prêmio que é meu cônjuge. Ajuda-me a transformá-lo numa prioridade. Mostra-me maneiras criativas de aumentar meu tempo com ele, bem como de fazer que esse tempo seja significativo.

APLICAÇÃO

Quando se fala sobre trabalho e família e como equilibrar os dois, a resposta nem sempre é menos trabalho. Às vezes a saída é integrar a família ao trabalho. Seu emprego lhe dá a oportunidade de, por exemplo, almoçar com a esposa de vez em quando? Tais almoços podem ser um oásis no meio de um dia seco.

No caso de o trabalho exigir que você viaje, existe a possibilidade de levar o cônjuge ou um dos filhos com você? Isso permitiria um miniperíodo de férias que, em outras circunstâncias, você não teria condições de pagar. Seus familiares poderão conhecer melhor a atividade profissional que você exerce e apreciar um pouco mais aquilo que faz.

Menos trabalho e mais tempo em casa não é necessariamente a resposta. Um melhor uso do tempo em casa pode fazer toda a diferença. Faça algo diferente hoje à noite com um membro da família. Saia da rotina. Tome a iniciativa.

Tais ações dizem: "Eu me importo com o relacionamento. Quero mantê-lo vivo. Gosto de estar com você. Vamos fazer algo que você gostaria de fazer". Minimize a televisão; maximize a atividade e a conversa. De acordo com Eclesiastes 9.9, seu cônjuge é um prêmio. O trabalho duro é parte necessária da vida, mas um parceiro conjugal é uma recompensa e uma bênção. Lembrar-se disso e rever as prioridades de acordo com essa visão manterá seu casamento vivo e em crescimento.

Como não responder a um cônjuge controlador

8 JULHO
DEVOCIONAL 189

> Tratem todos com respeito e amem seus irmãos em Cristo.
>
> 1PEDRO 2.17

Um cônjuge extremamente controlador é a causa de tantos casamentos problemáticos. Viver com um cônjuge controlador abate o espírito. Tratar o cônjuge como criança viola a ideia básica do casamento. O casamento é uma parceria que deve ser construída sobre respeito mútuo. Esse é um dos tijolos mais importantes na construção de qualquer relacionamento. É melhor dois do que um, diz a Bíblia. Porém, quando alguém toma todas as decisões sozinho, o valor de duas mentes é desperdiçado.

Existem duas maneiras típicas de responder a um cônjuge controlador: discutir ou submeter-se. Nenhuma das duas leva à verdadeira união. Argumentar com um controlador é inútil porque não dá para vencê-lo. A discussão pode se estender por duas horas, mas você não vencerá; a pessoa controladora nunca desiste. Como alternativa à discussão, algumas pessoas escolhem a estrada da submissão. Elas pensam: "Vou ceder ao meu cônjuge apenas para manter a paz". Mas isso transforma a pessoa em escrava das exigências do controlador e, um dia, os escravos se rebelam. Paz exterior com desordem interior não é a ideia bíblica de casamento.

A ideia bíblica é que duas pessoas procurem satisfazer voluntariamente as necessidades uma da outra. Amor, respeito e consideração mútuos são as marcas do casamento cristão. Amanhã conversaremos sobre uma maneira mais eficaz de responder a um cônjuge controlador.

ORAÇÃO

Deus Pai, quero que nosso relacionamento honre a ti. Mostra-me a melhor maneira de responder ao meu cônjuge quando ele tentar exercer controle excessivo e não permitas que eu tente controlá-lo. Ajuda-nos a sermos sempre respeitosos e atenciosos um para com o outro.

APLICAÇÃO

JULHO 9

DEVOCIONAL 190

Contra-atacando o controle

> Se seu dom [...] for o de demonstrar misericórdia, pratique-o com alegria. Amem as pessoas sem fingimento. Odeiem tudo que é mau. Apeguem-se firmemente ao que é bom. Amem-se com amor fraternal e tenham prazer em honrar uns aos outros.
>
> ROMANOS 12.8-10

ORAÇÃO

Senhor Jesus, tu sabes que a questão do controle às vezes se torna algo sério em nosso relacionamento. Ajuda-me a abdicar do desejo de controlar meu cônjuge. Quando eu estiver do outro lado, mostra-me como ser bondoso e firme de modo que possamos desenvolver padrões melhores.

APLICAÇÃO

Um cônjuge pode ser influenciado a mudar? A resposta é sim. No entanto, a maneira de fazer isso pode surpreendê-lo. Não é discutindo nem se submetendo em silêncio que você influencia um controlador. Em vez disso, você o influencia ao dar crédito às intenções do outro, porém recusando-se a ser controlado pelas decisões dele.

Digamos que, sem pedir sua opinião, seu marido compre um refrigerador novo. Sua reação é achar que suas ideias não são importantes e que ele está tratando você como criança. O que fazer? Sugiro que diga algo assim a seu marido: "Admiro os esforços que fez para me ajudar comprando um refrigerador novo. Tenho certeza de que você pesquisou com cuidado e que provavelmente fez um bom negócio. Contudo, gostaria que tivesse pedido minha opinião, uma vez que sou eu quem o usará com mais frequência. Ficaria feliz em ir com você para escolher um refrigerador novo. Então será que pode ligar para a loja e pedir que eles não entreguem o que você comprou? Ou quer que eu ligue?". Se ele ficar irritado e disser que não vai telefonar, não discuta. No dia seguinte, você liga para a loja e escolhe outro modelo.

Acaso ele mudará os padrões controladores imediatamente? Provavelmente não, mas a bondade e a firmeza terminarão levando à mudança. Siga o conselho do apóstolo Paulo e concentre-se na bondade, no amor genuíno e na honra. Concentre-se no que é bom. Esse tipo de tratamento incentivará mudanças em seu cônjuge.

Ajudando os filhos a se sentirem amados

10 JULHO

DEVOCIONAL 191

> Sejam sempre humildes e amáveis, tolerando pacientemente uns aos outros em amor.
>
> EFÉSIOS 4.2

Seus filhos se sentem amados? Não perguntei se você ama seus filhos. Sei a resposta a essa pergunta. Mas se quer ter certeza de que eles se *sentem* amados, não basta ser sincero. Você também precisa falar a linguagem do amor de seu filho.

Para alguns filhos, a linguagem do amor principal é tempo de qualidade. Se você não lhes der tempo de qualidade, eles não se sentirão amados, ainda que você lhes dê palavras de afirmação, toque físico, presentes e atos de serviço. Se seus filhos estão implorando que você faça coisas com eles, então é bem provável que tempo de qualidade seja sua linguagem do amor. É fácil frustrar-se com os pedidos intermináveis, mas precisamos responder com doçura e paciência, como Efésios 4 nos lembra. Tenha paciência com seus filhos, não leve em consideração os erros deles e procure enxergar a necessidade por trás das atitudes. Dê-lhes um pouco de atenção concentrada e observe como o comportamento deles mudará.

ORAÇÃO

Senhor, tu sabes quanto amo meus filhos. Quero que eles sintam esse amor. Dá-me sabedoria para comunicá-lo da melhor maneira possível. Ajuda-me a ter paciência quando pedirem alguma coisa e a ver isso como um sinal daquilo de que eles realmente necessitam.

APLICAÇÃO

Emoções *versus* ações

> Livra teu servo dos pecados intencionais! Não permitas que me controlem. Então serei inculpável e inocente de grande pecado. Que as palavras da minha boca e a meditação do meu coração sejam agradáveis a ti, Senhor, minha rocha e meu redentor!
>
> SALMOS 19.13-14

De que maneira as emoções influenciam o casamento? Elas são uma dádiva de Deus para enriquecer nossa vida. As emoções, tanto as positivas como as negativas, devem nos levar a Deus. Alguns cristãos passaram a desconfiar das emoções porque viram pessoas que seguiram seus sentimentos ferirem aqueles que estavam ao redor. No entanto, existe uma enorme diferença entre a emoção e a decisão de fazer algo errado. Os sentimentos em si não são pecaminosos, mas as ações que as pessoas realizam com base nesses sentimentos muitas vezes são. No salmo 19, o rei Davi pede a Deus que o guarde dos pecados intencionais de modo que seja considerado inocente. As emoções não são premeditadas; elas surgem sozinhas. O que fazemos com elas é que pode ser certo ou errado.

Eis um exemplo. Mesmo que esteja feliz no casamento, você pode sentir uma "comichão" por alguém do sexo oposto que não seja seu cônjuge. A atração não é pecaminosa, mas as ações podem vir a ser. Entregue a "comichão" a Deus. Agradeça-lhe por ter-lhe dado a capacidade de experimentar essa sensação e peça que ele lhe dê sabedoria para reacender o entusiasmo em seu casamento, de modo que possa experimentar tal alegria dentro do ambiente correto. A atração por outra pessoa é um indicador de que seu casamento precisa de atenção.

Deixe que as emoções o levem a Deus. Busque a orientação dele. Quando seguir as instruções do Senhor, a emoção terá alcançado seu mais elevado objetivo. As emoções existem para nos levar para perto de Deus.

ORAÇÃO

Pai, obrigado pelo dom das emoções. Ajuda-me a não temer meus sentimentos nem a me envergonhar deles. Ensina-me, pelo contrário, a vê-los como uma maneira de me aproximar de ti — e, dessa forma, de aproximar-me de meu cônjuge. Guarda minhas ações e ajuda-me a reagir adequadamente aos meus sentimentos.

APLICAÇÃO

Admitindo as emoções negativas

12 JULHO
DEVOCIONAL 193

> O riso pode esconder o coração aflito, mas, quando a alegria se extingue, a dor permanece.
>
> PROVÉRBIOS 14.13

Alguns cristãos não aceitam o fato de que possuem emoções negativas. Ira, medo, desapontamento, solidão, frustração, depressão e tristeza não se encaixam no estereótipo da vida cristã bem-sucedida. É comum tentarmos empurrar as emoções negativas para um lugar escondido do coração e ignorá-las. Isso não funciona muito bem, como notou o rei Salomão. Podemos ignorar os sentimentos negativos, mas isso não os faz desaparecer. Na verdade, ignorá-los pode até mesmo intensificá-los.

Creio que é muito mais produtivo identificar e aceitar nossas emoções e, então, buscar a orientação de Deus sobre aquilo que estamos sentindo. Sentimentos são como termômetros. Eles informam se estamos quentes ou frios, se tudo está bem ou não tão bem. Se tudo estiver bem, podemos comemorar louvando a Deus. (Existem diversos exemplos disso; veja um deles no salmo 103.) Se as emoções indicam que nem tudo está bem, podemos buscar a ajuda de Deus. (Mais uma vez, você encontrará no livro de Salmos exemplos vivos do rei Davi e outros que levaram sentimentos fortes a Deus. O salmo 13 é um exemplo.) Deus nos dará sabedoria se precisarmos agir. Ele pode nos dar conforto se a situação não puder ser mudada. Em qualquer circunstância devemos confiar nossas emoções a Deus e buscar sua orientação.

"Senhor, é assim que me sinto. Agora, o que tu queres que eu faça em relação a isso?" Essa abordagem levará a mais discernimento sobre si mesmo, mais empatia por seu cônjuge e mais sabedoria em suas decisões. Tudo isso contribui para um casamento saudável.

ORAÇÃO

Senhor, sou grato pelo livro de Salmos, que mostra tão claramente que tu nos acolhes quando expressamos a ti nossas emoções, sejam elas positivas ou negativas. Ajuda-me a fazer isso sem reservas, em vez de refrear a tristeza ou a ira. Quando me deres conforto e orientação, sei que agirei de maneira mais sábia e que isso beneficiará o relacionamento com meu cônjuge.

APLICAÇÃO

Reservando tempo para os conflitos

JULHO 13 — DEVOCIONAL 194

> É melhor um pedaço de pão seco e paz que uma casa cheia de banquetes e conflitos.
>
> PROVÉRBIOS 17.1

ORAÇÃO

Pai celestial, sei que o conflito num relacionamento é inevitável. Ajuda-nos a lidar com nossas diferenças de maneira saudável, respeitosa e prudente. Quero que nosso lar seja um lugar de paz, não de conflito constante.

APLICAÇÃO

Você já se sentiu como se estivesse casado com um extraterrestre? Vocês se consideravam muito compatíveis no início do relacionamento. Na verdade, concordavam em tudo. Agora talvez se perguntem como é que resolveram ficar juntos, uma vez que são assim tão diferentes. Bem-vindos ao mundo real. O fato é que você está casado com um ser humano. Nem todas as criaturas humanas pensam da mesma maneira ou sentem do mesmo modo. Em outras palavras, todos os relacionamentos humanos incluem o conflito. O segredo é aprender a usar métodos construtivos para alcançar a resolução quando surgir um conflito.

Quer resolver seus conflitos? Aqui vai uma ideia. Nunca tenha discussões "em pleno voo". Em vez disso, separe um tempo específico para resolução de conflitos. Sugiro que, uma vez por semana, vocês tenham uma "sessão de resolução de conflitos". No restante da semana, tentem se concentrar em coisas que apreciam um no outro. Faça comentários positivos ao cônjuge. Isso cria um clima saudável para discutir os conflitos.

Ao reservar tempo para lidar com o conflito, vocês evitam que a casa viva cheia de palavras iradas e de frustração — circunstância que o rei Salomão considerou claramente desagradável, com base no que lemos acima. Quando abrir espaço para a paz, será possível resolver os conflitos um a um sem destruir o relacionamento. Cada conflito resolvido traz você e seu cônjuge para mais perto um do outro.

Ouvindo com sabedoria

> Quem dá ouvidos à crítica construtiva se sente à vontade entre os sábios. Quem rejeita a disciplina prejudica a si mesmo, mas quem dá ouvidos à repreensão adquire entendimento.
>
> PROVÉRBIOS 15.31-32

Há quatro décadas aconselho casais e conduzo seminários de melhoria da vida conjugal. Jamais encontrei um casal que não tivesse conflitos. Já encontrei alguns que sabiam como resolver conflitos, e muitos outros que permitiram que o conflito destruísse o casamento.

Na meditação de ontem falei sobre a ideia de reservar um momento a cada semana para uma "sessão de resolução de conflitos". Quando se sentarem para discutir um conflito, alternem as falas. Comecem dando cinco minutos para cada um. Podem fazer quantos turnos forem necessários, mas não interrompam um ao outro com suas próprias ideias. Espere cada um a sua vez. De acordo com o rei Salomão, ouvir os outros — especialmente se eles tiverem críticas construtivas a fazer — nos torna sábios. Quando escutamos o cônjuge, especialmente no meio de um conflito, passamos a ter mais compreensão do outro e de nós mesmos.

Você pode fazer perguntas que o ajudem a entender o que seu cônjuge está dizendo. Por exemplo: "Está dizendo que se sente desapontada quando saio para praticar esportes no sábado em vez de passar tempo com você e as crianças? Quer dizer que prefere que eu não pratique esporte nenhum?".

Depois de ouvir, você terá sua chance de falar. Nesse exemplo, você pode explicar como a prática de esportes é importante para sua saúde mental. Então, juntos, podem procurar uma solução que ambos concordem ser viável. Ouvir e tentar entender um ao outro é fundamental na resolução de conflitos.

ORAÇÃO

Pai, quero ser sábio. Ajuda-me a responder da maneira correta quando meu cônjuge disser coisas que não estou disposto a ouvir. Ajuda-me a pensar no que é melhor para nosso relacionamento, e não apenas nas minhas próprias necessidades.

APLICAÇÃO

JULHO 15

DEVOCIONAL 196

Encontrando uma solução

> Eu te agradeço por me teres feito de modo tão extraordinário; tuas obras são maravilhosas, e disso eu sei muito bem.
>
> SALMOS 139.14

Todos os casais têm conflitos porque somos humanos. Todo ser humano é singular. Cada um de nós vê o mundo de maneira diferente. O erro comum é tentar forçar meu cônjuge a ver o mundo como eu vejo. "Se ela parasse para pensar um pouco, concordaria comigo. Minhas ideias fazem sentido." O problema é que aquilo que faz sentido para uma pessoa nem sempre faz sentido para outra. A precisão é desejável na matemática e nas ciências, mas não existe nos relacionamentos humanos. Como o salmo 139 deixa claro, o Senhor criou cada um de nós como um ser singular. Ele nos formou e nos conhecia mesmo antes de nascermos. Precisamos comemorar essas diferenças, não deixar que nos frustrem. Devemos dar espaço às diferenças nas percepções e nos desejos humanos.

A resolução de conflitos exige que tratemos as ideias e os sentimentos do cônjuge com respeito, não com condenação. O propósito não é provar que o cônjuge está errado, mas promover um "encontro de mentes" — um lugar onde vocês dois podem trabalhar como equipe. Não é preciso concordar para resolver um conflito. Precisamos simplesmente encontrar uma solução viável para as diferenças.

"O que seria viável para você?" é um bom lugar para começar. Agora estamos nos concentrando na resolução em vez de nas diferenças. Dois adultos em busca de uma solução provavelmente a encontrarão.

ORAÇÃO

Pai, essa pergunta — "O que seria viável para você?" — é reveladora. Quanto tempo desperdiço tentando convencer meu cônjuge de que estou certo! Ajuda-me, em vez disso, a juntar-me a ele na busca de uma solução que funcione para nós dois. Obrigado por nos teres criado como seres únicos.

APLICAÇÃO

Criando intimidade espiritual

16 JULHO
DEVOCIONAL 197

> Ajudem a levar os fardos uns dos outros e obedeçam, desse modo, à lei de Cristo.
>
> GÁLATAS 6.2

A maioria dos casais com que já conversei gostaria de poder falar mais abertamente um com o outro sobre sua jornada espiritual. É comum falarmos sobre intimidade emocional ou sexual, mas raramente falamos sobre intimidade espiritual. Contudo, ela afeta todas as outras áreas do relacionamento.

Assim como a intimidade emocional surge por compartilhar os sentimentos, a intimidade espiritual vem de compartilhar a caminhada com Deus. Não é preciso ser um gigante espiritual para ter intimidade espiritual no casamento, mas devemos nos dispor a compartilhar com o outro o momento espiritual em que estamos.

O marido que diz: "Não estou me sentindo muito próximo de Deus" pode não estimular grande alegria no coração da esposa, mas de fato abre a possibilidade de ela entrar em sua experiência espiritual. Se ela disser: "Fale sobre isso", estará incentivando a intimidade espiritual. Se, porém, disser: "Bem, se você não se sente perto de Deus, adivinhe quem se afastou?", ela interrompe o fluxo, e ele se afasta, sentindo-se condenado. O apóstolo Paulo nos desafiou a compartilhar o fardo uns dos outros, e isso muitas vezes inclui sentimentos de sequidão espiritual ou dificuldades nessa área. A intimidade espiritual dentro do casamento exige a disposição de ouvir sem fazer sermões.

ORAÇÃO

Pai, quero poder conversar com meu cônjuge sobre minha caminhada contigo; também quero ouvir as experiências que ele está tendo. Ajuda-nos a sermos gentis enquanto ouvimos um ao outro e compartilhamos os fardos um do outro. Oro pedindo que desenvolvas intimidade espiritual em nós.

APLICAÇÃO

JULHO 17

DEVOCIONAL 198

Despertando a fome espiritual

> Quando nos encontrarmos, quero encorajá-los na fé, e também quero ser encorajado por sua fé.
>
> ROMANOS 1.12

ORAÇÃO

Pai, ajuda-me a ser paciente com meu cônjuge quando ele não quiser discutir coisas espirituais. Peço-te que trabalhes em nosso coração e nos leves para mais perto um do outro nessa área. Desenvolve nosso relacionamento contigo, assim como a intimidade espiritual um com o outro.

APLICAÇÃO

Como desenvolver intimidade espiritual no relacionamento? Uma esposa me disse: "Gostaria que meu marido e eu compartilhássemos mais as coisas espirituais. Ele se mostra disposto a conversar sobre qualquer outra coisa, mas quando menciono igreja, Deus ou a Bíblia, ele se fecha e vai embora. Não sei o que fazer, só sei que é muito frustrante". Que conselho você daria a essa esposa?

Veja o que eu disse: "Nunca pare de falar das coisas espirituais. O relacionamento com Deus é a parte mais importante de sua vida. Se não compartilhar com ele essa área, seu marido nunca saberá quem você de fato é. Contudo, não espere retribuição da parte dele e não lhe pregue um sermão, a não ser que ele peça. Simplesmente fale daquilo que Deus está fazendo em sua vida. Converse sobre um versículo bíblico que a ajudou a tomar uma decisão ou que lhe deu ânimo quando você se sentia desanimada.

"Ao falar como é sua vida espiritual, você estimula a fome. Quando seu marido estiver espiritualmente faminto, é bem provável que ele queira conversar algumas coisas com você. É nesse momento que tem início a intimidade espiritual."

Encorajar um ao outro na fé é um objetivo nobre. Até mesmo o apóstolo Paulo queria ser encorajado por ver a fé dos cristãos romanos. Quando alcançarmos o ponto de compartilhar as vitórias e dificuldades espirituais, nosso casamento será abençoado.

Ouvindo ativamente

18 JULHO
DEVOCIONAL 199

> Escutem bem o que vou dizer, ouçam-me com atenção.
>
> JÓ 13.17

Seu cônjuge já reclamou, dizendo: "Às vezes parece que você não me ouve quando eu falo"? Uma conversa de qualidade exige que se ouça com atenção. Podemos ver no livro de Jó como a frustração com seus pretensos consoladores foi se elevando. Cada vez que eles respondiam, ficava mais claro que não haviam de fato compreendido o que ele dissera. Finalmente, ele explode com a frase: "Escutem bem o que vou dizer". Essa é uma frustração que você não quer que seu cônjuge tenha.

Permita-me sugerir algumas maneiras de ouvir de modo eficaz.

- Mantenha contato visual quando seu cônjuge estiver falando. Isso impede que você se distraia e comunica que ele dispõe de total atenção.
- Pare de fazer qualquer outra coisa enquanto seu cônjuge estiver falando. Sei que você consegue ver televisão e ouvi-lo ao mesmo tempo, mas a mensagem recebida é que aquilo que ele está dizendo não é muito importante.
- Atente para os sentimentos e reflita sobre o que ouviu. "Você parece desapontada por eu não ter levado o lixo para fora hoje de manhã." Agora sua esposa sabe que você está ouvindo e pode continuar a esclarecer seus sentimentos e desejos.
- Observe a linguagem corporal. Punhos cerrados, mãos trêmulas e lágrimas podem dar uma ideia da força dos sentimentos do cônjuge em relação àquilo que ele está dizendo. Quanto maior o sentimento, mais importante é que você lhe dê atenção concentrada.

ORAÇÃO

Senhor Jesus, sei que preciso ouvir meu cônjuge mais atentamente. Quero comunicar que de fato compreendo e que as palavras que ouço são importantes para mim. Ajuda-me hoje a ouvir com amor e carinho.

APLICAÇÃO

Ouvindo a fim de desenvolver intimidade

> "Se me buscarem de todo o coração, me encontrarão. Serei encontrado por vocês", diz o Senhor.
>
> JEREMIAS 29.13-14

ORAÇÃO

Pai celestial, sou grato por tua promessa de que, quando te buscarmos de todo o coração, nós te encontraremos. Ajuda-me a dedicar o mesmo tipo de esforço para "buscar" e conhecer meu cônjuge. Mostra-me como ouvir seus pensamentos com atenção e valorizá-los. Que isso possa fortalecer nosso relacionamento.

Quais são as recompensas por ouvir seu cônjuge? Ouvir é a porta de entrada do coração e da mente do cônjuge. Deus disse a Israel: "Porque eu sei os planos que tenho para vocês [...]. São planos de bem, e não de mal, para lhes dar o futuro pelo qual anseiam" (Jr 29.11). Mas como Israel poderia saber o que estava na mente e no coração de Deus? Os versículos 13 e 14 deixam claro que o povo encontraria o Senhor quando o buscasse de todo o coração. Deus queria que Israel conhecesse os pensamentos divinos, mas Israel precisava ouvir.

O que você está fazendo para tentar conhecer os pensamentos e sentimentos de seu cônjuge? Ouvir é a chave para a boa comunicação. Não condene seu cônjuge por não falar muito. Em vez disso, faça perguntas e, a seguir, escute as respostas. Elas podem ser curtas no início, especialmente se ele não for do tipo que fala muito. Mas, assim que perceber que você está realmente interessado, ele revelará o que está pensando. Receba os pensamentos de seu cônjuge como interessantes, desafiadores ou fascinantes, e ele falará mais.

Ouvir a Deus o levará para mais perto do coração dele. Ouvir seu cônjuge produzirá o mesmo tipo de intimidade.

APLICAÇÃO

Ouvindo com atenção

20 JULHO
DEVOCIONAL 201

> Pois ao que tem, mais lhe será dado, e terá em grande quantia.
>
> MATEUS 13.12

Não subestime a importância de ouvir o cônjuge. Quem ouve transmite esta mensagem: "Valorizo você e nosso relacionamento. Quero conhecê-lo". Não é possível ter um casamento com intimidade sem conhecer o cônjuge.

Respeitar as ideias do outro, mesmo quando elas forem diferentes das suas, é essencial para a comunicação. Poucas pessoas continuarão se comunicando se seus pensamentos forem sempre condenados. Responder muito rapidamente também é um empecilho para ouvir com atenção. Ouça duas vezes mais do que fala e você conhecerá seu cônjuge muito melhor. Jesus disse a seus discípulos em Mateus 13.12 que ouvir traz conhecimento. Quanto mais e melhor ouvirmos, mais entenderemos. Isso certamente é verdade em relação aos ensinamentos de Jesus, mas também se aplica às conversas com o cônjuge.

Se seu cônjuge começar a falar, considere esse um "momento santo". Aquele a quem você ama está prestes a revelar alguma coisa. Quando o cônjuge começar a revelar seu ser interior, não faça nada que possa interromper o fluxo. Largue tudo o mais e concentre-se em ouvir. Acene com a cabeça em concordância. Sorria se ele disser algo engraçado. Demonstre preocupação com os olhos se ele expressar dor. Faça perguntas para deixar claro que você está entendendo a mensagem. Ouvir de maneira ativa estimula a comunicação.

ORAÇÃO

Senhor, quero ouvir bem o que meu cônjuge diz e obter cada vez mais conhecimento dessa pessoa a quem amo. Sei que isso precisa começar com a valorização dos momentos em que ele compartilha pensamentos e sentimentos comigo. Dá-me autodisciplina para ser um ouvinte ativo e alerta, de modo que nossa comunicação se fortaleça cada vez mais.

APLICAÇÃO

Sabedoria para a esposa

JULHO 21
DEVOCIONAL 202

> Quem encontrará uma mulher virtuosa? Ela é mais preciosa que rubis. O marido tem plena confiança nela, e ela lhe enriquecerá a vida grandemente. Ela lhe faz bem, e não mal, todos os dias de sua vida. [...] Quando ela fala, suas palavras são sábias; quando dá instruções, demonstra bondade.
>
> PROVÉRBIOS 31.10-12,26

O que uma esposa faz quando seu marido se recusa a "entrar na linha"? Você já pediu inúmeras vezes para ele mudar. Já lhe disse exatamente o que deseja, mas ele não move uma palha. Sendo assim, o que fazer?

Permita-me sugerir uma abordagem diferente. Uma vez que ele não está mudando, comece por você. Analise cuidadosamente seu próprio comportamento e pergunte a si mesma: "O que tenho feito que não deveria estar fazendo? O que estou dizendo que não deveria dizer?". As respostas podem incluir tentativas de controlá-lo, falar de modo grosseiro ou guardar rancor. Assim que tiver identificado o comportamento, confesse essas falhas a Deus e também a seu marido. Ainda que ele seja 95% do problema, você deve começar com os seus 5%. Afinal de contas, você pode mudar isso e, quando o fizer, seu casamento será 5% melhor.

Considere a seguinte abordagem, sugerida por uma esposa que tende a tratar o marido como um empregado: "Foi injusto de minha parte pedir que você arrancasse aquele toco de árvore logo depois de ter cortado toda a grama. Sei que tenho pedido para você fazer muitas coisas ao mesmo tempo, e peço desculpas. Quero que saiba que aprecio o trabalho que realizou hoje de manhã". Independentemente de qual tenha sido a reação inicial dele, ela havia acabado de mudar o clima do casamento.

Esforce-se para ser uma esposa que, como a famosa "mulher de Provérbios 31", fala com sabedoria e amor com seu marido e lhe faz o bem.

ORAÇÃO

Pai celestial, perdoa-me pelas coisas erradas que tenho feito em meu casamento. Às vezes fico frustrada diante das ações de meu marido, mas esqueço que também contribuo para os problemas de nosso relacionamento. Ajuda-me a admitir minha parte e começar a mudar a mim mesma. Que eu possa fazer o bem a meu marido.

APLICAÇÃO

Sabedoria para o marido

22 JULHO
DEVOCIONAL 203

> Os maridos devem amar cada um a sua esposa, como amam o próprio corpo, pois o homem que ama sua esposa na verdade ama a si mesmo.
>
> EFÉSIOS 5.28

Quer ter uma esposa amorosa? Antes de criticá-la por todos os erros, lembre-se que a crítica raramente consegue promover mudanças positivas. Mas veja aqui algumas ideias que podem fazê-lo.

Em primeiro lugar, encontre alguma coisa de que você gosta nela e demonstre apreço. Faça isso de novo dois dias depois e, então, repita mais uma vez. Depois de desenvolver um padrão de elogios, você se surpreenderá positivamente com os resultados.

Segundo, fale com gentileza. Não permita que as emoções determinem o tom de sua voz. Se tiver algo a dizer, ainda que envolva sentimentos negativos, diga da maneira mais gentil que puder. Lembre-se que a Bíblia diz: "A resposta calma desvia a fúria, mas a palavra ríspida desperta a ira" (Pv 15.1). Não desperte a ira desnecessariamente.

Terceiro, não dê ordens. Exigências criam ressentimento. Em vez de dizer: "Quero isso pronto hoje", experimente pedir: "Existe alguma possibilidade de você incluir essa tarefa em sua agenda hoje? Ficaria muito feliz se pudesse fazê-lo". A maneira como você fala com sua esposa faz toda a diferença do mundo.

Acima de tudo, lembre-se que sua responsabilidade é amar sua esposa como você ama a seu próprio corpo. Isso significa cuidar dela e tratá-la com respeito, não importa como ela aja ou responda a você. Faça do amor seu objetivo, e tudo o mais se encaixará.

ORAÇÃO

Senhor, amar minha esposa como amo a meu próprio corpo é um desafio enorme que às vezes parece intransponível. Quero aprender mais sobre como fazer isso. Ajuda-me a melhorar meu jeito de tratar minha esposa, a fim de que nosso casamento se torne mais forte e mais íntimo.

APLICAÇÃO

Dando amor

> Amem-se com amor fraternal e tenham prazer em honrar uns aos outros.
>
> ROMANOS 12.10

O anseio pelo amor romântico está profundamente enraizado em nossa constituição psicológica. Praticamente toda revista popular traz pelo menos um artigo abordando como manter o amor vivo. Se é assim, por que tão poucos casais parecem ter encontrado o segredo de um amor duradouro *depois* do casamento? Estou convencido de que é porque nos concentramos em "receber amor" em vez de "dar amor".

Enquanto seu foco recair naquilo que seu cônjuge deveria fazer por você, você será visto como condenador e crítico. Que tal adotar uma abordagem diferente, como a que diz: "O que posso fazer para ajudar você? Como posso facilitar sua vida? Como posso ser um cônjuge melhor?" Em Romanos 12, Paulo escreve que, quando amamos, temos "prazer em honrar uns aos outros". Dar algo àquele a quem amamos não precisa ser um fardo; se sua afeição for genuína, dar e servir pode ser uma alegria. Dar amor manterá o relacionamento vivo.

ORAÇÃO

Pai, ajuda-me a concentrar-me em dar amor hoje. Que me preocupe menos com o que meu cônjuge pode me dar e mais com o que eu posso lhe dar. Agradeço porque és o exemplo maior de amor altruísta e doador.

APLICAÇÃO

Em busca de reconciliação

24 JULHO

DEVOCIONAL 205

> Busquem o Senhor enquanto podem achá-lo; invoquem-no agora, enquanto ele está perto. Que os perversos mudem de conduta e deixem de lado até mesmo a ideia de fazer o mal. Que se voltem para o Senhor, para que ele tenha misericórdia deles; sim, voltem-se para nosso Deus, pois ele os perdoará generosamente.
>
> ISAÍAS 55.6-7

O casamento acaba se seu cônjuge for embora? A resposta é um enfático *não*. A separação matrimonial significa que o casamento precisa de ajuda. O ideal bíblico chama à reconciliação. Você pode não sentir vontade de se reconciliar e não ver esperança para se unir de novo ao seu cônjuge. O processo talvez assuste, mas será que posso desafiar você a seguir o exemplo do próprio Deus?

Por toda a Bíblia vemos Deus figuradamente tendo um relacionamento amoroso com seu povo — Israel, no Antigo Testamento, e a igreja, no Novo Testamento. Em muitas ocasiões, Deus viu-se separado de seu povo por causa do pecado e da teimosia. Em certo sentido, a Bíblia inteira é um registro das tentativas de Deus de reconciliar-se com seu povo. Perceba que Deus sempre pleiteou a reconciliação com base na correção do comportamento pecaminoso. Deus nunca concordou em se reconciliar enquanto Israel ainda estivesse em pecado. Na passagem acima, o profeta Isaías chamou apaixonadamente o povo a afastar-se de seus pecados e a voltar para o Senhor. Deus estava perto, e seu perdão, disponível.

Não pode haver reconciliação sem arrependimento. No casamento, isso significa arrependimento mútuo, porque o erro envolveu ambas as partes. Lidar com as próprias falhas é o primeiro passo para buscar a reconciliação.

ORAÇÃO

Pai, sou grato por teu exemplo de chamar a uma reconciliação amorosa. Confesso meus próprios pecados no casamento. Ajuda-me a primeiramente lidar com eles enquanto busco a reconciliação com meu cônjuge.

APLICAÇÃO

Crendo na restauração

> Toda a glória seja a Deus que, por seu grandioso poder que atua em nós, é capaz de realizar infinitamente mais do que poderíamos pedir ou imaginar.
>
> EFÉSIOS 3.20-21

ORAÇÃO

Pai, obrigado por me lembrares os passos que posso dar rumo à reconciliação, mesmo se meu cônjuge não estiver caminhando nessa direção neste exato momento. Quero conhecer-te mais e quero conhecer melhor a mim mesmo. Guia-me conforme tento solucionar essas questões. (Se você não está separado, ore por um amigo que esteja.)

APLICAÇÃO

Separação significa que o casamento está com problemas. Seus sonhos de fazerem feliz um ao outro foram destruídos. A falta de satisfação que você experimentou antes da separação provavelmente veio de uma destas três fontes: 1) falta de relacionamento íntimo com Deus; 2) falta de relacionamento íntimo com o parceiro; ou 3) falta de compreensão e aceitação íntimas de si mesmo. O primeiro e o último itens podem ser corrigidos sem a ajuda do cônjuge. O segundo, é claro, exige a cooperação tanto da esposa como do marido.

Uma mudança radical em todas as três áreas é bastante possível. Se começar a aprofundar o relacionamento com Deus e a desenvolver uma melhor compreensão de si mesmo, você estará trabalhando na reconciliação de seu casamento, ainda que seu cônjuge não esteja ativamente envolvido a essa altura.

Permita que um pastor, um conselheiro ou um amigo cristão o ajudem a ter um novo olhar sobre Deus e sobre si mesmo. Aproxime-se de Deus e busque a ajuda dele para compreender o papel que você tem na restauração do relacionamento com seu cônjuge. Mude a si mesmo e você abrirá a porta para a possibilidade de reconciliação. O apóstolo Paulo nos diz em Efésios 3 que Deus pode fazer muito mais do que pedimos ou pensamos. Ele pode restaurar seu casamento.

Mostre amor por meio do serviço

26 JULHO
DEVOCIONAL 207

> Por isso, sempre que tivermos oportunidade, façamos o bem a todos, especialmente aos da família da fé.
>
> GÁLATAS 6.10

Para algumas pessoas, as ações falam mais alto do que as palavras. Atos de serviço são provavelmente a principal linguagem do amor dessas pessoas. É o que faz que elas se sintam amadas. As palavras "eu amo você" podem parecer rasas para essas pessoas se não forem acompanhadas por atos de serviço.

Cortar a grama, preparar uma refeição, lavar a louça, passar o aspirador de pó, tirar fios de cabelo da pia, limpar as manchas do espelho, tirar insetos do para-brisa, levar o lixo para fora, trocar fraldas, pintar o quarto, tirar o pó da estante, lavar o carro, cortar o mato, recolher as folhas, tirar o pó das persianas, levar o cachorro para passear — coisas desse tipo comunicam amor para a pessoa cuja principal linguagem do amor são atos de serviço. Em Gálatas, Paulo nos incentiva a aproveitar as oportunidades de fazer coisas boas e amáveis aos outros cristãos. Quanto mais não poderíamos fazer por aquele a quem mais amamos?

Faça essas coisas, e seu cônjuge se sentirá amado. Deixe de fazê-las e poderá dizer "eu amo você" o dia inteiro que não alcançará êxito. Descubra e fale a principal linguagem do amor de seu cônjuge, se quiser que ele se sinta amado.

ORAÇÃO

Pai, há inúmeras maneiras de mostrar meu amor por meio de atos de serviço. Ajuda-me a perceber essas oportunidades no transcorrer do dia.

APLICAÇÃO

JULHO 27

DEVOCIONAL 208

Jesus foi exemplo de serviço

[Jesus disse:] "Quem quiser ser o líder entre vocês, que seja servo, e quem quiser ser o primeiro entre vocês, que se torne escravo. Pois nem mesmo o Filho do Homem veio para ser servido, mas para servir e dar sua vida em resgate por muitos".

MATEUS 20.26-28

ORAÇÃO

Senhor Jesus, tua atitude de serviço é o exemplo máximo para mim. Ajuda-me enquanto tento imitar as maneiras generosas por meio das quais tu mostraste amor aos outros. Mostra-me como servir sem restrições.

APLICAÇÃO

Jesus demonstrou a linguagem do amor de atos de serviço quando lavou os pés de seus discípulos. Essa era uma tarefa normalmente atribuída a um servo, de modo que foi surpreendente ver um mestre respeitado realizando tal ato — algo tão escandaloso que, num primeiro momento, Pedro não quis que Jesus o servisse dessa forma. Para Jesus, porém, aquele não foi um ato isolado, mas a demonstração de um estilo de vida. A frase que melhor descreve sua vida é: "Jesus foi por toda parte fazendo o bem" (At 10.38). Ele próprio disse que não veio "para ser servido, mas para servir". O serviço foi o tema central de sua existência. Seu ato de serviço derradeiro foi dar a vida por nós a fim de que pudéssemos ser perdoados por Deus.

Se a linguagem do amor de seu cônjuge são atos de serviço, então deixe Jesus ser seu exemplo. Leia os Evangelhos mais uma vez e observe as maneiras pelas quais ele serviu aos outros. Peça a Deus que lhe dê a atitude de Cristo em relação a seu cônjuge, de modo que você possa servi-lo em amor.

Conversando sobre sexo

> Que todas as suas palavras sejam boas e úteis, a fim de dar ânimo àqueles que as ouvirem.
>
> EFÉSIOS 4.29

Se há uma habilidade mais importante do que qualquer outra para alcançar a união no aspecto sexual, trata-se da *comunicação*. Por que temos tanta disposição de conversar sobre qualquer outra coisa e somos tão reticentes para falar abertamente sobre essa área do casamento? Ao falar sobre a sexualidade, devemos nos esforçar para seguir o conselho do apóstolo Paulo e trocar palavras úteis e abençoadoras um com o outro. A comunicação pode fazer uma diferença dramática no nível de satisfação sexual mútua em seu casamento.

Sua esposa nunca saberá quais são seus sentimentos, necessidades e desejos se você não os expressar. Seu marido nunca saberá o que a agrada se você não comunicar. Nunca vi um casal que tenha alcançado satisfação sexual mútua sem comunicação aberta sobre questões sexuais. Você não pode tentar resolver um problema do qual não tem consciência.

Deixe-me compartilhar uma ideia prática para ajudá-los a começar. No alto de uma folha de papel escreva as palavras: "Estas são as coisas que eu gostaria que meu cônjuge fizesse ou não fizesse para que a questão sexual de nosso casamento fosse melhor para mim". Escrevam algumas ideias e, a seguir, compartilhem sua lista um com o outro. A informação abre a estrada para o crescimento. Lembrem-se que seu objetivo é fazer do sexo uma alegria mútua.

ORAÇÃO

Senhor Deus, tu sabes que falar de sexo às vezes é difícil para mim. Ajuda-me a lembrar que é da tua vontade que meu relacionamento com meu cônjuge seja forte em todas as áreas, incluindo o sexo. Dá-nos a graça de falar coisas úteis um ao outro quando conversarmos sobre o que apreciamos ou não em nosso relacionamento sexual.

APLICAÇÃO

A importância do sexo

> Mostre-me seu rosto e deixe-me ouvir sua voz. Pois sua voz é doce, e seu rosto é lindo.
>
> CÂNTICO DOS CÂNTICOS 2.14

ORAÇÃO

Pai, obrigado por teres criado o sexo como um meio de procriação, companhia e prazer. Que todos esses propósitos sejam cumpridos em nosso casamento.

APLICAÇÃO

Por que o sexo é uma parte tão importante do casamento? Somos criaturas sexuais por plano de Deus. O propósito mais óbvio da sexualidade é a procriação, mas não é o único.

Um segundo propósito é a companhia. Deus disse, em relação a Adão: "Não é bom que o homem esteja sozinho" (Gn 2.18). A resposta de Deus foi a criação de Eva e a instituição do casamento, sobre o qual a Bíblia diz: "E os dois se tornam um" (Gn 2.24). Isso é verdadeiro tanto no aspecto literal como no metafórico. No ato sexual, criamos um elo um com o outro, o que é o oposto de estar sozinho. Trata-se de intimidade e companhia profundas.

Um terceiro propósito do sexo é o prazer. O livro de Cântico dos Cânticos está repleto de ilustrações do prazer obtido na relação sexual entre os cônjuges. As comparações usadas no livro podem soar estranhas à nossa cultura (um homem ocidental de nossa época provavelmente não compararia os dentes da esposa a um rebanho de ovelhas, por exemplo), mas a intenção está clara: a masculinidade e a feminilidade devem ser desfrutadas pelos parceiros de casamento.

O sexo não foi planejado para ser colocado numa prateleira depois dos primeiros anos do casamento. O plano de Deus é que encontremos e desfrutemos amor sexual mútuo por toda nossa vida de casados.

Atitude positiva

30 JULHO
DEVOCIONAL 211

> Por que você está tão abatida, ó minha alma? Por que está tão triste? Espere em Deus! Ainda voltarei a louvá-lo, meu Salvador e meu Deus!
>
> SALMOS 42.5-6

Nos próximos dias, quero compartilhar cinco realidades que podem mudar seu casamento. A primeira é: *Sou responsável por minha própria atitude*. Os problemas são inevitáveis, mas a angústia é opcional. Atitude tem a ver com a maneira pela qual escolho ver as coisas.

Vamos analisar a reação de duas esposas cujo marido perdeu o emprego. Wendy diz: "Meu marido não consegue arrumar um trabalho decente há três anos. A parte boa é que não podemos pagar a televisão a cabo. Conversamos muito mais nas noites de segunda-feira. Aprendemos muito. Nossa filosofia é: 'Não precisamos daquilo que todo mundo acha que devemos ter'. É maravilhoso perceber quantas coisas podemos fazer quando faltam outras". Em contrapartida, Leslie diz: "Meu marido está desempregado há dez meses. Estamos com apenas um carro, sem telefone, e nossa comida se resume a uma cesta básica que recebemos todo mês. A vida é horrível em nossa casa".

A diferença entre essas duas esposas — e a atmosfera na casa delas — é basicamente uma questão de atitude. Podemos optar por pensar negativamente e amaldiçoar as trevas ou podemos tomar a decisão de procurar o raio de esperança por trás das nuvens.

O autor do salmo 42 certamente conhecia o poder de uma boa decisão. Ao deparar com o desânimo, ele escolheu voltar sua atenção para a esperança que vem de Deus. Quando nos lembramos das coisas boas da vida — incluindo a salvação e o amor que Deus nos dá —, optamos por mudar de atitude.

ORAÇÃO

Senhor, sei que minha tendência é culpar as circunstâncias pela frustração. Mas a verdade é que preciso ser responsável por minha própria atitude. Ajuda-me a escolher a esperança e o otimismo, e que isso possa transformar minha forma de ver meu relacionamento conjugal.

APLICAÇÃO

31 JULHO

DEVOCIONAL 212

Mudando a atitude para mudar as ações

> [Elias] sentou-se debaixo de um pé de giesta e orou, pedindo para morrer. "Já basta, SENHOR", disse ele. "Tira minha vida, pois não sou melhor que meus antepassados que já morreram."
>
> 1REIS 19.4

ORAÇÃO

Pai, às vezes tendo a me afundar no desespero e na decepção, tal como Elias fez. Essa atitude negativa se infiltra em meu coração e afeta também minhas ações. Ajuda-me a manter minha atitude sob controle antes que ela afete negativamente meu comportamento e meu cônjuge.

APLICAÇÃO

Ontem falamos sobre a primeira realidade que pode mudar seu casamento: Sou responsável por minha própria atitude. Hoje veremos a realidade número dois: *A atitude impacta as ações*. As atitudes são muito importantes porque afetam minha conduta e minhas palavras. Posso não ser capaz de controlar meu ambiente ou as situações que enfrento — doença, um cônjuge alcoólico, um adolescente envolvido com drogas, perda de emprego, pais idosos e assim por diante —, mas sou responsável por aquilo que *faço* em meu ambiente. Minha atitude influenciará grandemente meu comportamento.

O profeta Elias nos dá um exemplo vivo disso. Logo depois de derrotar os falsos profetas de Baal num confronto no monte Carmelo e provar que o Senhor é Deus, Elias entrou em desespero quando teve a vida ameaçada pela rainha Jezabel. Sua atitude derrotista levou-o a se punir e basicamente a pedir que Deus lhe tirasse a vida. Deus restaurou Elias, que retomou então seu trabalho como profeta; é certo, no entanto, que nessa ocasião sua atitude impactou grandemente suas ações.

O mesmo acontece conosco. Se eu me concentrar no negativo, haverá muito mais possibilidades de dizer a meu cônjuge palavras de crítica e condenação. Meu comportamento se encaixará em uma destas categorias: farei coisas para ferir meu cônjuge ou me afastarei e cogitarei a ideia de abandoná-lo.

Em contrapartida, se eu me concentrar nas coisas positivas do casamento, estarei mais propenso a dizer palavras positivas e de afirmação a meu cônjuge, além de fazer alguma coisa que tenha potencial para melhorar a vida de ambos.

Influência positiva

1º AGOSTO

DEVOCIONAL 213

> Portanto, como filhos amados de Deus, imitem-no em tudo que fizerem. Vivam em amor, seguindo o exemplo de Cristo.
>
> EFÉSIOS 5.1-2

Você já ouviu alguém dizer: "Não é possível mudar outra pessoa"? É verdade que *você não pode mudar a pessoa a quem ama, mas pode influenciá-la — e de fato o faz — todos os dias*. Essa é a terceira realidade do casamento. Se ainda está tentando mudar seu cônjuge, então talvez você seja um manipulador. Seu pensamento é: "Se eu fizer isto, então meu cônjuge fará aquilo", ou "Se eu o deixar suficientemente irritado ou suficientemente feliz, então conseguirei o que quero". Detesto desanimá-lo, mas você está num beco sem saída. Ainda que consiga fazer o cônjuge mudar, a manipulação gerará ressentimento nele.

Uma abordagem melhor é exercer uma influência positiva sobre o cônjuge. Você influencia por meio de palavras e ações. Se procurar algo que seu cônjuge esteja fazendo e de que você goste e, então, oferecer elogios verbais, você estará gerando uma influência positiva. Se fizer algo que sabe que seu cônjuge aprecia, suas ações terão uma influência saudável. Se tratar seu cônjuge com respeito e bondade, seu exemplo produzirá frutos.

Em Efésios 5, Paulo nos instrui a seguir o exemplo de Cristo e viver com amor. Assim como um menino imita seu pai, do mesmo modo devemos imitar nosso Pai celestial. Quando seguimos esse exemplo perfeito, não há como não influenciar positivamente aqueles a quem amamos. A realidade do poder da influência positiva possui enorme potencial para casamentos problemáticos.

ORAÇÃO

Senhor, sei que tu és o exemplo perfeito de amor e quero imitar-te. À medida que busco fazer isso, oro para que eu seja uma influência positiva sobre meu cônjuge.

APLICAÇÃO

Não se deixar dominar pelas emoções

> Quem não tem domínio próprio é como uma cidade sem muros.
>
> PROVÉRBIOS 25.28

Nos últimos dias, tenho falado sobre realidades que podem mudar seu relacionamento. Hoje, chegamos à realidade número quatro: *Minhas ações não precisam ser controladas pelas emoções.*

Nas últimas décadas, nossa cultura deu ênfase indevida às emoções. Quando aplicada a um relacionamento problemático, essa filosofia aconselha: "Se você não tem sentimentos amorosos, admita a situação e caia fora", ou até mesmo: "Se você se sente ferido ou irritado, é hipocrisia dizer ou fazer alguma gentileza ao seu parceiro". Tal filosofia pode soar boa, mas deixa de considerar o fato de que as pessoas são mais do que suas emoções.

Sim, temos sentimentos, mas também temos atitudes, valores e ações. Destruiremos nosso casamento se saltarmos diretamente das emoções para as ações, ignorando atitudes e valores. As ações guiadas por valores e atitudes positivas têm mais probabilidade de ser produtivas.

O provérbio acima compara uma pessoa sem autocontrole a uma cidade cujos muros estão derrubados. Nos tempos antigos, os muros das cidades eram sua principal defesa contra os inimigos. Sem muros fortes, a cidade ficava vulnerável a ataques. Do mesmo modo, quando deixamos que as emoções nos controlem, perdemos a perspectiva e ficamos vulneráveis a todo tipo de tentação e comportamento prejudicial.

Não se deixe dominar pelas emoções. Em vez disso, pare, pense, procure e declare o que é positivo, e também faça algo que tenha um potencial positivo.

ORAÇÃO

Pai, quero ser como uma cidade bem protegida, não como uma cidade cujos muros estão derrubados. Mas tenho dificuldades com o autocontrole. As emoções muitas vezes definem o modo como trato meu cônjuge. Ajuda-me em meus esforços para mudar isso.

APLICAÇÃO

Admitindo os erros

3 AGOSTO
DEVOCIONAL 215

> Se afirmamos que não temos pecados, enganamos a nós mesmos e não vivemos na verdade. Mas, se confessamos nossos pecados, ele é fiel e justo para perdoar nossos pecados e nos purificar de toda injustiça.
>
> 1JOÃO 1.8-9

Uma quinta realidade que pode mudar seu casamento é esta: *Admitir minhas imperfeições não significa que sou um fracasso.*

Na maioria dos casamentos problemáticos, existe uma parede de pedra entre marido e esposa que foi construída ao longo dos anos. Cada pedra representa um evento do passado em que um deles falhou com o outro. São essas as coisas sobre as quais as pessoas falam quando se sentam num gabinete de aconselhamento. O marido reclama: "Ela sempre critica tudo o que faço. Jamais consigo agradá-la". A esposa reclama: "Ele está casado com o emprego. Não tem tempo nem para mim nem para os filhos. Sinto-me como uma viúva". Esse muro de dor e decepção coloca uma espécie de barreira para a unidade conjugal.

A demolição do muro emocional é importantíssima para a reconstrução de um casamento problemático. Admitir sua parte na construção do muro não faz de você um fracasso. Significa que você é humano e que está disposto a admitir a própria humanidade. De fato, o apóstolo João escreveu que as pessoas que afirmam jamais ter cometido erros estão enganando a si mesmas. Confessar o pecado é o primeiro passo para se reconciliar com Deus. Confessar erros do passado ao cônjuge é o primeiro passo para alcançar um casamento sadio.

ORAÇÃO

Pai, com frequência eu nego ter feito algo errado porque não quero me sentir um fracasso. Mas sei que isso só piora o problema. Ajuda-me a admitir a meu cônjuge os erros que cometi, de modo que possamos derrubar o muro de dor que se coloca entre nós.

APLICAÇÃO

Descobrindo as linguagens do amor por meio das feridas

> Examina-me, ó Deus, e conhece meu coração; prova-me e vê meus pensamentos. Mostra-me se há em mim algo que te ofende e conduze-me pelo caminho eterno.
>
> SALMOS 139.23-24

ORAÇÃO

Pai, tu sabes tudo sobre mim, incluindo aquilo que faço e que mais fere meu cônjuge. Revela-me isso. Quando eu conversar com ele, ajuda-me a ter um coração disposto a ouvir, aprender e melhorar, a fim de que possa amá-lo de modo mais eficiente.

APLICAÇÃO

O que seu cônjuge faz ou diz que o fere mais profundamente? Provavelmente essa é uma indicação de sua principal linguagem do amor. A ferida pode não vir daquilo que ele faz ou diz, mas, pelo contrário, pelo que deixa de fazer ou dizer. Uma esposa disse: "Ele jamais levanta um dedo para me ajudar com as coisas da casa. Fica em frente à televisão enquanto faço todo o trabalho. Não entendo como pode agir assim e ao mesmo tempo dizer que me ama". A linguagem do amor dessa mulher são *atos de serviço*. Na mente dela, se você ama uma pessoa, faz coisas para ajudá-la. Para ela, ações falam mais alto que palavras.

Para outros, as palavras podem falar mais alto que as ações. Um marido me disse: "Minha esposa só me critica. Não sei por que se casou comigo. Está na cara que ela não me ama". Para ele, se você ama alguém, fala palavras agradáveis. A linguagem do amor dele são palavras de afirmação, o que explica por que as palavras dela o ferem tanto.

Se quiser descobrir a linguagem do amor de seu cônjuge, precisa fazer a pergunta: "O que faço ou digo, ou deixo de fazer ou dizer, que o fere mais profundamente?". Essa pode ser uma pergunta assustadora, mas a resposta muito provavelmente revelará a linguagem do amor da outra pessoa. O salmo 139 nos diz que, se pedirmos a Deus, ele revelará coisas em nossa vida que são prejudiciais aos outros. Peça a Deus que lhe dê discernimento ao abordar o assunto com o cônjuge.

Criando uma atmosfera de respeito

> Da mesma forma, vocês, maridos, honrem sua esposa. Sejam compreensivos no convívio com ela.
>
> 1PEDRO 3.7

Quando a palavra *intimidade* é mencionada, muitos maridos pensam imediatamente em sexo. Mas o sexo não pode ser separado da intimidade intelectual e emocional. Deixar de reconhecer essa realidade leva à frustração no casamento.

Caso uma mulher não se sinta livre para expressar suas ideias, ou se ela percebe que o marido não as respeita e dirá que são tolice se ela as expressar, então a esposa provavelmente terá pouco interesse em ter intimidade sexual com ele. Os sentimentos de condenação e rejeição impedem que ela seja sexualmente responsiva.

Se a esposa não se sentir amada pelo marido, mais uma vez a distância emocional se coloca como uma barreira para a intimidade sexual. Um marido que ignora essas realidades ficará frustrado diante da falta de interesse da esposa pelo sexo. O problema não é a falta de interesse dela, e sim a barreira emocional que existe entre os dois.

O apóstolo Pedro incentivou os homens a honrar cada um sua esposa e tratá-la com discernimento e consideração. Antes de qualquer coisa, os homens devem fazer isso porque é uma ordem de Deus, mas a verdade é que tal atitude os beneficia. O marido sábio procurará criar um clima no qual a esposa se sinta aceita e amada como pessoa. Ao fazê-lo, ele abre a porta para a intimidade sexual.

ORAÇÃO

Senhor, sei que tu desejas que sempre nos tratemos com honra, respeito e amor. Quando agimos assim, nosso relacionamento flui mais suavemente, e isso te traz honra. Ajuda-nos a crescer nessa área.

APLICAÇÃO

AGOSTO 6

DEVOCIONAL 218

Ouvindo primeiro, respondendo depois

> Se ao menos alguém me ouvisse! Vejam, aqui está minha defesa assinada.
>
> JÓ 31.35

ORAÇÃO

Senhor, quero ser um ouvinte bom e atencioso. Não permitas que eu frustre meu cônjuge ao expressar minhas opiniões cedo demais e com excessivo ímpeto. Dá-me ouvidos para ouvir bem.

APLICAÇÃO

A maioria de nós expressa ideias cedo demais. Falamos antes de realmente ouvir. De fato, uma pesquisa descobriu que uma pessoa em média escuta apenas durante dezessete segundos antes de interromper.

O livro de Jó nos apresenta diversos exemplos de maus ouvintes. Enquanto sofria de males físicos, dor e perda de coisas materiais, Jó manteve firmemente sua posição diante de Deus. Mas seus "amigos" o ignoravam e afirmavam insistentemente que ele devia ter cometido algum pecado enorme diante de Deus para que este permitisse que ele sofresse tanto. Por fim, depois de páginas de discursos, Jó se cansa. Podemos ouvir a frustração em suas palavras: "Se ao menos alguém me ouvisse!".

Um bom ouvinte jamais expressará suas ideias até que esteja certo de que entendeu o que a outra pessoa está dizendo. No casamento, isso é de extrema importância. Faça questionamentos, repita o que acha que seu cônjuge está dizendo e pergunte: "Estou entendendo você?". Quando ele responder: "Sim, acho que você entendeu o que estou dizendo e como me sinto", então, e somente então, você estará pronto para seguir adiante. Você pode dizer: "Fico feliz por se abrir comigo. Agora que entendo como chegamos até aqui, posso dizer-lhe o que estava pensando quando fiz aquilo? Percebo agora que o que eu disse foi doloroso, mas quero que entenda que não estava tentando provocar nenhuma ferida". Nesse ponto, seu cônjuge estará pronto para ver de sua perspectiva porque, em primeiro lugar, você parou para de fato ouvir o que ele estava dizendo.

Encontrando tempo para os deveres

7 AGOSTO
DEVOCIONAL 219

> Ajuda-nos a entender como a vida é breve, para que vivamos com sabedoria.
>
> SALMOS 90.12

Como cristãos, sabemos que o derradeiro significado da vida é encontrado nos relacionamentos: primeiramente, no relacionamento com Deus e, em segundo lugar, com as pessoas. No nível humano, o relacionamento conjugal é planejado por Deus para ser o mais íntimo, ficando em segundo lugar o relacionamento pai/mãe-filhos. Contudo, alguns de nós correm atrás de atividades que têm pouca relação com a construção de relacionamentos. Como é possível parar o carrossel e sair dele?

Você já ouviu alguém dizer: "Sei o que devo fazer, mas simplesmente não tenho tempo"? É mesmo verdade que não temos tempo para fazer o que devemos fazer? A palavra dever significa estar obrigado em razão de preceitos morais, consciência ou responsabilidade. Se não estamos cumprindo nossos deveres, então precisamos reexaminar nosso uso do tempo. O tempo é um recurso que o Senhor nos deu e, como qualquer outro recurso, precisamos administrá-lo com eficiência. O versículo acima, bem como muitos outros da Bíblia, enfatiza a principal razão de usarmos bem nosso tempo: os dias que passamos aqui na terra são limitados. O tempo é um bem precioso que não devemos desperdiçar.

Em última análise, podemos controlar o uso que fazemos do tempo. Podemos atingir os objetivos de nossos relacionamentos mais próximos. Separar tempo para o que é importante significa que devemos dizer não a coisas de menor importância. Você está precisando sentar e repensar seu modo de usar o tempo? Então faça isso hoje.

ORAÇÃO

Senhor, tu sabes bem como nossos dias neste mundo passam depressa. Quero usar meu tempo da melhor maneira possível, e isso significa investi-lo nos relacionamentos, primeiramente contigo e também com meu cônjuge. Ajuda-me a tomar decisões sábias enquanto avalio minhas prioridades.

APLICAÇÃO

AGOSTO 8

DEVOCIONAL 220

Reservando tempo para o que é importante

> Sejam cuidadosos em seu modo de vida. Não vivam como insensatos, mas como sábios. Aproveitem ao máximo todas as oportunidades nestes dias maus.
>
> EFÉSIOS 5.15-16

ORAÇÃO

Senhor Deus, é fácil apegar-me àquilo que faço normalmente e esquecer-me do que é realmente importante. Ajuda-me a priorizar o tempo que passo com meu cônjuge, e ajuda-nos a estabelecer um plano para que isso aconteça.

APLICAÇÃO

Se você concorda que seu relacionamento conjugal é importante, então o que gostaria de fazer para melhorá-lo? Será que um "momento diário de compartilhamento" seria útil? Uma noite de passeio por semana seria bom? Que tal participar de um seminário de fim de semana sobre como melhorar seu casamento? Defina o que seria proveitoso e reserve tempo para fazer o que é importante.

Digo "reservar tempo" porque, se não colocar em sua agenda, o compromisso não vai acontecer. Dizer sim ao importante pode significar dizer não ao menos importante. Separar um dia por semana, por exemplo, para que os dois conversem sem interrupções pode exigir que você abra mão de um programa de trinta minutos que passa na televisão todas as noites. Um passeio semanal à noite pode exigir que você remaneje algo em seu orçamento a fim de ter dinheiro para pagar alguém para ficar com as crianças. Se algo é importante, você pode fazer que aconteça.

O texto acima, extraído de Efésios 5, nos incentiva a sermos sábios na administração de nosso limitado tempo e a fazermos o melhor uso dele. Tempo e dinheiro são seus ativos. Você deve gerenciá-los bem para realizar aquilo que é importante. Ninguém fará isso por você. Somente você pode assumir o controle de sua vida e verificar se de fato está fazendo aquilo que acredita ser seu dever.

Retornando ao amor emocional

> Filhinhos, não nos limitemos a dizer que amamos uns aos outros; demonstremos a verdade por meio de nossas ações.
>
> 1JOÃO 3.18

Apaixonar-se é uma experiência temporária. Não é premeditada; simplesmente acontece no contexto normal do relacionamento homem-mulher. O que muitas pessoas não sabem é que a paixão é sempre temporária. O tempo médio em que se fica "apaixonado" é de dois anos.

A experiência da paixão satisfaz temporariamente as necessidades de amor que uma pessoa tem. Ela nos dá a sensação de que alguém se importa conosco, alguém nos admira e nos aprecia. As emoções se elevam com a ideia de que outra pessoa nos vê como o número um. Durante um curto período de tempo, nossa necessidade de amor é satisfeita. Contudo, quando descemos do pico emocional, podemos nos sentir vazios. Isso às vezes é acompanhado por sentimentos de dor, desapontamento e raiva.

Se o desejo é que o amor emocional retorne ao relacionamento, então será preciso que cada um descubra e fale a principal linguagem do amor do outro. Como já discutimos, existem apenas cinco linguagens básicas: palavras de afirmação, atos de serviço, presentes, tempo de qualidade e toque físico.

O apóstolo João reafirma uma importante verdade ao escrever sua primeira epístola: o amor pode ser expresso em palavras, mas prova sua veracidade por meio de ações. Aprenda a linguagem do cônjuge, fale-a regularmente e o amor emocional retornará ao casamento.

ORAÇÃO

Senhor Deus, quero que, como casal, sintamos novamente o amor forte e emocional. Ajuda-nos a alcançar esse ponto ao nos dedicarmos a amar um ao outro por meio de ações, e não apenas de palavras. Ajuda-nos a aprender a linguagem do amor um do outro e a falá-la bem.

APLICAÇÃO

Aprendendo a amar como Deus ama

> Que o Senhor conduza o coração de vocês ao amor de Deus e à perseverança que vem de Cristo.
>
> 2TESSALONICENSES 3.5

ORAÇÃO

Pai, quero amar como tu amas. Ensina-me a fazê-lo. Ajuda-me a começar alimentando o amor entre meu cônjuge e eu, e comunicando-me por meio de sua linguagem do amor.

APLICAÇÃO

Um marido disse à esposa: "Você sabe que a amo. Por que preciso ficar repetindo?". Outro disse: "Eu lhe dei um presente de aniversário. Isso foi há dois meses. O que você quis dizer quando falou que nunca lhe dou nada?".

Esses dois maridos deixaram de perceber que expressões de amor devem se tornar uma parte normal da vida, não apenas atos ocasionais.

O amor emocional deve ser nutrido. Falar a principal linguagem do amor do cônjuge é a melhor maneira de manter o amor vivo. Assim, se atos de serviço forem a linguagem do amor de seu cônjuge, então prepare uma refeição, limpe a casa ou corte a grama e você verá o tanque de amor de seu cônjuge se encher. Se forem palavras de afirmação, faça-lhe um elogio, e ele se sentirá amado. Se for tempo de qualidade, sente-se com ele no sofá e dê-lhe atenção total. Se for toque físico, coloque a mão sobre o ombro dele. Se forem presentes, dê-lhe um livro, um cartão ou algum lembrete especial.

Amar é uma escolha que se faz diariamente. Quando fizer essa escolha, como diz a passagem acima, o Senhor o conduzirá a uma maior compreensão e expressão desse amor. Ele o ensinará a amar como ele ama.

Em busca da mudança

11 AGOSTO

DEVOCIONAL 223

> Não imitem o comportamento e os costumes deste mundo, mas deixem que Deus os transforme por meio de uma mudança em seu modo de pensar, a fim de que experimentem a boa, agradável e perfeita vontade de Deus para vocês.
>
> ROMANOS 12.2

Infelizmente, muitas pessoas estão num ponto de desespero no casamento. Um marido me disse recentemente: "Não sei mais o que fazer. Vejo meus sentimentos amorosos pela minha esposa morrendo e sendo substituídos por pena e raiva. Quero respeitá-la. Quero amá-la. Quero ajudá-la, mas não sei como". Milhares podem se identificar com a frustração constante de viver com um cônjuge problemático ou irresponsável.

Existe esperança? Sim, e ela começa com você. Antes de qualquer coisa, você precisa adotar uma atitude positiva. Aquele marido está fazendo o que a maioria de nós faz por natureza: está se concentrando no problema em vez de na solução. Há uma enormidade de passos que ele pode dar, mas eles exigem uma atitude positiva.

Em primeiro lugar, ele deve se lembrar que Deus trabalha no ramo de mudança de vida. O texto de Romanos 12.2 nos lembra que Deus pode nos transformar de dentro para fora. Se nos voltarmos para Deus, ele pode mudar nosso modo de pensar, o que, por sua vez, mudará nossos padrões de ação. Existe esperança. Esse marido deve orar assim: "Pai, sei que existe resposta para nossos problemas. Mostra-me qual é o passo seguinte". Esse foco na busca de soluções o levará às respostas.

ORAÇÃO

Senhor, creio que tu podes transformar vidas. Confio que é da tua vontade que meu relacionamento com meu cônjuge seja restaurado. Mostra-me o que fazer em seguida.

APLICAÇÃO

AGOSTO 12

DEVOCIONAL 224

Dificuldades salvadoras

> E sabemos que Deus faz todas as coisas cooperarem para o bem daqueles que o amam e que são chamados de acordo com seu propósito.
>
> ROMANOS 8.28

ORAÇÃO

Senhor Deus, obrigado por essa palavra de esperança. Sejam quais forem as lutas em nosso relacionamento, sabemos que os problemas não estão além de teu alcance. Tu podes extrair o bem deles. Peço-te que uses nossas dificuldades para cumprir teus propósitos.

APLICAÇÃO

Em 12 de agosto comemoramos nosso aniversário de casamento. Quando relembro os anos que passaram, preciso admitir que nem todos foram felizes. Tivemos dificuldades significativas nos primeiros anos. Conheço a dor de sentir-se rejeitado. Sempre era assolado pelo pensamento: "Casei-me com a mulher errada". Naqueles dias, ninguém nos ofereceu um livro sobre casamento nem nos recomendou um conselheiro matrimonial.

Enfrentamos dificuldades, mas, pela graça de Deus, conseguimos encontrar respostas. Deus nos ensinou a perdoar e amar novamente. Há vários anos temos colhido os frutos do amor incondicional. Não gostaria de reviver os anos de dor, mas sei que Deus os usou para nos dar um ministério de ajuda a outros casais que enfrentam dificuldades.

Pense nas dificuldades de seu próprio relacionamento, passadas ou presentes. De que maneira Deus pode usá-las para ajudar você ou outras pessoas? O texto de Romanos 8 nos diz que, até mesmo na pior situação, Deus pode fazer que as coisas trabalhem para nosso bem e para seus propósitos. A dificuldade mais significativa pode ser aquela que, anos mais tarde, vocês enxergam como um momento de transição no relacionamento. O Senhor pode redimir qualquer situação para sua glória. Nisso está minha alegria neste aniversário.

Orando pela mudança

> A oração de um justo tem grande poder e produz grandes resultados.
>
> TIAGO 5.16

Falso ou verdadeiro? Quando o casamento está ruim, existem apenas duas opções: resignar-se a uma vida miserável ou abandoná-lo.

Muitos casais vivem uma dor profunda. Tentaram melhorar as coisas e fracassaram. Assim, aceitaram a dicotomia tão comumente defendida: preciso sair e começar do zero ou devo aceitar o fato de que vou viver no tormento para o resto da vida. Quero sugerir que existe uma terceira opção: deixe Deus usar você como fator de mudança positiva em seu casamento. É verdade que você não pode fazer o cônjuge mudar. Contudo, pode influenciá-lo positivamente a mudar. A maioria de nós subestima o poder da influência.

Também subestimamos o poder da oração. As Escrituras trazem muitos exemplos de pessoas suplicando a Deus e da resposta que ele lhes deu. Em Tiago 5.16, lemos que a oração do justo pode produzir resultados notáveis. O apóstolo Paulo pede aos cristãos que se dediquem à oração (Cl 4.2) e que orem continuamente (1Ts 5.17). Portanto, ore por seu relacionamento. Peça a Deus que lhe dê uma imagem clara de como chegaram até aqui no casamento. O que precisa mudar para que haja um relacionamento sadio? Peça a Deus que lhe mostre como você pode ser um instrumento nas mãos dele para influenciar seu cônjuge. É uma oração à qual Deus responderá. Ele também lhe dará o poder para realizar tal mudança.

ORAÇÃO

Pai, venho a ti profundamente necessitado de tua ajuda. Mostra-me como chegamos a este ponto como casal e o que precisa mudar. Usa-me como agente de mudança. Que eu cause um efeito positivo sobre meu cônjuge.

APLICAÇÃO

Confissão e perdão

AGOSTO 14
DEVOCIONAL 226

> Pequei contra ti, somente contra ti; fiz o que é mau aos teus olhos. Por isso, tens razão no que dizes, e é justo teu julgamento contra mim. [...] Purifica-me de minha impureza, e ficarei limpo; lava-me, e ficarei mais branco que a neve.
>
> SALMOS 51.4,7

ORAÇÃO

Pai, sempre é difícil confessar meus erros a meu cônjuge. Do mesmo modo, pode ser muito difícil perdoá-lo depois de ele ter cometido um erro contra mim. Suaviza o coração de cada um de nós. Ajuda-nos a perdoar um ao outro como tu nos perdoas.

APLICAÇÃO

Gostaria muito de ser um marido perfeito: sempre bondoso, atencioso, compreensivo, cuidadoso e amoroso. Infelizmente não sou. Nenhum de nós é. Às vezes sou egoísta, descuidado e frio. Em resumo, não alcanço o ideal bíblico de um marido cristão. Isso por acaso significa que meu casamento está destinado ao fracasso? Não se eu estiver disposto a admitir meus erros e se minha esposa estiver disposta a perdoar.

Perdoar não significa simplesmente desconsiderar ou ignorar os erros da outra pessoa. O perdão de Deus deve ser nosso modelo. Deus nos perdoa com base naquilo que Cristo fez por nós na cruz. Deus não ignora o pecado nem perdoa a todos indiscriminadamente. Deus perdoa quando confessamos nosso pecado e expressamos nossa necessidade de perdão. O salmo 51, escrito por Davi depois de seu pecado com Bate-Seba, é um excelente modelo de remorso verdadeiro pelo erro cometido. Davi admitiu a culpa, reconheceu a justiça divina e pediu o perdão purificador de Deus. E Deus o concedeu.

A confissão genuína sempre precede o verdadeiro perdão. Portanto, para ter um casamento sadio, devo confessar meus erros a minha esposa, e ela deve me perdoar.

Perdoando como Deus perdoa

15 AGOSTO — DEVOCIONAL 227

> Dá-nos hoje o pão para este dia, e perdoa nossas dívidas, assim como perdoamos os nossos devedores. E não nos deixes cair em tentação, mas livra-nos do mal.
>
> MATEUS 6.11-13

Existe uma diferença entre aceitação e perdão. Você pode *aceitar* várias coisas do cônjuge das quais não exatamente gosta, como um hábito que considera irritante. O fato é que tal aceitação é necessária para a saúde do casamento. Mas um tratamento errado, desleal ou injusto — o que a Bíblia chama de pecado — não pode ser aceito. O pecado precisa ser *perdoado*.

Quando um cônjuge persiste no pecado, o relacionamento fica estremecido. Numa situação ideal, o transgressor confessará seus erros e pedirá perdão. Esse é o modelo bíblico. Quando escolhemos perdoar alguém, estamos dizendo: "Não vou mais ficar ressentido por causa desse pecado. Tratarei você como se isso nunca tivesse acontecido. Continuarei trabalhando com você para melhorar nosso relacionamento. Amo você".

Mas o que devemos fazer quando o cônjuge não confessa a transgressão e, na verdade, persiste no comportamento pecaminoso? Devemos entregar a pessoa a Deus, juntamente com nossa ira. Então estaremos livres para retribuir o mal com o bem e, dessa forma, exercer uma influência positiva sobre o cônjuge.

O desafio das Escrituras é que perdoemos uns aos outros como Deus nos perdoa. Jesus afirmou isso claramente quando ensinou aos discípulos aquilo que conhecemos hoje como a Oração do Senhor ou Pai Nosso. O conceito é repetido em outros lugares, como Efésios 4.32, em que Paulo pede a seus ouvintes que "sejam bondosos e tenham compaixão uns dos outros, perdoando-se como Deus os perdoou em Cristo". Nosso objetivo é claro, mas talvez precisemos aprender a chegar lá.

ORAÇÃO

Pai, não há como agradecer-te o suficiente por teu glorioso perdão por meio de Cristo. É uma dádiva maravilhosa. Uma vez que fizeste algo tão admirável por mim, sei que também preciso perdoar aqueles que pecaram contra mim. Ajuda-me em meu esforço para ser melhor em perdoar meu cônjuge quando precisar fazê-lo. Obrigado.

APLICAÇÃO

AGOSTO 16

DEVOCIONAL 228

Perdão total

> Como é feliz aquele cuja desobediência é perdoada, cujo pecado é coberto!
>
> SALMOS 32.1

ORAÇÃO

Pai, fico maravilhado diante do perdão total de meus pecados. Obrigado! Dá-me a humildade e a graça de perdoar meu cônjuge dessa maneira.

APLICAÇÃO

Um casamento saudável exige que haja confissão quando se comete um erro e perdão da parte daquele contra quem se cometeu o erro. A palavra *confessar* significa contar ou fazer conhecido, reconhecer uma transgressão. Quando confessamos, Deus perdoa. A Bíblia descreve o perdão de Deus como total. O versículo acima, extraído do salmo 32, diz que o pecado é "coberto", ao passo que o salmo 103 usa uma maravilhosa metáfora de distância: "De nós ele afastou nossos pecados, tanto como o Oriente está longe do Ocidente" (v. 12). No livro de Hebreus ouvimos a promessa de Deus de que ele perdoará nossos pecados: "E nunca mais me lembrarei de seus pecados e atos de desobediência" (Hb 10.17).

Quando seu cônjuge peca contra você, tal atitude estimula a mágoa e talvez até a ira. Você pode sentir vontade de revidar, mas a maneira bíblica de reagir é a confrontação amorosa. Se o cônjuge admitir o erro, a resposta correta é perdoar com amor. Talvez você esteja pensando: "Mas como perdoar algo que machuca tanto?". Lembre-se que o perdão não é um sentimento; antes, é a promessa de revogar o julgamento. "Estou profundamente ferido e irado, mas escolho perdoar" é uma declaração realista. Você é honesto em relação a seus sentimentos, mas escolhe perdoar. Você não mais se ressentirá do erro cometido pela pessoa a quem ama.

Perdoar é o mesmo que esquecer?

> Entreguem-lhe todas as suas ansiedades, pois ele cuida de vocês.
>
> 1PEDRO 5.7

Existe uma diferença entre perdoar e esquecer. Uma esposa disse: "Eu o perdoei, mas tenho problemas com meus sentimentos quando me lembro do que ele fez". O perdão não destrói a memória. O cérebro registra todos os eventos dos quais participamos, quer tenham sido bons, quer ruins. A memória pode trazer de volta o evento e os sentimentos de dor e mágoa. Mas tenha em mente que o perdão não é um sentimento. É, na verdade, a promessa de não mais se ressentir do pecado cometido pela outra pessoa.

Sendo assim, o que fazer quando a lembrança retorna e sentimos a dor? Vamos a Deus e dizemos: "Pai, tu sabes do que estou me lembrando e a dor que estou sentindo, mas te agradeço por tudo ter sido perdoado. Ajuda-me a fazer hoje algo amável para meu cônjuge". Com isso não permitimos que a lembrança controle nosso comportamento. Com o tempo, a dor diminuirá, à medida que construirmos novas lembranças positivas, juntos como casal. Não seja perturbado por sua memória. Como 1Pedro 5.7 nos lembra, podemos entregar a Deus todas as nossas preocupações. Ele tem cuidado de nós e nos ajudará a perdoar.

ORAÇÃO

Senhor, sei que teu mandamento para nós é que perdoemos os outros quando eles se arrependerem e pedirem perdão. Isso não é opcional. Quero seguir teus preceitos, mas às vezes os sentimentos se colocam no caminho. Ajuda-me a lidar com eles. Obrigado por me ajudares a perdoar meu cônjuge.

APLICAÇÃO

AGOSTO 18

DEVOCIONAL 230

Ira de longo prazo

> O riso pode esconder o coração aflito, mas, quando a alegria se extingue, a dor permanece.
>
> **PROVÉRBIOS 14.13**

Se a chama de seu casamento aparentemente se apagou, se seu entusiasmo pela vida está diminuindo ou se você se surpreende falando rispidamente com o cônjuge ou os filhos, talvez esteja sofrendo de ira de longo prazo.

Ter uma reação exagerada diante de pequenas irritações é sinal de que temos ira armazenada dentro de nós. Ira armazenada pode terminar levando a grandes explosões. É nessa hora que as pessoas pensam: "Mas o que aconteceu com ele?", pois a explosão parece desproporcional. Contudo, o que as pessoas não veem é a escalada da ira que está dentro da pessoa talvez há anos.

Quando retemos ira dentro de nós, em vez de nos livrarmos dela, a pressão se acumula. Em Provérbios 14.13, o rei Salomão observa sabiamente que as emoções ocultas não desaparecem sozinhas. É por isso que a Bíblia diz: "Acalmem a ira antes que o sol se ponha" (Ef 4.26). Livre-se da ira o mais rápido possível. Se não o fizer, existe a possibilidade de você se tornar um irado crônico, pronto para explodir a qualquer momento. Isso nunca é bom para o casamento.

ORAÇÃO

Pai, perdoa-me por deixar as coisas se acumularem dentro de mim por tanto tempo. Não quero ferir meu cônjuge por causa dessa ira explosiva e imprópria. Ajuda-me a lidar com as emoções fortes quando elas surgirem.

APLICAÇÃO

Reconhecendo feridas do passado

> Os insensatos zombam da própria culpa, mas os justos a reconhecem e buscam reconciliação.
>
> PROVÉRBIOS 14.9

Quando mantida dentro da pessoa, a ira de longo prazo pode ser danosa para o relacionamento. Por quê? Porque a ira interior acabará revelando-se no exterior. Não se pode retê-la para sempre. Talvez você tenha notado que se sente como uma panela de pressão, periodicamente lançando enorme quantidade de vapor. Tais explosões podem causar dor em seu cônjuge, e ele pode revidar. Então, você fica ainda mais irado. Quer livrar-se de tudo isso e viver uma vida pacífica?

Peça a Deus que lhe traga à mente todas as feridas do passado e as pessoas que o feriram. Sugiro que tome nota de tudo. A seguir, coloque a lista diante de Deus e pergunte: "Por acaso também feri essas pessoas? Sei que elas me feriram, mas será que fui indelicado com elas?". Se a resposta for sim, então peça a Deus que lhe dê a coragem de pedir a essas pessoas que o perdoem por tê-las tratado de modo tão grosseiro. Como diz o texto de Provérbios citado acima, as pessoas sábias e piedosas admitem os erros que cometeram, porque essa é a atitude correta e também porque esse é o caminho para a reconciliação. Seu pedido de desculpas pode estimular o outro a agir da mesma forma. Se os dois optarem por perdoar, a ira de ambos desaparecerá.

Quando acontecer esse tipo de reconciliação, o relacionamento entre você e seu cônjuge se tornará melhor.

ORAÇÃO

Pai, é fácil concentrar-me no quanto as pessoas pecaram contra mim. Mas ajuda-me a também ser honesto sobre as ocasiões em que machuquei os outros. Preciso de força de caráter para admitir isso e fazer o que é certo, de modo que haja reconciliação.

APLICAÇÃO

AGOSTO 20

DEVOCIONAL 232

Amor como fundamento

> Sabemos quanto Deus nos ama e confiamos em seu amor. Deus é amor, e quem permanece no amor permanece em Deus, e Deus nele.
>
> 1JOÃO 4.16

ORAÇÃO

Pai, obrigado por teu maravilhoso amor por nós. Quando te conhecemos, entendemos a verdadeira definição de amor, porque tu és amor. Também quero ter esse tipo de amor por meu cônjuge. Transforma-me e mostra-me como amá-lo dessa maneira.

APLICAÇÃO

Eu realmente creio que "o amor faz o mundo girar". Por que digo isso? Porque Deus é amor. É seu amor por nós que faz que a vida tenha sentido. O texto de 1João 4 nos lembra que, tão logo nos damos conta de quanto Deus nos ama, depositamos nossa confiança nesse amor. Até mesmo aqueles que não creem em Deus são destinatários de seu amor, e Deus lhes dá vida e a oportunidade de corresponderem. Ele deseja perdoar e enriquecer a vida dessas pessoas. Os planos de Deus para elas são bons.

O que tudo isso tem a ver com o casamento? Deus instituiu o casamento porque nos amou. Sua intenção certamente não era de nos fazer sofrer; ele nos criou um para o outro. Marido e esposa são planejados para trabalhar juntos como uma equipe que se apoia mutuamente a fim de descobrir e cumprir o plano de Deus para a vida dos dois. É belíssimo ver isso funcionando.

Qual é o segredo para ter esse tipo de casamento? Resumindo em uma palavra, é amor. É a opção de olhar um para o outro da mesma maneira que Deus nos vê. É permitir que Deus expresse seu amor por nosso intermédio. É uma atitude que não exige fortes sentimentos, mas que requer um coração aberto.

Sem medo

21 AGOSTO
DEVOCIONAL 233

> Esse amor não tem medo, pois o perfeito amor afasta todo medo.
>
> 1JOÃO 4.18

O amor não é nossa única necessidade emocional, mas está relacionado a todas as outras. Também precisamos nos sentir seguros, ter uma dose correta de autoestima e saber que nossa vida é importante. Quando duas pessoas escolhem amar uma à outra, elas também satisfazem essas necessidades. Se eu souber, por exemplo, que minha esposa me ama, sinto-me seguro na presença dela.

O apóstolo João, que é conhecido como "o discípulo a quem Jesus amava", escreve muito sobre o amor em suas cartas aos cristãos. Ele escreveu: "O perfeito amor afasta todo medo". Em nosso relacionamento com Deus, isso significa que, quando sabemos que o Senhor nos ama e nos salvou, deixamos de temer o julgamento. Em certo sentido, podemos enfrentar qualquer coisa. O amor genuíno num relacionamento humano tem alguns dos mesmos efeitos. Por que ter medo se sou amado?

Se eu me sentir amado por minha esposa, então também me sentirei bem em relação a mim mesmo. Afinal de contas, se ela me ama, devo ter algum valor. Em última análise, é a descoberta de que Deus me ama que me dá o maior senso de valor. Mas minha esposa é uma agente do amor de Deus.

Se meu cônjuge me ama, existe maior probabilidade de eu sentir que minha vida é importante. Queremos que nossa vida sirva para algo; queremos fazer a diferença no mundo. Quando damos amor ao cônjuge e recebemos amor dele, estamos fazendo a diferença. Enriquecemos a vida da outra pessoa. É isto que Deus nos chama a fazer: expressar seu amor no mundo. Por que não começar em casa?

ORAÇÃO

Pai, quero fazer a diferença, e sei que posso começar na minha casa, amando meu cônjuge. Que meu amor seja tão forte e genuíno a ponto de mudar a forma como meu cônjuge se sente em relação à vida. Que eu sempre entenda que meu verdadeiro valor resulta de teu amor.

APLICAÇÃO

AGOSTO 22

DEVOCIONAL 234

Incentivando à excelência

> Pensemos em como motivar uns aos outros na prática do amor e das boas obras.
>
> HEBREUS 10.24

ORAÇÃO

Pai, obrigado pelos planos que tens para nossa vida. Somos importantes para ti e podemos fazer a diferença. Ajuda-me a incentivar meu cônjuge em sua caminhada contigo.

APLICAÇÃO

O casamento dá ao marido e à esposa a oportunidade de ministrar um ao outro. Ambos se aceitam como são, mas também podem se incentivar mutuamente a buscar a excelência. Deus tem planos para cada vida. Os cônjuges podem ajudar um ao outro a ser bem-sucedidos na realização desses planos, e normalmente isso se dá ao expressar amor.

Nem todo mundo se sente importante. Algumas pessoas foram criadas em lares onde recebiam mensagens negativas: "Você não é inteligente o bastante. Você não é atlético nem tem talento. Não servirá para nada". Todas essas mensagens são falsas, mas se forem as únicas ouvidas, você provavelmente acreditará nelas.

Quando aprende a principal linguagem do amor de seu cônjuge e a fala com regularidade, você está enchendo o tanque dele de amor. Você também está causando um impacto positivo no conceito que ele tem de si mesmo. "Se ele me ama", pensa ela, "então devo ser importante." Você se torna o agente de Deus para ajudar o cônjuge a sentir-se amado. Poucas coisas são mais importantes do que incentivar o cônjuge a realizar os planos de Deus. Conforme escreveu o autor de Hebreus, enquanto cristãos devemos considerar como motivaremos um ao outro ao amor e às boas obras. Isso é ainda mais verdadeiro dentro do casamento.

O casamento foi planejado para nos ajudar a fazer mais para Deus. No reino de Deus, dois é melhor do que um.

Discutindo sobre dinheiro

23 AGOSTO
DEVOCIONAL 235

> O corpo humano tem muitas partes, mas elas formam um só corpo. O mesmo acontece com relação a Cristo.
>
> 1CORÍNTIOS 12.12

Você briga por causa de dinheiro? Uma pesquisa indicou que 64% dos casais em meu país discutem frequentemente por causa das finanças. "Onde foi parar o dinheiro?" "Você comprou alguma coisa sem me dizer?" "Não me diga que você se esqueceu de pagar aquele boleto de novo?" Parece familiar? Como é possível encontrar harmonia financeira no casamento?

Tudo começa ao se identificar por que fazemos o que fazemos. Por que uma pessoa se esquece repetidamente de pagar o boleto de determinada conta? É uma tentativa deliberada de irritar o cônjuge? Seria um esforço para esconder o valor? O mais provável é que seja uma questão de personalidade. A pessoa que deixa de pagar um boleto possivelmente é a mesma que passa horas procurando a chave do carro. Quando os genes de organização foram distribuídos, a pessoa não recebeu nenhum e, desse modo, esses detalhes não são importantes para ela. A solução é garantir que a pessoa organizada faça o controle dos boletos. Se for você, pare de discutir e faça seu trabalho.

Lembre-se, 1Coríntios 12 enfatiza que Deus nos criou com dons diferentes. Marido e esposa geralmente são fortes em coisas distintas. O cônjuge será sua compensação em outras áreas à medida que vocês trabalharem juntos. Casamento é isto: trabalho em equipe.

ORAÇÃO

Pai, obrigado por nos lembrares que é simples a solução para alguns problemas. Às vezes discutimos diversas vezes por causa da mesma coisa, quando seria muito mais fácil tão somente mudar as atribuições para que aquele que for mais capacitado assuma a responsabilidade sobre determinada tarefa. Mostra-nos a melhor maneira de lidar com nossas diferenças na área financeira.

APLICAÇÃO

AGOSTO 24
DEVOCIONAL 236

Harmonia financeira

> Não procurem apenas os próprios interesses, mas preocupem-se também com os interesses alheios.
>
> FILIPENSES 2.4

ORAÇÃO

Senhor Deus, oro pedindo graça para entender melhor meu cônjuge no que se refere a decisões financeiras. Ajuda-me a ver a necessidade por trás do pedido. Lembra-me de que devo considerar os interesses de meu cônjuge, não apenas os meus, e ser suficientemente altruísta para ajustá-los.

APLICAÇÃO

Como se alcança a harmonia financeira no casamento? Não existem atalhos para a unidade financeira, mas cada casal pode e deve encontrar uma maneira de alcançá-la. O processo exige que se converse, ouça, entenda e busque um novo caminho — não o *meu* caminho nem o *seu* caminho, mas o *nosso* caminho. Devemos tentar entender as razões por trás dos sentimentos e pensamentos de nosso parceiro.

Digamos, por exemplo, que uma esposa queira guardar dez mil reais numa poupança. Por que isso é tão importante para ela? Provavelmente porque isso lhe dá segurança emocional. Com esse dinheiro seguro e prontamente disponível, ela sabe que os filhos não passarão fome, seja qual for a emergência que surja.

Agora imagine que o marido é um investidor que quer que o dinheiro trabalhe para ele. Na opinião dele, é um desperdício de recursos manter mais do que cem reais numa caderneta de poupança. Talvez ele ache que não está sendo um bom administrador se não fizer investimentos sábios. É uma perspectiva interessante.

O casal se verá discutindo sobre o que fazer com o dinheiro até que ambos entendam os sentimentos e pensamentos de cada um sobre o assunto. Mas tão logo o marido entenda o impacto emocional sobre a esposa caso eles tenham apenas cem reais numa poupança, deixará de discutir e aceitará a necessidade que ela tem de segurança.

A solução? Ele pode usar qualquer quantia disponível acima de cinco mil reais para investimentos. A discussão acaba aqui, e ambos têm as necessidades atendidas. Aprender a trabalhar em equipe e considerar os interesses e necessidades do outro, como Paulo nos desafia em Filipenses 2, leva à harmonia financeira.

Mantendo a comunicação

> A repreensão franca é melhor que o amor escondido. As feridas feitas por um amigo sincero são melhores que os beijos de um inimigo.
>
> PROVÉRBIOS 27.5-6

Se vocês são como a maioria dos casais, chegarão a um ponto em seu relacionamento que, em vez de compartilhar sentimentos e tentar resolver diferenças, vocês serão tentados a perguntar: "Que importância tem?". Não cometam esse erro. Uma vez que as linhas de comunicação entre vocês se interrompam, será muito difícil restabelecê-las.

Manter a comunicação com seu cônjuge exigirá um caminhão de paciência e persistência. Haverá momentos em que a sensação será a de estar batendo a cabeça na parede. Tome uma aspirina e continue insistindo. No final das contas, seu trabalho terá valido a pena.

Nunca presuma que o silêncio ou a indiferença são preferíveis ao conflito. Não são. Como a passagem de Provérbios citada acima deixa claro, a sinceridade é sempre melhor que sentimentos ocultos. Respostas francas podem ser dolorosas, mas também podem promover cura e gerar comunicação autêntica. Existe esperança enquanto você e seu cônjuge estiverem interagindo e buscando ativamente resolver as diferenças. Quando pararem de falar, a esperança morre. Mantenham o relacionamento ativo. Negligenciem o relacionamento e estarão envenenando sua intimidade. Conversar e ouvir são as maneiras pelas quais aprendemos a trabalhar como equipe, e assim deve ser um casamento saudável.

ORAÇÃO

Pai, obrigado por nos lembrares de que não devemos evitar o conflito a todo custo. Ajuda-me a ter em mente que a comunicação sempre vale a pena, mesmo quando parecer frustrante. Ajuda-me a seguir pelo caminho difícil, através do conflito, em vez de tomar a rota mais fácil do desvio do conflito, que, em última análise, é a mais perigosa.

APLICAÇÃO

AGOSTO 26

DEVOCIONAL 238

Mostrando amor pelos filhos

> Os filhos são um presente do Senhor, uma recompensa que ele dá.
>
> SALMOS 127.3

ORAÇÃO

Deus Pai, obrigado porque és um Pai celestial amoroso para mim, alguém que está sempre pronto a ouvir. Ajuda-me a ser também um pai amoroso para meus filhos. Que o relacionamento que tenho com meu cônjuge seja fortalecido conforme criamos com amor os filhos que nos deste.

APLICAÇÃO

Maridos, vou lhes dizer como ter uma esposa feliz: se você tem filhos, ame-os. Isso significa envolver-se em conversas com eles. "Como foi a escola hoje?" é um bom começo. Mas não fique apenas na recitação de eventos. Faça perguntas que suscitem mais informação, como: "O que você acha da aula de artes?". A resposta da criança pode revelar muito sobre seus pensamentos e sentimentos.

Os filhos falam melhor se você fizer perguntas abertas. Tente perguntar: "Do que você mais gostou no seu passeio ao zoológico?" em vez de "Você se divertiu no zoológico?". A segunda pergunta pode ser respondida com sim ou não e revelará pouco sobre o que a criança pensa. Depois de fazer algumas perguntas, você pode contar suas próprias lembranças de algum passeio que fez ao zoológico.

A conversa informal se dá quando a criança faz perguntas e recebe respostas. A conversação é uma das ferramentas essenciais para criar filhos de maneira adequada. Quando sua esposa o vê ouvindo as crianças e conversando com elas, o respeito que ela tem por você cresce. Poucas coisas a agradam mais do que saber que você se importa o suficiente para passar um tempo conversando com os filhos. Afinal de contas, a Bíblia é clara em dizer que os filhos são uma bênção e uma recompensa vindas do Senhor. Não deixe de tratá-los dessa maneira.

Atenção às motivações latentes

> Sejam sempre humildes e amáveis, tolerando pacientemente uns aos outros em amor.
>
> EFÉSIOS 4.2

As coisas nem sempre são o que parecem; a vida é muito mais complexa. O comportamento humano é quase sempre motivado por necessidades ocultas que nos impelem à ação. Isso significa que você pode ver meu comportamento, mas não sabe quais são minhas motivações latentes. Afinal, talvez nem eu mesmo tenha consciência de minhas motivações. Todos nós somos impulsionados por essas grandes forças interiores. Se a questão é entender um ao outro, então é preciso descer abaixo da superfície.

Quais são as necessidades interiores que tão fortemente afetam o comportamento? Elas se encaixam em duas categorias: físicas e emocionais. As necessidades físicas são facilmente compreensíveis, como, por exemplo, sede, fome ou sono. Muito do comportamento é motivado por necessidades físicas como essas.

É muito mais difícil identificar as necessidades emocionais, mas elas são igualmente poderosas. Grande parte de nosso comportamento é motivado, por exemplo, pela necessidade de sentir-se amado e apreciado. Se alguém me diz palavras de afirmação, se sinto que a pessoa se importa genuinamente comigo, então sou motivado a passar um tempo com essa pessoa. É por isso que aprender a satisfazer as necessidades de amor do cônjuge é tão importante para a saúde do casamento.

Quando você não entender as atitudes de seu cônjuge, responda com paciência e humildade, como o apóstolo Paulo nos lembra em Efésios 4. Dedique um minuto para considerar as necessidades que possam estar por trás do comportamento. Isso lhe pode dar uma nova ideia do que está acontecendo e de como deve responder.

ORAÇÃO

Pai, tu conheces as profundezas do coração humano. Somente tu entendes todas as coisas diferentes que motivam nosso comportamento. Peço sabedoria e discernimento para compreender as ações de meu cônjuge. Dá-me a graça de responder com paciência e cuidado, considerando quais necessidades podem estar por trás daquilo que vejo.

APLICAÇÃO

AGOSTO 28
DEVOCIONAL 240

Motivação oculta

> A luz do Senhor penetra o espírito humano e revela todas as intenções ocultas.
>
> PROVÉRBIOS 20.27

ORAÇÃO

Senhor Deus, oro pedindo o discernimento que só tu podes dar em relação às ações de meu cônjuge. Ajuda-me a ser paciente e compreensivo. Quero que nosso relacionamento seja fortalecido à medida que compreendo melhor as necessidades dele. Quando eu estiver ferido e confuso, mostra-me como satisfazer tais necessidades.

APLICAÇÃO

Quando tentamos entender o "eu oculto", percebemos que as necessidades emocionais e espirituais motivam grande parte de nosso comportamento. Entender a motivação por trás do comportamento do cônjuge o ajudará a relacionar-se com ele de maneira mais positiva. Veja algumas perguntas que podem ajudá-lo no processo.

- O que motiva o comportamento de meu cônjuge? Quais necessidades ele está tentando satisfazer, consciente ou inconscientemente?
- O que motiva meu próprio comportamento? Quais necessidades estou tentando satisfazer?

O comportamento humano não é um mistério, mas exige exame detalhado. Devemos enxergar além do comportamento, procurando ver aquilo que o motiva. Se eu entender que a motivação de meu cônjuge de filiar-se a um clube de motoqueiros é satisfazer a necessidade de pertencer a algo, então talvez eu possa incentivar seu comportamento, muito embora preferisse que ele se juntasse a um grupo de voluntários.

Entender a motivação nos dá a ideia de como ajudar um ao outro. Somente Deus conhece as profundezas do coração e tudo o que nos motiva, como o salmista deixa claro na passagem acima. Deus pode nos guiar à medida que procuramos entender as ações do cônjuge. Se não procurarmos os motivos, podemos terminar condenando o comportamento do outro e destruindo a intimidade. Entender a motivação nos capacita a ser companheiros em vez de concorrentes.

Combatendo a atitude defensiva

29 AGOSTO
DEVOCIONAL 241

> Mais uma vez lhes digo que não se preocupem com o modo como responderão às acusações contra vocês.
>
> LUCAS 21.14

A atitude defensiva interrompe o fluxo de comunicação no casamento. Imagine que sua esposa diga: "Já é hora de você levar o lixo para fora. As moscas estão prestes a levá-lo em seu lugar". Esse comentário ferino faz que algo dentro de você fique zangado, e sua reação é evitar sua esposa. Assim, pelo restante da noite, independentemente do que ela diga, sua resposta é sempre um grunhido. Se ela continuar falando, você sai da sala. Ou talvez sua reação seja devolver-lhe algo igualmente cortante de modo que ela também se sinta ferida.

O que está acontecendo? Aquilo que sua esposa disse atingiu sua autoestima. Talvez a mensagem dela tenha sido a mesma que você costumava ouvir de sua mãe: "Você é irresponsável". Ninguém quer ser uma pessoa irresponsável. Assim, quando sua esposa deixou implícito que você era, você ficou na defensiva e também quis atacá-la. Mas lembre-se que sua esposa não é sua inimiga. Pelo contrário, a mensagem que ela transmitiu é que é a inimiga.

Jesus disse aos discípulos que eles enfrentariam muitos obstáculos e falsas acusações. As pessoas os perseguiriam, mas eles não precisavam se preocupar com o que diriam para se defender. Por quê? Primeiramente, porque as acusações eram falsas e, segundo, porque o Espírito Santo lhes daria as palavras corretas a dizer. Não estamos falando sobre sofrer perseguição por causa da fé, naturalmente, mas ainda assim podemos confiar que Deus nos ajuda a responder de maneira adequada.

A atitude defensiva indica que sua autoestima foi atacada. Concentre-se no inimigo certo e você poderá transformar os sentimentos negativos em ações positivas.

ORAÇÃO

Senhor Deus, quando eu perceber que estou na defensiva, ajuda-me a analisar a mensagem de modo objetivo. Se for verdadeira, que eu me disponha a dar os passos necessários para promover uma mudança positiva. Se não for, ajuda-me a não reagir com ira, mas a confiar que tu me darás as palavras corretas a dizer. Obrigado, Senhor.

APLICAÇÃO

Identificando os gatilhos

> Visto que Deus os escolheu para ser seu povo santo e amado, revistam-se de compaixão, bondade, humildade, mansidão e paciência. Sejam compreensivos uns com os outros e perdoem quem os ofender. Lembrem-se de que o Senhor os perdoou, de modo que vocês também devem perdoar.
>
> COLOSSENSES 3.12-13

A atitude defensiva pode ajudar ou prejudicar o casamento. Podemos aprender muito sobre nós mesmos e o cônjuge se analisarmos os momentos em que ficamos na defensiva. Todos nós temos pontos sensíveis em termos emocionais. Quando o cônjuge diz ou faz coisas que tocam esses pontos, ficamos na defensiva — geralmente porque nossa autoestima foi ameaçada. Num primeiro momento, talvez não saibamos quais são esses pontos sensíveis, mas, se analisarmos cada evento com calma, podemos vir a conhecê-los muito bem.

Talvez você descubra que, quando seu cônjuge critica seu modo de dirigir o carro, você fica furioso. Ou que, quando ele diz algo sobre sua aparência, você perde o controle. Você acabou de descobrir alguns pontos sensíveis. Não os ignore, mas acalme-se. Então, alguns dias depois, pergunte a si mesmo: "Por que fiquei na defensiva?". A emoção quase sempre está ligada à infância e à autoestima. Identifique a fonte e, então, converse sobre isso com seu cônjuge.

Um parceiro amoroso optará por não disparar esses gatilhos. Como Paulo escreve em Colossenses, devemos agir com compaixão e bondade uns com os outros, bem como suportar as fraquezas uns dos outros. Isso inclui nunca usar o conhecimento que tem do cônjuge para entristecê-lo. Em vez disso, vocês poderão explorar juntos diferentes maneiras de abordar essas questões no futuro. Como seu cônjuge pode comunicar-se com você de uma maneira que não aparente ser um ataque a sua autoestima? Esse tipo de discussão cuidadosa e cheia de compaixão é o caminho para um casamento feliz.

ORAÇÃO

Senhor Jesus, obrigado por nos ajudares a entender um ao outro cada vez mais. Ajuda-nos a usar esse conhecimento com sabedoria, bondade e humildade. Dá-nos criatividade e sabedoria à medida que tentamos descobrir novas maneiras de falar sobre algumas dessas áreas sensíveis.

APLICAÇÃO

Ajudando a pessoa que você ama a ser bem-sucedida

31 AGOSTO

DEVOCIONAL 243

> Feliz é aquele que não segue o conselho dos perversos [...]. Pelo contrário, tem prazer na lei do Senhor e nela medita dia e noite. Ele é como a árvore plantada à margem do rio, que dá seu fruto no tempo certo. Suas folhas nunca murcham, e ele prospera em tudo que faz.
>
> SALMOS 1.1-3

O que é sucesso? Pergunte a uma dezena de pessoas e você obterá uma dezena de respostas diferentes. Um amigo meu disse: "Sucesso é extrair o máximo de quem você é com aquilo que você tem". Gosto dessa definição. Toda pessoa tem o potencial de gerar um impacto positivo no mundo.

O salmo 1 compara a pessoa bem-sucedida a uma árvore plantada à beira de um rio, estável e com raízes profundas, saudável, próspera e frutífera. Quando estamos profundamente enraizados em Deus, ele pode nos usar, e podemos fazer uma diferença significativa no mundo. Tudo depende do que fazemos com o que temos. O sucesso não é medido pela quantidade de dinheiro que possuímos ou pela posição que alcançamos, mas pela maneira como usamos nossos recursos e oportunidades. Posição e dinheiro podem ser usados para ajudar os outros, ou podem ser desperdiçados ou explorados indevidamente. As pessoas realmente bem-sucedidas são aquelas que ajudam outras a serem bem-sucedidas.

O mesmo é válido para o casamento. Uma esposa bem-sucedida é aquela que usa seu tempo e sua energia para ajudar o marido a alcançar seu potencial para Deus e para fazer o bem no mundo. Assim também, um marido bem-sucedido é aquele que ajuda a esposa a fazer o mesmo. Se ajudar seu cônjuge a ser bem-sucedido, você acabará vivendo com um vencedor — e alguém que se sente satisfeito e importante. Não é uma vida ruim.

ORAÇÃO

Pai celestial, quero ter as raízes firmadas em ti e ser capaz de produzir um impacto positivo sobre aqueles que estão ao meu redor. Também quero isso para meu cônjuge. Ajuda-me a ter como objetivo ajudá-lo a ser bem-sucedido em extrair o máximo de suas habilidades.

APLICAÇÃO

Lidando com pais e sogros

> Honre seu pai e sua mãe. Assim você terá vida longa e plena na terra que o Senhor, seu Deus, lhe dá.
>
> ÊXODO 20.12

ORAÇÃO

Pai, ajuda-me a lembrar que meus pais e sogros são uma dádiva e que eles podem oferecer sabedoria e experiência. Mostra-me a maneira correta de tratá-los. Agradeço porque tu és o Pai perfeito.

Uma esposa me disse recentemente: "No início de nosso casamento, minha sogra me irritava muito. Reclamei ao meu marido, que, por sinal, me apoiou. Conforme minha sogra foi envelhecendo, comecei a pensar no significado de 'honrar' pais e sogros. Isso é um mandamento, não uma opção, de modo que obedeci... muito embora ela ainda me irrite de vez em quando". Essa mulher está certa ao concluir que Deus nos dá a ordem de honrar os pais; de fato, esse versículo faz parte dos Dez Mandamentos. Mas isso nem sempre é fácil.

Para o bem ou para o mal, nossos pais e sogros fazem parte de nossa vida. Mas independentemente de estarmos casados há pouco ou muito tempo, como devemos nos relacionar com eles? A verdade é que precisamos deles. Ou seja, precisamos da cordialidade e da sabedoria de pais e sogros. Mas não precisamos ser controlados por eles. A liberdade e o respeito mútuos devem ser os princípios orientadores para pais e filhos casados.

Que orientações a Bíblia dá para o relacionamento com pais e sogros? Dois princípios devem ser mantidos em equilíbrio: deixar os pais e honrar os pais. Falaremos mais sobre eles nos próximos dias.

APLICAÇÃO

Tomando as próprias decisões

SETEMBRO 2
DEVOCIONAL 245

> "Vocês não leram as Escrituras?", respondeu Jesus. "Elas registram que, desde o princípio, o Criador 'os fez homem e mulher' e disse: 'Por isso o homem deixa pai e mãe e se une à sua mulher, e os dois se tornam um só'. Uma vez que já não são dois, mas um só, que ninguém separe o que Deus uniu."
>
> MATEUS 19.4-6

Lemos em Gênesis 2 que o homem deixará os pais e se unirá a sua esposa. Jesus citou essa passagem e a expandiu quando respondeu à pergunta dos fariseus sobre casamento e divórcio, como lemos em Mateus 19. O casamento envolve mudança de obediência. Antes do casamento, nossa obediência familiar fundamental era devida aos pais, mas depois do casamento ela é transferida ao cônjuge. Devemos cortar o cordão umbilical. Se existir conflito de interesses entre a esposa e a mãe do marido, este deve colocar-se ao lado da esposa. Nenhum casal alcançará o pleno potencial no casamento sem essa ruptura psicológica com os pais.

Esse "deixar os pais" é especialmente importante no processo de tomada de decisões. Quando vocês estiverem analisando uma decisão importante, os pais e sogros podem ter boas sugestões. Toda sugestão deve ser levada a sério, mas, no final, você e seu cônjuge devem tomar as próprias decisões. Há um momento de dizer aos pais: "Amo muito vocês. Aprecio suas ideias, mas, neste caso, decidimos agir assim. Espero que vocês entendam, porque quero manter o relacionamento que temos há anos". O segredo é bondade com firmeza.

ORAÇÃO

Pai, perdoa-me pelas vezes que confundi minhas prioridades e fui mais leal a meus pais do que a meu cônjuge. Ajuda-me a entender que estamos unidos como casal e que esse é o teu plano para nosso casamento.

APLICAÇÃO

Honrando os pais

SETEMBRO 3
DEVOCIONAL 246

> Ouça seu pai, que lhe deu vida, e não despreze sua mãe quando ela envelhecer.
>
> PROVÉRBIOS 23.22

ORAÇÃO

Pai, ajuda-me a mostrar a honra devida a meus pais. Guia-me em minha busca por tratá-los conforme tu desejas: com amor, bondade e respeito.
Sei que essa postura ajudará a fortalecer meu casamento.

APLICAÇÃO

Como honrar os pais depois de se casar, sem permitir ao mesmo tempo que eles o controlem? O Senhor nunca revogou o mandamento de honrar os pais (Êx 20.12). Enquanto eles viverem, é certo honrá-los. Algumas pessoas acham isso fácil porque seus pais são honráveis e não procuram controlar a vida dos filhos. Para outros, esse mandamento é difícil.

Uma esposa disse: "Como posso honrar minha mãe se ela fez tanta confusão na própria vida e agora tenta transformar a minha e a de minha família num inferno?". A palavra honrar significa "mostrar respeito". Às vezes não respeitamos o estilo de vida de nossos pais ou sogros, mas devemos respeitar suas posições. Na providência de Deus, eles nos deram vida. Por isso os respeitamos. Eles são nossos pais, de modo que devemos tratá-los com bondade. Fazemos o que podemos para ajudá-los, mas não podemos permitir que controlem nossa vida por meio de intimidação ou medo. O texto de Provérbios 23.22 sugere outras duas maneiras práticas de honrar os pais: primeiro, ouvindo-os; e, segundo, cuidando deles, não os desprezando, quando forem velhos. Isso tem tudo a ver com respeito.

Honrar não significa que você deve fazer tudo o que seus pais pedirem. Honrar é buscar fazer o que for melhor para eles.

AS 5 LINGUAGENS DO AMOR NA PRÁTICA +++ 254

Evitando o egocentrismo na comunicação

4 SETEMBRO

DEVOCIONAL 247

> O tolo não se interessa pelo entendimento; só quer saber de expressar suas opiniões.
>
> PROVÉRBIOS 18.2

O ouvinte que demonstra empatia encara cada conversa com a seguinte atitude: "Quero saber o que se passa na mente e no coração de meu cônjuge". Essa não é a atitude da maioria das pessoas. Em sua obra *Para melhor compreender-se no matrimônio*, o psicólogo Paul Tournier expressou isso muito bem quando disse que "cada pessoa fala basicamente para expor suas ideias. [...] Um número muito pequeno de indivíduos que trocam pontos de vista manifestam o desejo real de entender a outra pessoa".

Por natureza, somos todos egocêntricos. Em outras palavras, nosso pensamento inconsciente é: "O mundo gira em torno de mim. Minha maneira de pensar e sentir é a questão mais importante". Ocorre um gigantesco passo de maturidade quando optamos por desenvolver uma atitude de empatia, ou seja, quando tentamos honestamente entender os pensamentos e sentimentos daqueles a quem amamos. O versículo acima, extraído de Provérbios, afirma claramente que aqueles que se preocupam apenas com a própria opinião são tolos. Por quê? Porque nunca aprenderão mais nada, seja sobre o assunto em discussão, seja sobre as pessoas com quem estão conversando.

O apóstolo Pedro instrui os maridos a que "sejam compreensivos no convívio" com a esposa e que a tratem "de maneira correta" (1Pe 3.7). Esse é um desafio às esposas também. Ao respeitar as ideias e os sentimentos do cônjuge, estamos ouvindo com empatia.

ORAÇÃO

Senhor Jesus, é muito comum o egoísmo invadir nossa comunicação como casal. Dá-me o autocontrole e a sabedoria para respeitar as ideias de meu cônjuge e tentar entendê-lo quando conversamos.

APLICAÇÃO

Aguardando os fatos

> Falar sem antes ouvir os fatos é vergonhoso e insensato.
>
> PROVÉRBIOS 18.13

ORAÇÃO

Pai, em situações como essa, ajuda-me a segurar a língua. Que eu não dê a meu cônjuge a primeira resposta que me vier à mente, que normalmente está repleta de minhas opiniões. Dá-me a sabedoria de fazer perguntas e convidar a uma conversa mais profunda.

APLICAÇÃO

Se eu ouvir minha esposa com a ideia de "corrigi-la", jamais a entenderei e a maior parte de nossas conversas terminará em discussão. É a propensão a fazer julgamentos que sabota as conversas de milhares de casais. Imagine uma mulher que diz: "Acho que vou pedir demissão do trabalho". Suponha que o marido responda: "Você não pode sair do emprego. Não podemos abrir mão de seu salário. Lembre-se que foi você quem quis esta casa com um financiamento tão caro". Eles estão a caminho de uma discussão intensa ou vão se afastar e sofrer em silêncio, um culpando o outro.

Mais uma vez, como diz o provérbio acima, o rei Salomão é incisivo em sua avaliação daqueles que respondem antes de ter todos os dados à mão. Ele chama esse comportamento de vergonhoso e insensato. Isso não apenas leva a discussões, como também interrompe o processo de troca de informações, o que impede que qualquer sabedoria seja alcançada.

Como as coisas seriam diferentes se o marido retivesse o julgamento e, em vez disso, respondesse à esposa dizendo: "Parece que você teve um dia difícil no trabalho, querida. Quer falar sobre isso?". Ele se abriu à possibilidade de entender a esposa. Quando ela se sente ouvida e compreendida, juntos eles poderão tomar uma decisão sábia sobre o emprego dela. Reter o julgamento, esperando os demais fatos, permite que a conversa tenha prosseguimento.

Servindo um ao outro

6 SETEMBRO
DEVOCIONAL 249

> Depois de lavar os pés deles, Jesus vestiu a capa novamente, retornou a seu lugar e perguntou: "Vocês entendem o que fiz? [...] uma vez que eu, seu Senhor e Mestre, lavei seus pés, vocês devem lavar os pés uns dos outros. Eu lhes dei um exemplo a ser seguido. Façam como eu fiz a vocês."
>
> JOÃO 13.12,14-15

Talvez o maior ato de serviço de Jesus — fora sua morte sacrificial — tenha sido pegar uma bacia com água e executar a humilde tarefa de lavar os pés dos discípulos. Que ato de serviço simples e ao mesmo tempo profundo! Ao fazer o que precisava ser feito, mas que ninguém mais queria fazer, Jesus demonstrou humildade, amor e liderança verdadeira.

Maridos, vocês estão dispostos a se humilhar e servir à esposa? Esposas, vocês estão dispostas a se humilhar e servir ao marido? Não estou falando de teologia piedosa; falo de verdadeiramente seguir a Jesus. Em João 13, ele disse aos discípulos que lhes dera o exemplo a ser seguido. Isso também vale para nós. De modo similar, ele disse, em Marcos 10.45: "Pois nem mesmo o Filho do Homem veio para ser servido, mas para servir". Trata-se de um grande paradoxo: o caminho para subir é para baixo. A verdadeira grandeza se expressa por meio do serviço. Por que não começar em casa?

Foram necessários vários anos para eu descobrir a alegria de servir a minha esposa, mas, quando o fiz, nosso casamento saiu do inverno para a primavera em poucas semanas. Uma boa pergunta, para começar, é: "O que posso fazer para ajudar você?".

ORAÇÃO

Senhor Jesus, obrigado por teu exemplo de serviço. Se tu te humilhaste para servir aos discípulos, como posso reclamar por servir aos outros? Trabalha em mim e dá-me um coração de servo para com meu cônjuge.

APLICAÇÃO

Dando o primeiro passo em direção ao serviço

> Quando estávamos completamente desamparados, Cristo veio na hora certa e morreu por nós, pecadores. É pouco provável que alguém morresse por um justo, embora talvez alguém se dispusesse a morrer por uma pessoa boa. Mas Deus nos prova seu grande amor ao enviar Cristo para morrer por nós quando ainda éramos pecadores.
>
> ROMANOS 5.6-8

ORAÇÃO

Pai, sou profundamente grato por teres me amado antes mesmo de eu me voltar para ti. Ajuda-nos a seguir esse exemplo mesmo nas pequenas coisas da vida em comum. Quero servir a meu cônjuge, independentemente de como esteja sendo tratado. Preciso de tua ajuda, Senhor.

APLICAÇÃO

O relacionamento de vocês é frio e austero? Perderam a esperança? Se querem soprar nova vida em seu casamento, então mudem de atitude. Se você tem pensamentos negativos quanto ao relacionamento e ao cônjuge, é bem provável que seu casamento fique no inverno, ou seja, continue negativo, frio e indiferente.

Foram necessários vários anos para que eu descobrisse que o maior significado da vida consiste em dar, não em receber. Lembro-me do dia em que fiz uma oração simples: "Senhor, dá-me a atitude de Cristo. Quero servir a minha esposa como Jesus serviu a seus seguidores". Ao olhar para trás, para todos os anos que se passaram desde que nos casamos, fico convencido de que essa foi a oração mais importante que fiz em relação a meu casamento. Quando comecei a procurar maneiras de servir a minha esposa, a atitude dela em relação a mim também começou a mudar.

É natural tratar o cônjuge da maneira que ele nos trata. Mas lembre-se que Deus nos amou quando ainda éramos pecadores. Ele não esperou que tomássemos a iniciativa, mas aproximou-se primeiro, com amor e graça imensos. Com sua ajuda, nós também podemos amar e servir, mesmo quando tivermos perdido a esperança. Nada é mais poderoso do que o amor incondicional.

Em busca da reconciliação

8 SETEMBRO
DEVOCIONAL 251

> Portanto, se você estiver apresentando uma oferta no altar do templo e se lembrar de que alguém tem algo contra você, deixe sua oferta ali no altar. Vá, reconcilie-se com a pessoa e então volte e apresente sua oferta.
>
> MATEUS 5.23-24

Num mundo perfeito, não haveria necessidade de pedir perdão. No nosso mundo imperfeito, porém, não podemos sobreviver sem ele. Somos criaturas morais; temos um forte senso de certo e errado. Quando somos injustiçados, sentimos dor e raiva. A injustiça cometida se torna uma barreira entre as pessoas envolvidas. No casamento, isso cria tensão, e a unidade é ameaçada. As coisas não são mais as mesmas no relacionamento até que um peça perdão e o outro perdoe.

Quando um pecado quebra o relacionamento, algo dentro de nós clama pela reconciliação. O desejo de reconciliar-se muitas vezes é mais forte que o anseio por justiça. Quanto mais íntimo o relacionamento, mais profundo é esse desejo. A reconciliação é tão importante para Deus que Jesus instruiu seus ouvintes a resolverem as ofensas antes de oferecer um sacrifício ao Senhor. Antes de nos humilharmos diante de Deus, é preciso que nos humilhemos e confessemos nossos erros àqueles a quem ofendemos.

Quando um marido trata a esposa de maneira injusta, é possível ela ter duas reações. Por um lado, ela quer que ele pague pelo erro que cometeu; mas, ao mesmo tempo, ela deseja a reconciliação. São as desculpas sinceras da parte dele que possibilitam a reconciliação genuína. Se não houver pedido de desculpas, o senso de moralidade da esposa a levará a exigir justiça. Pedir perdão é necessário para os bons relacionamentos.

ORAÇÃO

Pai, entendo agora como a reconciliação é importante para ti. Obrigado por me lembrares que pedir perdão e perdoar são partes inerentes a um casamento. Ajuda-me a estar disposto a reconciliar-me com meu cônjuge de modo que nosso relacionamento permaneça firme.

APLICAÇÃO

Confissão antes do perdão

SETEMBRO 9
DEVOCIONAL 252

> Então, se meu povo, que se chama pelo meu nome, humilhar-se e orar, buscar minha presença e afastar-se de seus maus caminhos, eu os ouvirei dos céus, perdoarei seus pecados e restaurarei sua terra.
>
> 2CRÔNICAS 7.14

ORAÇÃO

Pai, obrigado por tuas promessas de perdão para os que confessam seus pecados e deles se afastam. Ajuda-me a ter a disposição de confessar meus erros a meu cônjuge, para que ele possa perdoar-me totalmente. Muitas vezes tento fingir que nada aconteceu, mas sei que um relacionamento não se fortalece desse modo. Muda meu coração, Senhor.

APLICAÇÃO

Você consegue perdoar sem um pedido de desculpas? Se sua definição de perdão é entregar a pessoa, a ferida e a ira a Deus, então você pode perdoar sem que haja um pedido de desculpa. Mas se você entende que perdão é reconciliação, então o pedido de desculpa é um ingrediente necessário. Os cristãos são instruídos a perdoar os outros da mesma maneira que Deus nos perdoa. Como Deus nos perdoa? As Escrituras dizem que, se confessarmos nossos pecados, Deus nos perdoará (1Jo 1.9). Em 2Crônicas 7, o Senhor diz a Salomão que perdoará os israelitas se eles orarem com humildade e se arrependerem. Nada nas Escrituras indica que Deus perdoa os pecados das pessoas que não confessam nem se arrependem.

Muitas vezes desejamos que o cônjuge simplesmente esqueça o que aconteceu. Não queremos falar sobre o assunto e não temos vontade de pedir desculpa. Queremos tão somente que tudo desapareça. Mas as coisas não "desaparecem" sozinhas. Deus forneceu um padrão para o perdão humano, e esse padrão exige que peçamos desculpa por nossos erros. O pedido de desculpa é uma forma de aceitar a responsabilidade pelo comportamento e de expressar arrependimento. Reconhecemos que aquilo que fizemos ao cônjuge colocou uma barreira entre nós e demonstramos que nosso desejo é que ela seja removida. Quando pedimos desculpa, há uma maior probabilidade de recebermos perdão.

O plano de Deus para o sexo

10 SETEMBRO
DEVOCIONAL 253

> Beije-me, beije-me mais uma vez, pois seu amor é mais doce que o vinho.
>
> CÂNTICO DOS CÂNTICOS 1.2

Muitos cristãos cresceram ouvindo que o sexo é pecaminoso e mundano — e que, portanto, bons cristãos não falam sobre sexo. Nada mais distante da verdade. O sexo não foi inventado por um sexólogo; o sexo foi inventado por Deus. Permita-me lembrá-lo de que quando Deus terminou a tarefa da criação, por meio da qual nos criou como macho e fêmea, ele disse que tudo ficou "muito bom" (Gn 1.31).

Como acontece com a maioria de suas criaturas, Deus nos criou como seres sexuais. Mas o propósito da sexualidade humana vai muito mais além da reprodução. As Escrituras indicam que, no ato sexual, marido e esposa se tornam "um só". Nesse ato, vidas se unem. Não se trata apenas da junção de dois corpos. Algo acontece nos âmbitos emocional, espiritual, intelectual e social que envolve a pessoa inteira. É a maneira como Deus nos une num relacionamento profundo, duradouro e íntimo.

Ao pensar no sexo como uma dádiva de Deus, podemos apreciar as orientações que ele nos dá acerca de como usá-lo. Dentro do casamento, o sexo é unificador, prazeroso e planejado para nossa satisfação.

ORAÇÃO

Senhor Jesus, obrigado pela dádiva que é o sexo e pelo maravilhoso papel que ele pode desempenhar no casamento. Perdoa-me por às vezes sentir vergonha de falar sobre sexo, ou até mesmo por pensar que ele é profano. Ajuda-nos a celebrar nosso relacionamento sexual como um presente vindo de ti que pode fortalecer nosso vínculo como casal.

APLICAÇÃO

SETEMBRO 11 — DEVOCIONAL 254

Satisfazendo as necessidades sexuais

> O marido deve satisfazer as necessidades conjugais de sua esposa, e a esposa deve fazer o mesmo por seu marido. A esposa não tem autoridade sobre seu corpo, mas sim o marido. Da mesma forma, não é o marido que tem autoridade sobre seu corpo, mas sim a esposa. Não privem um ao outro de terem relações.
>
> 1CORÍNTIOS 7.3-5

ORAÇÃO

Senhor, é verdade que o egoísmo pode gerar dificuldades em nosso relacionamento sexual. Quando penso apenas em mim e em meu prazer, o sexo se torna vazio — e sei que não é isso que queres. Guia-me enquanto procuro pensar primeiramente em meu cônjuge. Renova nosso amor como casal e ajuda-nos a expressar esse amor por meio do sexo.

APLICAÇÃO

O que você está fazendo para satisfazer as necessidades sexuais de seu cônjuge? Em 1Coríntios 7, marido e esposa são desafiados a satisfazer as necessidades sexuais um do outro. "Não se recusem um ao outro", dizem as Escrituras. Nosso corpo deve ser um presente dado ao cônjuge; devemos estar disponíveis para dar prazer sexual ao parceiro. Esse é o plano de Deus.

Por que às vezes é tão difícil experimentar esse prazer mútuo? Talvez porque tenhamos nos esquecido do ingrediente principal, o amor. Amar significa procurar os interesses da outra pessoa. A pergunta é: como posso dar-lhe prazer? O amor não procura os próprios interesses. Não é controlador nem se irrita, mas pensa primeiramente em como agradar o outro.

É triste constatar que a frase "vamos fazer amor" tenha se reduzido a "vamos fazer sexo". Sexo sem cuidado amoroso e genuíno um pelo outro será realmente vazio. A ideia de Deus é que o sexo seja uma expressão de nosso profundo amor e compromisso mútuo pela vida inteira. Qualquer coisa menos que isso está aquém da intenção de Deus.

Criando espaço para tempo de qualidade

12 SETEMBRO
DEVOCIONAL 255

> Ó Deus, tu és meu Deus; eu te busco de todo o coração. Minha alma tem sede de ti; todo o meu corpo anseia por ti nesta terra seca, exausta e sem água.
>
> SALMOS 63.1

Quanto tempo por dia você passa com seu cônjuge? É muito provável que vocês passem mais tempo longe um do outro do que juntos, sem contar as horas de sono. Isso é muito normal. Um de vocês — ou os dois — trabalha fora, e geralmente marido e esposa não trabalham no mesmo lugar.

Quando estão juntos, quanto tempo vocês passam realmente conversando um com o outro? Uma hora por dia? Provavelmente não. A maioria dos casais passa menos de trinta minutos por dia conversando. Muito desse período é gasto em logística, como "a que horas devo pegar o Jordan no treino de futebol?". Quando é que vocês têm uma conversa de qualidade, na qual falam sobre questões, desejos, frustrações e alegrias?

Por que não começar com quinze minutos por dia? Chame esse momento de hora do casal, hora do papo ou hora do sofá. Como vão chamá-lo não importa. O importante é que passem um tempo de qualidade todos os dias, conversando e ouvindo o que o outro tem a dizer. Vocês não apenas trocam informação, mas comunicam que se importam um com o outro.

Como cristãos, talvez tenhamos como prioridade reservar um tempo para Deus, mas não separamos nem um momento sequer para o cônjuge. Quando escreveu o salmo 63, o rei Davi expressou vividamente seu anseio por passar tempo e se comunicar com o Senhor, comparando esses momentos à água em terra seca. Tempo com Deus nos refrigera espiritualmente, e tempo de qualidade com o cônjuge nos refrigera emocional e relacionalmente. O tempo de qualidade envia uma forte mensagem emocional: "Você é importante. Gosto de estar com você. Vamos fazer isso de novo amanhã".

ORAÇÃO

Pai, tu sabes quanto preciso de ti e quanto preciso de meu cônjuge. O tempo que passo com ele me refrigera, nos aproxima e mostra que me importo. Ajuda-nos a fazer disso uma prioridade como casal.

APLICAÇÃO

SETEMBRO 13

DEVOCIONAL 256

Comunicando amor por meio de tempo de qualidade

> Amem-se com amor fraternal e tenham prazer em honrar uns aos outros.
>
> ROMANOS 12.10

ORAÇÃO

Senhor Deus, ajuda-me a discernir a linguagem do amor de meu cônjuge. Mostra-me como posso comunicar-lhe amor de maneira eficaz. Ajuda-me a fazer do tempo de qualidade uma prioridade para nós dois.

APLICAÇÃO

Tempo de qualidade é uma das cinco linguagens básicas do amor. É a principal linguagem do amor de algumas pessoas, e é o que mais faz que se sintam amadas. O que é tempo de qualidade? É dar atenção total ao cônjuge. Mais do que simplesmente estar na mesma sala, é fazer contato visual, falar e ouvir com atenção ou fazer qualquer coisa juntos. *O que* vocês fazem não é tão importante. O foco deve estar no outro, não na atividade.

Há quanto tempo vocês planejam sair num fim de semana? Se isso parece difícil demais, talvez possam começar com uma noite. Ou que tal vinte minutos no sofá conversando? Uma opção ainda melhor é perguntar ao cônjuge o que ele gostaria de fazer.

Se tempo de qualidade é a principal linguagem do amor de seu cônjuge e você não tem falado muito essa linguagem, há grandes chances de que ele esteja reclamando. Você pode ouvir coisas como: "Não passamos tempo juntos. Tínhamos o hábito de caminhar juntos, mas já não fazemos isso há dois anos". Alguns podem até dizer: "Acho que você não me ama". Em vez de ficar na defensiva, por que não reconhecer o problema e reagir positivamente? Lembre-se que a Bíblia nos diz que nos amemos genuinamente e nos alegremos em honrar e agradar um ao outro. Diga: "Você está certa, querida. Por que não saímos para caminhar hoje à noite?".

Quando os filhos saem de casa

14 SETEMBRO

DEVOCIONAL 257

> Viva alegremente com a mulher que você ama todos os dias desta vida sem sentido que Deus lhe deu debaixo do sol.
>
> ECLESIASTES 9.9

Uma pergunta que ouço com frequência de casais de meia-idade é: "Os filhos se foram. E agora?". Como nos relacionamos um com o outro depois que os filhos saem de casa? Durante a transição para o ninho vazio, o foco dos últimos vinte anos fica evidente. Se vocês se concentraram exclusivamente nos filhos, talvez precisem começar de novo, da estaca zero, e reconstruir o casamento. Caso tenham se concentrado um no outro enquanto criavam os filhos, então alcançarão novas alturas da satisfação conjugal com o tempo extra de que dispõem agora. No livro de Eclesiastes, Salomão incentiva os casais a desfrutar a vida um com o outro em todos os estágios do casamento. O casamento é uma dádiva nos primeiros anos, antes dos filhos, nos anos agitados da criação dos filhos e nos anos após a partida dos filhos, período que pode ser cheio de novidades e promessas.

Seja qual for a situação, agora é hora de avaliar o estado de seu casamento e tomar medidas que levem ao crescimento. Sugiro que participem de um evento de fim de semana sobre como melhorar o casamento, para que obtenham ideias a fim de estimular o crescimento de sua união. Tentem também ler juntos um livro sobre casamento, um capítulo por semana, e a seguir discutam o conteúdo. Recomendo o livro *A segunda metade do casamento*, de David e Claudia Arp. Concentrem-se no seu casamento. Não deixem as coisas acontecerem ao acaso; ajam com determinação.

ORAÇÃO

Pai, ajuda-me a ver esse novo estágio do casamento como uma aventura em vez de enxergá-lo como uma perda. Ensina-nos a nos concentrarmos um no outro e fortalece ainda mais nosso relacionamento à medida que fazemos a transição para o ninho vazio.

APLICAÇÃO

15

DEVOCIONAL 258

Comunicação com Deus

> Jesus respondeu: "O mandamento mais importante é este: 'Ouça, ó Israel! O Senhor, nosso Deus, é o único Senhor. Ame o Senhor, seu Deus, de todo o seu coração, de toda a sua alma, de toda a sua mente e de todas as suas forças'. O segundo é igualmente importante: 'Ame o seu próximo como a si mesmo'. Nenhum outro mandamento é maior que esses".
>
> MARCOS 12.29-31

ORAÇÃO

Pai, ajuda-me a lembrar que o melhor que posso fazer, tanto para meu relacionamento contigo como para meu casamento, é passar tempo em comunicação contigo. Conforme leio tua Palavra, oro e escuto, ajuda-me a conformar-me cada vez mais à imagem de Cristo. Sei que isso influenciará a maneira como trato meu cônjuge.

APLICAÇÃO

O alicerce de qualquer relacionamento é o diálogo, a comunicação em duas vias. Compartilho minhas ideias e você ouve; você compartilha suas ideias e eu ouço. O resultado? Entendemos um ao outro. Se continuarmos o diálogo por um período de tempo, passamos a conhecer um ao outro. Por que, então, a comunicação é tão difícil? Por que razão 86% dos que se divorciam dizem que "o problema principal é que chegamos a um ponto em que simplesmente não conseguíamos conversar"?

Imagino que um dos problemas é que paramos de conversar com Deus muito antes de deixar de falar um com o outro. Se eu conversar com Deus diariamente, ele influenciará meus pensamentos e atitudes para com meu cônjuge. Deus disse claramente que deseja tornar-me cada vez mais semelhante a Jesus (Rm 8.29). Quando coopero com o processo, a comunicação com minha esposa flui muito tranquilamente. Quando a linha de comunicação com Deus está prejudicada, minhas atitudes para com meu cônjuge começam a se deteriorar.

Não creio que seja coincidência que, em Marcos 12, Jesus tenha dito que os mandamentos mais importantes eram 1) amar a Deus de todo o coração e 2) amar o próximo como a si mesmo. Quando amamos a Deus e estamos em sintonia com o que ele deseja, amar os outros é algo que acontece naturalmente.

Estou convencido de que muitos dos problemas de comunicação no casamento desapareceriam se passássemos mais tempo ouvindo a Deus e conversando com ele.

Em busca do bem maior

SETEMBRO 16
DEVOCIONAL 259

> Pois nossos pais nos disciplinaram por alguns anos como julgaram melhor, mas a disciplina de Deus é sempre para o nosso bem, a fim de que participemos de sua santidade.
>
> HEBREUS 12.10

"Fiz isso porque a amo." Muitas vezes usamos a palavra *amor* para explicar nosso comportamento. Quem não se lembra de ouvir um pai dizer: "Estou punindo você porque o amo"? Quando crianças, tínhamos dificuldades para entender isso, mas certamente era verdade. Os pais disciplinam os filhos porque os amam. Deus faz a mesma coisa com seus filhos, como o versículo acima deixa claro. O objetivo derradeiro de Deus é que nos tornemos mais semelhantes a ele, e sua disciplina nos molda conforme esse objetivo. No casamento, porém, não existem pais — apenas dois parceiros. Não disciplinamos um ao outro, mas amamos um ao outro e queremos que nosso parceiro cumpra o propósito que lhe foi dado por Deus.

A pergunta é: como saber se nossa ação é amorosa? Amar é fazer o que é melhor para a outra pessoa, mas às vezes é difícil entender isso. Veja um exemplo. A esposa de um alcoólico recolhe os cacos depois do último episódio infeliz de seu marido. Ela chama isso de amor, mas o psicólogo chama de codependência. A ação dela o ajudou? Talvez no curto prazo, mas não no longo prazo.

Devemos aprender a amar efetivamente ao fazer o que for melhor para a saúde emocional, espiritual e física do cônjuge. Às vezes isso significa que o amor deve ser firme. Se essa é a situação que você está enfrentando, peça a Deus que lhe dê sabedoria para fazer as escolhas corretas quanto à melhor maneira de amar seu cônjuge.

ORAÇÃO

Pai, às vezes tenho dificuldade para discernir qual atitude em relação a meu cônjuge é realmente amorosa. Preciso de tua sabedoria. Ajuda-me a ter em mente o objetivo final: o de que meu cônjuge seja emocional, espiritual e fisicamente saudável. Agradeço porque o derradeiro objetivo que tens para nós é que sejamos mais semelhantes a ti.

APLICAÇÃO

DEVOCIONAL 260 — SETEMBRO 17

Lidando com um cônjuge difícil

> O amor nunca desiste, nunca perde a fé, sempre tem esperança e sempre se mantém firme.
>
> 1CORÍNTIOS 13.7

ORAÇÃO

Pai, o casamento pode ser desafiador quando meu cônjuge age irresponsavelmente. Ajuda-me a lembrar que nada é impossível para ti. Mostra-me como comunicar amor a meu cônjuge. Se o amor terno não funcionar, dá-me sabedoria enquanto sigo pelo amor firme, para o bem de meu cônjuge e de nosso relacionamento. Só tu tens a sabedoria de que preciso, Senhor.

APLICAÇÃO

Para algumas pessoas, o casamento é um desafio extremo. Uma mulher veio ao meu gabinete e disse: "Meu marido foi mandado embora do trabalho quatro vezes nos últimos seis anos. Parece que ele não tem nenhum desejo de construir uma carreira estável ou fornecer sustento fixo para nós. Penso que, uma vez que ele não está trabalhando, o mínimo que poderia fazer seria consertar algumas coisas da casa. Nem pensar. Ele está ocupado demais navegando na internet ou jogando futebol com os amigos. Estou pensando em ter filhos, mas às vezes sinto-me como se já vivesse com uma criança".

O que você sugeriria a essa esposa? Algumas pessoas diriam: "Livre-se do vagabundo". Posso entender essa reação, mas esse conselho não leva em conta o ensinamento do apóstolo Paulo em 1Coríntios que diz que o amor não desiste, mas sempre tem esperança. Nada é impossível para Deus! Com isso em mente, meu conselho a ela teria duas partes: primeiramente, mostrar amor terno e, então, mostrar o amor firme.

A tendência natural é partir para o amor firme e apresentar ultimatos. Porém, se você deseja usar uma nova abordagem, sempre comece com o amor terno. Sugiro que passe três meses falando a principal linguagem do amor de seu cônjuge pelo menos uma vez por semana. Esforce-se para se conectar com ele em nível emocional. Se isso não produzir mudanças, então passe para o amor firme e comece a estabelecer alguns limites. Nesse ponto, seu cônjuge perderá o amor terno e perceberá que está prestes a perder algo mais. Seja terno, seja firme, o amor é a melhor saída.

Lidando com o abuso verbal

SETEMBRO 18
DEVOCIONAL 261

> Estou decidido a não pecar com minhas palavras.
>
> SALMOS 17.3

Você está casado com um cônjuge que pratica abuso verbal? Um marido disse: "Minha esposa me chamou de 'caricatura patética de marido' e disse que estaria melhor solteira — tudo porque não levei o lixo para fora a tempo de o lixeiro pegá-lo. Tem sido assim desde que nos casamos. Não sei o que fazer".

Primeiramente, entenda a fonte: uma autoestima baixa está no cerne da maioria dos abusos verbais. Muitos que praticam abuso verbal foram eles mesmos vítimas de abuso verbal. Portanto, se quiser ajudar, você deve reconhecer a necessidade do cônjuge, mas rejeitar seu comportamento. Nunca deve aceitar o abuso verbal como algo normal, mas também não deve atacar de volta em autodefesa. Certifique-se de que suas palavras honrem a Deus; como o salmista, estabeleça o propósito de não pecar por meio daquilo que fala. Você pode dizer algo mais ou menos assim: "Sei que você deve estar extremamente frustrada para me dizer coisas assim. Gostaria de ajudá-la, mas suas palavras me machucam. Talvez possamos conversar sobre isso depois que ambos nos acalmarmos".

Reconhecer a necessidade que o cônjuge tem de autoestima, amor e aceitação é saudável, mas você também deve ser honesto em relação a sua própria ferida. Busque uma solução, não a vitória.

ORAÇÃO

Pai, tu sabes que somos capazes de dizer coisas horríveis um ao outro. Perdoa-me pelas vezes que fiz isso. Mostra-me a maneira correta de responder quando meu cônjuge abusar de mim verbalmente. Ajuda-me a firmar o propósito de manter minhas palavras acima das críticas.

APLICAÇÃO

SETEMBRO 19

DEVOCIONAL 262

Intimidade bíblica

> [Eva] tomou do fruto e o comeu. Depois, deu ao marido, que estava com ela, e ele também comeu. Naquele momento, seus olhos se abriram, e eles perceberam que estavam nus. Por isso, costuraram folhas de figueira umas às outras para se cobrirem.
>
> GÊNESIS 3.6-7

ORAÇÃO

Pai, nossos problemas com intimidade têm suas raízes em Adão e Eva e no primeiro pecado. Confesso-te meu medo de fazer-me plenamente conhecido a outra pessoa, mesmo que seja meu cônjuge. Ajuda-nos como casal a nos esforçarmos para superar esses medos e nos tornarmos um.

APLICAÇÃO

Qual é a imagem bíblica de intimidade no casamento? É a que se encontra em Gênesis 2.25: "O homem e a mulher estavam nus, mas não sentiam vergonha". Essa é uma imagem clara da intimidade conjugal: duas pessoas diferentes, iguais em valor, totalmente transparentes e sem medo de ser conhecidas. É esse o tipo de abertura, aceitação, confiança e entusiasmo a que nos referimos ao usar o termo *intimidade*.

Isso, no entanto, foi antes de o pecado entrar em cena. É interessante perceber que a reação imediata de Adão e Eva depois de comerem o fruto proibido foi sentir vergonha de sua nudez e cobrir-se. Em outras palavras, depois do pecado, surgiram as roupas. Algo se colocou entre Adão e Eva, e eles não foram mais transparentes. Não estavam mais dispostos a se fazer conhecidos livremente; agora, precisavam desenvolver intimidade.

O mesmo é verdade para nós. Por sermos criaturas caídas, às vezes temos medo de ser conhecidos. Por quê? Porque com a intimidade vem a possibilidade de condenação e rejeição. Para superar esse medo, devemos desenvolver um relacionamento de confiança com nosso cônjuge.

AS 5 LINGUAGENS DO AMOR NA PRÁTICA

Superando a separação que vem do pecado

> Pedro se aproximou de Jesus e perguntou: "Senhor, quantas vezes devo perdoar alguém que peca contra mim? Sete vezes?". Jesus respondeu: "Não sete vezes, mas setenta vezes sete".
>
> MATEUS 18.21-22

Algo na experiência contemporânea se assemelha ao entusiasmo de Adão e Eva antes da queda? Creio que sim. É aquilo que chamamos de "apaixonar-se", uma experiência emocional tão espontânea quanto a da primeira vez que Adão viu Eva. A experiência de apaixonar-se tem os mesmos elementos daquele primeiro encontro:

- Sentir assombro.
- Sentir que pertencemos um ao outro.
- Saber que fomos feitos um para o outro.
- Sentir algo dentro de nós que clama por algo profundo dentro do outro.
- Sentir que Deus providenciou nosso encontro.
- Experimentar a disposição de estar aberto ao outro, de compartilhar os segredos mais profundos e de saber do fundo do coração que nos amaremos, não importa o que aconteça.
- Estar disposto a dar de nós mesmos totalmente ao outro.

O que acontece com todas essas emoções depois do casamento? O mesmo que aconteceu com Adão e Eva. Pecamos, e o pecado nos separa. Passamos a desconfiar um do outro e, como resultado, mantemos distância para nos protegermos. A solução? Confissão, arrependimento e perdão. Confissão significa que admito que o que fiz ou disse foi errado. Arrependimento significa que estou disposto a afastar-me daquele pecado e seguir por uma nova direção. Perdão significa que estou disposto a aceitar a confissão e o arrependimento do outro e permitir que ele volte a minha vida.

Jesus disse a Pedro que devemos nos dispor a perdoar a pessoa arrependida diversas vezes, pois é assim que Deus nos perdoa! Nem sempre é fácil, mas você poderá ter um casamento com intimidade se estiver disposto a lidar com os próprios erros.

ORAÇÃO

Pai, obrigado por teu notável perdão. Obrigado por me perdoares quando me arrependo, mesmo quando faço a mesma coisa diversas vezes. Dá-me essa atitude em relação a meu cônjuge. Oro pedindo uma atmosfera de intimidade crescente em nosso casamento à medida que aprendemos a confessar, a nos arrepender e a perdoar um ao outro.

APLICAÇÃO

21 SETEMBRO
DEVOCIONAL 264

Estabelecendo um forte exemplo de fé

> Eu não poderia ter maior alegria que saber que meus filhos têm seguido a verdade.
>
> 3JOÃO 1.4

Para o casal cristão, a maior alegria é ver os filhos caminhando na verdade. Esse sentimento é repetido pelo apóstolo João em sua última epístola. Ele considerava os cristãos verdadeiros "filhos", uma vez que havia sido uma figura paterna para eles à medida que sua fé se desenvolvia. A fidelidade deles a Cristo lhe trouxe grande alegria. Em contrapartida, a maior tristeza é ver nossos filhos se afastarem de Deus.

A maior influência que temos sobre as crenças religiosas de nossos filhos é exercida nos primeiros oito anos de vida. As crianças escutam o que dizemos e observam o que fazemos. Quanto mais perto de nossa pregação estiver nossa prática, mais os filhos respeitarão nossa fé. Contudo, quanto maior a distância entre o que dizemos e o que fazemos, menor a probabilidade de que eles sigam nossas crenças religiosas.

E se nossos filhos já forem grandes e tivermos falhado nesse aspecto quando eles eram pequenos? Nunca é tarde demais para dizer: "Percebo que, durante sua infância, meu estilo de vida não demonstrava muito bem aquilo em que eu dizia crer. Gostaria de poder voltar atrás e reviver partes da minha vida. Naturalmente isso é impossível, mas quero que você saiba que me arrependo por tê-lo desapontado". Essa atitude, bem como uma vida transformada, abre a porta para continuar a exercer influência sobre seu filho adulto. Nenhum de nós é perfeito. Lidar com erros do passado é o primeiro passo para relacionamentos renovados.

ORAÇÃO

Pai celestial, tu sabes quanto anseio ver meus filhos caminhando em fidelidade a ti. Peço teu perdão pelas vezes que não fui um bom modelo. Ajuda-me e a meu cônjuge a sermos honestos em relação a nossos erros, e que eles não sejam impedimento na jornada de fé que nossos filhos trilharão.

APLICAÇÃO

Orando pelo cônjuge

SETEMBRO 22
DEVOCIONAL 265

> Pedimos a Deus que lhes conceda pleno conhecimento de sua vontade e também sabedoria e entendimento espiritual.
>
> COLOSSENSES 1.9

Orar por seu cônjuge pode ser seu maior ministério. O que poderia ser mais importante? Por meio de palavras e exemplo, a Bíblia nos mostra que a oração é poderosa. Lemos em Tiago 5.16: "A oração de um justo tem grande poder e produz grandes resultados". Pense em todos os maravilhosos exemplos de intercessão relatados na Bíblia. Abraão pediu a Deus que poupasse Sodoma. Moisés intercedeu por Israel depois que o povo produziu o bezerro de ouro. Daniel jejuou e orou com grande humildade, confessando seu pecado e os de Israel. Paulo orou para que os cristãos de Colossos fossem cheios do conhecimento da vontade de Deus. Jesus orou pedindo que a fé de Pedro não desfalecesse depois de ele ter negado a Cristo.

Como você está orando por seu cônjuge? Talvez seja uma boa ideia usar Colossenses 1.9-14 como ponto de partida. Ao orar pelo cônjuge pedindo aquilo que Paulo desejava para aqueles cristãos — que sua fé fosse fortalecida e que Deus os equipasse com perseverança e paciência —, você estará ministrando a ele. Você também poderá ver que seu coração ficará mais terno em relação a seu cônjuge.

A oração intercessora é um serviço prestado à pessoa por quem você está orando. Orar é um dos meios ordenados por Deus para a realização de sua vontade na terra. Assim como ele permite que preguemos e ensinemos, do mesmo modo ele permite que oremos — e dessa forma cooperamos com ele em sua obra. Ore por seu cônjuge hoje e veja de que maneira isso impacta seu casamento.

ORAÇÃO

Senhor Deus, obrigado pelo privilégio de poder levar a ti nossos pedidos. Obrigado também pelo exemplo da oração de Paulo, que vai além dos detalhes logísticos de nossa vida, chegando às coisas que realmente importam: o relacionamento de meu cônjuge contigo. Ajuda-me a ser fiel na oração por meu cônjuge.

APLICAÇÃO

Orando juntos

SETEMBRO 23
DEVOCIONAL 266

> [Jesus disse:] "Pois, onde dois ou três se reúnem em meu nome, eu estou no meio deles".
>
> MATEUS 18.20

ORAÇÃO

Pai, sou grato por tua promessa de estares presente conosco quando orarmos juntos. Às vezes isso parece estranho ou difícil, mas ajuda-nos a nos comprometermos a orar juntos como casal. Sei que isso é importante para nós tanto emocional como espiritualmente.

APLICAÇÃO

Muitos casais têm dificuldades para orar juntos. Por quê? Uma das razões pode ser o fato de não estarem se tratando com amor e respeito, o que coloca uma barreira entre eles. A resposta a esse problema é a confissão e o arrependimento. Lemos em 1João 1.9: "Se confessamos nossos pecados, ele é fiel e justo para perdoar nossos pecados e nos purificar de toda injustiça". É pecado deixar de amar o cônjuge ou não tratá-lo com bondade e respeito. Tal pecado precisa ser confessado e perdoado; só então vocês serão capazes de orar juntos.

Uma segunda razão de os casais não conseguirem orar juntos pode ser o fato de um dos dois (ou ambos) não ter aprendido a orar com outra pessoa. Para muitas pessoas, orar é algo particular. Embora você deva orar em particular por seu cônjuge, também deve orar com seu cônjuge. Afinal de contas, Jesus disse a seus discípulos que se dois ou três deles se reunissem ele estaria presente no meio deles. Essa declaração é poderosa e um grande testemunho para que orem juntos como casal.

Uma maneira fácil de começar é a oração silenciosa. Funciona assim: vocês seguram as mãos um do outro, fecham os olhos e oram silenciosamente. Quando tiver terminado de orar, você diz "amém" e, então, espera até que seu cônjuge diga "amém". Orar silenciosamente de mãos dadas é uma maneira de orar juntos, e isso melhorará seu casamento.

Oração conversacional

24 SETEMBRO
DEVOCIONAL 267

> Dediquem-se à oração com a mente alerta e o coração agradecido.
>
> COLOSSENSES 4.2

A Bíblia deixa claro que a oração é importante. Em Colossenses 4, o apóstolo Paulo incentiva os cristãos a se "dedicarem" à oração; em outra epístola, ele diz aos cristãos que orem continuamente (1Ts 5.17). Muitas vezes não damos a devida atenção à oração, mas ela é um conceito maravilhoso. Podemos conversar diretamente com o Criador do universo! Por que razão não desejaríamos fazer disso um hábito ao lado de nosso cônjuge?

Na meditação de ontem, falei sobre orar silenciosamente com o cônjuge. É a maneira mais fácil de começar. Hoje quero incentivá-lo a experimentar a oração conversacional. Nessa abordagem, vocês dois se revezam na conversa com Deus. Cada um pode orar uma ou mais vezes sobre o mesmo assunto. Então um dos dois muda de assunto e vocês repetem o processo. É falar com Deus como se fala com um amigo.

O marido, por exemplo, pode orar assim: "Pai, obrigado por me protegeres no caminho do trabalho para casa hoje". A esposa pode então orar dizendo: "Sim, Pai, sei que há muitos acidentes todos os dias e às vezes acho que tu simplesmente nos protegerá, sem que seja necessário pedir. Também quero agradecer-te por protegeres as crianças hoje". O marido ora: "Concordo, e peço especialmente que tu protejas nossos filhos daqueles que desejam afastá-los da fé". A esposa ora: "E, Pai, dá-nos a sabedoria para ensinar nossos filhos a te amarem". E assim prossegue a conversa com Deus. É uma maneira estimulante de orar com seu cônjuge. Isso não apenas os aproximará do Pai celestial, mas também os aproximará um do outro à medida que ouvem e oram pelas preocupações de cada um.

ORAÇÃO

Deus Pai, fico maravilhado por saber que posso conversar contigo a qualquer momento e que tu me ouves! Que dádiva incrível! Ajuda-nos a usar esse presente como casal. Sei que orar juntos nos ajudará a crescer em nosso amor por ti e um pelo outro. Dá-nos a coragem para começar e a disciplina para continuar.

APLICAÇÃO

SETEMBRO 25

DEVOCIONAL 268

Pedindo mudanças com respeito

> Tratem todos com respeito e amem seus irmãos em Cristo.
>
> 1PEDRO 2.17

ORAÇÃO

Pai, para mim é fácil presumir que meu jeito é o certo. Minha tendência é concentrar-me em algumas das falhas de meu cônjuge que me parecem bem grandes. Ajuda-me a vê-las na perspectiva correta. Ajuda-me a tratar meu cônjuge com amor e respeito quando abordarmos essas pequenas questões, e ajuda-me também a estar disposto a ouvir e mudar a mim mesmo.

APLICAÇÃO

Se vocês são recém-casados, podem ter descoberto algumas coisas sobre a pessoa a quem amam que não são exatamente agradáveis. Ele ronca como um lenhador. Ela aperta o tubo de creme dental no meio. Ele acha que um lanche no McDonald's e uma partida de sinuca são os ingredientes perfeitos para uma noite romântica. Ela canta a letra errada de todas as músicas que ouve no rádio. Ele corta as unhas do pé em frente à televisão e deixa as provas sobre a mesa de centro. Ela prepara salsicha com molho duas vezes por semana no jantar.

O segredo para superar essas irritações é mantê-las na perspectiva correta. Não deixe que coisas pequenas se transformem em grandes problemas. Lembre a si mesmo que essas não são questões que ameaçam a vida. Se puder achar soluções, ótimo. Se não, é plenamente possível viver com elas.

Veja um plano para pedir mudanças. Diga ao cônjuge três coisas de que gosta nele e, então, faça um pedido. Por exemplo: "Você poderia não lavar o cabelo na pia quando se apronta de manhã?". Uma vez que o elogio precede o pedido, é mais provável que seu cônjuge acate o pedido de mudança.

Uma orientação: nunca faça mais de um pedido a cada duas semanas. Talvez vocês possam fazer um acordo no qual cada um apresenta um pedido de mudança ao outro por semana. A questão principal é o respeito. O apóstolo Pedro nos incentiva a tratarmos uns aos outros com amor e respeito, e isso certamente se aplica ao cônjuge. Quando for educado, amoroso e respeitador, você verá mudanças acontecerem.

Depois da cerimônia de casamento

26 SETEMBRO
DEVOCIONAL 269

> Portanto, não nos cansemos de fazer o bem. No momento certo, teremos uma colheita de bênçãos, se não desistirmos.
>
> GÁLATAS 6.9

Muitos casais veem a cerimônia de casamento como a linha de chegada de seu relacionamento. Trabalham com afinco para realizar esse evento e, então, relaxam, esperando que o "felizes para sempre" comece.

O casamento não funciona assim. Se não fazer nada é sua estratégia para manter o amor vivo no relacionamento, você está encrencado. É similar ao cristão que vê a salvação como o passo final da jornada. Uma vez que ela foi realizada, ele acha que a vida espiritual fluirá tranquilamente pelo resto da vida. Mas isso certamente não é bíblico. No versículo acima, o apóstolo Paulo nos incentiva a persistir no serviço e nas boas obras. Precisamos continuar aperfeiçoando nosso relacionamento com Deus, e também precisamos trabalhar no relacionamento conjugal. Lembre-se que a cerimônia de casamento é o primeiro passo, não o último. Para que seu relacionamento dê certo no longo prazo, você precisa investir depois da cerimônia o mesmo tipo de tempo, energia e esforço que investia quando estava namorando.

Que coisas você fazia quando namorava? Dava presentes? Esforçava-se para chegar na hora? Ia a restaurantes atraentes? Falava palavras gentis? Acariciava o pescoço dele enquanto esperavam o semáforo abrir? Abria a porta do carro para ela? Lavava o carro dela? Talvez seja hora de perguntar a seu cônjuge: "De todas as coisas que eu fazia quando namorávamos, qual delas você mais gostaria que eu fizesse agora?". Deixe que a resposta os leve a um casamento saudável.

ORAÇÃO

Senhor Jesus, sei que não devo levar a vida espiritual no modo automático. Mas não raro é o que faço em meu relacionamento conjugal. Fico de lado e simplesmente espero que o amor continue vivo. Ajuda-me a tratar meu cônjuge da maneira correta e a fazer uso da energia de que meu relacionamento precisa para crescer.

APLICAÇÃO

SETEMBRO 27

DEVOCIONAL 270

Incentivando o serviço

> Pensemos em como motivar uns aos outros na prática do amor e das boas obras.
>
> HEBREUS 10.24

ORAÇÃO

Senhor Jesus, obrigado pelos dons que deste a meu cônjuge. Ajuda-nos a nos incentivarmos mutuamente a encontrar maneiras de usar nossos dons para tua glória. Sei que isso é bom para nós, para nosso casamento e, acima de tudo, para o teu reino.

O casamento nos dá a oportunidade singular de incentivarmos um ao outro em nossos esforços de servir a Deus por meio do serviço que prestamos aos outros. Debaixo do senhorio de Cristo, obtemos satisfação e maior autoestima por participar de seu propósito maior. Isso faz que nos sintamos valiosos e energizados, o que é bom para o casamento.

Se sua esposa toca piano na igreja ou ajuda um aluno carente, você deve ser o maior fã dela. Se seu marido dirige uma classe de estudos bíblicos ou é voluntário num albergue, ele precisa de suas palavras de incentivo. Observe as maneiras positivas pelas quais seu cônjuge está usando as habilidades que tem para ajudar outras pessoas e incentive essas iniciativas. A Bíblia deixa claro que nos devemos incentivar mutuamente a expressar amor por meio de ações e a fazer o bem aos outros.

Incentive seu cônjuge e veja o que Deus fará!

APLICAÇÃO

Expressando amor à pessoa difícil de amar

> Sabemos quanto Deus nos ama, uma vez que ele nos deu o Espírito Santo para nos encher o coração com seu amor.
>
> ROMANOS 5.5

Como amar um cônjuge difícil de ser amado? Durante minhas quatro décadas atuando como conselheiro, já deparei com um bom número de indivíduos que vivem casamentos incrivelmente difíceis. Sem exceção, a raiz principal das dificuldades conjugais é o egoísmo, e a raiz da cura é o amor. Amor e egoísmo são opostos. Por natureza, somos centrados em nós mesmos; porém, quando nos tornamos cristãos, o Espírito Santo traz o amor de Deus ao nosso coração, como indica o texto de Romanos 5.5. Em Gálatas 5, o apóstolo Paulo apresenta uma lista de qualidades de caráter que o Espírito Santo produz em nossa vida se permitirmos sua ação, e entre essas qualidades está o amor. Só então podemos nos tornar agentes de Deus para a expressão do amor. Compartilhar o amor divino fluindo por nosso intermédio é a coisa mais poderosa que podemos fazer por nosso cônjuge.

Quero lhe fazer o desafio que tenho feito a muitas pessoas ao longo desses anos. Durante seis meses, experimente amar seu cônjuge incondicionalmente. Descubra qual é a principal linguagem do amor dele e fale-a pelo menos uma vez por semana durante seis meses, independentemente de qual seja a reação dele. Já vi pessoas difíceis, hostis e cruéis se derreterem bem antes do final dos seis meses. Quando você deixa Deus expressar o amor dele por seu intermédio, é possível tornar-se um agente de cura de seu cônjuge e de seu casamento.

ORAÇÃO

Pai celestial, obrigado por encheres meu coração com teu amor. Por mais frustrado que eu esteja em meu casamento, quero me dedicar a amar meu cônjuge incondicionalmente pelos próximos seis meses e falar sua linguagem do amor. Dá-me a determinação para fazer isso. Sei que podes transformar meu casamento.

APLICAÇÃO

SETEMBRO 29

DEVOCIONAL 272

Tomando decisões em equipe

> Quem tem discernimento está sempre pronto a aprender; seus ouvidos estão abertos para o conhecimento.
>
> PROVÉRBIOS 18.15

ORAÇÃO

Senhor Jesus, tu sabes que, às vezes, tomar decisões pode ser difícil para mim e para meu cônjuge. Ajuda-me a lembrar que não se trata de vencer ou fazer aquilo que quero fazer, mas, pelo contrário, de chegar a uma decisão que seja aplicável a nós dois. Ajuda-me a me dispor a ouvir, compreender e me comprometer pelo bem de nosso casamento.

APLICAÇÃO

Se a tomada de decisões dentro do casamento é um trabalho de equipe — e assim deve ser —, então como se pode chegar a um acordo? Como indivíduos, temos pensamentos e sentimentos particulares em relação a qualquer assunto, e eles nem sempre concordam com os de seu cônjuge. Se é para chegar a um acordo, então devemos ouvir, compreender e nos comprometer.

Em primeiro lugar, ouça de modo que descubra o que seu cônjuge está pensando. Como vemos em Provérbios 18.15, as pessoas sábias buscam novos conhecimentos. Isso significa prestar atenção e ter discernimento. Tentar ver o mundo por meio dos olhos de seu cônjuge capacitará você a compreender os pensamentos e sentimentos dele. Assim que tiver feito isso, você poderá seguir para o comprometimento. Essa palavra não é negativa. Os dicionários definem comprometimento como "um acordo consensual alcançado por reconhecimento mútuo". Cada um expõe sua perspectiva e, então, procura os pontos em que ambos podem concordar. Cada parceiro deve ter a disposição de colaborar e mudar.

A motivação para isso é o amor. Devemos pensar no benefício da outra pessoa. O amor diz: "Quero o que for melhor para você. Portanto, estou disposto a mudar meus planos para satisfazer suas necessidades". Em Colossenses 1.8, Paulo escreve sobre o amor pelos outros que, como cristãos, recebemos do Espírito Santo. Sem esse espírito de amor, nunca conseguiremos chegar a um acordo.

Como chegar ao comprometimento

30 SETEMBRO
DEVOCIONAL 273

> As palavras sábias produzem muitos benefícios, e o trabalho árduo é recompensado. O insensato pensa que sua conduta é correta, mas o sábio dá ouvidos aos conselhos.
>
> PROVÉRBIOS 12.14-15

É comum que marido e esposa discordem quando precisam tomar uma decisão. Se não descobrirmos como chegar a um consenso, podemos passar a vida inteira brigando. Na meditação de ontem, mencionei que o acordo exige ouvir, compreender e comprometer-se. Comprometer-se expressa uma disposição de mover-se. É o oposto de rigidez. O rei Salomão disse claramente em Provérbios 12: "O insensato pensa que sua conduta é correta, mas o sábio dá ouvidos aos conselhos". Se respeitamos nosso cônjuge como parceiro, então também devemos respeitar seu ponto de vista. Não é nem sábio nem amoroso apegar-se ao próprio ponto de vista e excluir o parceiro.

Existem três possíveis maneiras de resolver um desacordo. Uma é o que chamo de: "Encontro você do seu lado". Em outras palavras, você diz: "Agora que entendo como isso é importante para você, estou disposto a fazer o que você quer". Você concorda em agir do jeito de seu cônjuge e para benefício dele.

Uma segunda possibilidade é: "Encontro você no meio do caminho". Significa que você diz algo assim: "Disponho-me a ceder um pouco se você também ceder um pouco e, assim, nos encontramos no meio". Por exemplo: "Vou jantar na casa de sua mãe na sexta-feira se você voltar comigo na manhã de sábado a tempo de eu sair para jogar futebol".

A terceira possibilidade é: "Encontro você mais tarde". Um casal nessa posição pode dizer: "Parece que não estamos avançando. Por que simplesmente não concordamos em discordar e discutimos isso de novo na semana que vem?". Nesse meio-tempo, declarem uma trégua e tratem-se de maneira cordial.

ORAÇÃO

Pai, obrigado por essas ideias sobre como me comprometer. Ajuda-me a abrir mão da necessidade de fazer as coisas do meu jeito. Tu sabes que amo meu cônjuge e que quero respeitar suas ideias. Quero me comprometer amorosamente ao tomarmos decisões.

APLICAÇÃO

Pedindo perdão

> Se afirmamos que não temos pecados, enganamos a nós mesmos e não vivemos na verdade. Mas, se confessamos nossos pecados, ele é fiel e justo para perdoar nossos pecados e nos purificar de toda injustiça.
>
> 1JOÃO 1.8-9

ORAÇÃO

Senhor, por que é tão difícil admitir que errei? Obrigado por tua promessa de perdão quando confesso a ti meu pecado. Ajuda-me a me dispor a pedir perdão a meu cônjuge também, para, ao fazer isso, curar a ferida que provoquei.

APLICAÇÃO

Por que é tão difícil algumas pessoas dizerem: "Peço que me perdoe"? Geralmente isso é medo de perder o controle. Pedir que os outros nos perdoem significa que colocamos o futuro do relacionamento na mão deles. Também pode ser medo de rejeição. Quando pedimos perdão, a outra pessoa talvez diga não, e essa rejeição pode ser extremamente dolorosa. Outra barreira importante é o medo de não fazer as coisas certas. Admitir que estava errado é equivalente a dizer: "Sou um fracasso".

A compreensão das Escrituras pode remover todos esses medos. Lemos em Romanos 3.23: "Pois todos pecaram e não alcançam o padrão da glória de Deus". O texto de 1João diz claramente que enganamos a nós mesmos se dissermos que nunca fizemos algo errado. Mas o versículo seguinte oferece uma promessa maravilhosa: se confessarmos nossos pecados a Deus, ele nos perdoará e purificará. Admitir que cometemos erros é simplesmente aceitar que somos humanos. Seja no relacionamento com Deus, seja nos relacionamentos humanos mais próximos, pedir perdão é o primeiro passo na direção da cura.

Solicitando perdão

2 OUTUBRO

DEVOCIONAL 275

> Por isso, ainda que pudesse exigir em Cristo que você faça o que é certo, prefiro pedir com base no amor — eu, Paulo, já velho e agora prisioneiro de Cristo Jesus.
>
> FILEMOM 1.8-9

Sempre é certo solicitar perdão. Nunca é correto exigir perdão. O marido que fala: "Já lhe disse que sinto muito. O que mais posso dizer?" está exigindo perdão. É bem provável que ele não o receba, porque nenhum de nós responde bem a exigências.

Quando escreveu a um irmão em Cristo chamado Filemom para pedir um favor, o apóstolo Paulo poderia ter exigido que Filemom respondesse como Paulo desejava. Afinal de contas, Paulo era um dos apóstolos e muito provavelmente havia exercido impacto significativo sobre a vida espiritual de Filemom. Além disso, o favor era algo moralmente correto. Mesmo diante de tudo isso, Paulo optou por solicitar a Filemom — ele fez um pedido e deu a Filemom a oportunidade de processar a solicitação e decidir por si. Isso é sábio em diversas situações e particularmente quando se trata de pedir perdão.

Perdão é a escolha de derrubar a barreira e permitir que a outra pessoa retorne à sua vida. Sempre há o risco de que ela o machuque novamente. Algumas pessoas já foram feridas tantas vezes que relutam em perdoar. Contudo, sem perdão, o relacionamento não cresce. Se vocês estão num impasse como casal, insisto em que perdoem e peçam perdão. Então deem um ao outro o tempo necessário para processar a dor antes de responder. Nesse meio-tempo, orem e amem.

ORAÇÃO

Pai, não permitas que eu exija que tudo seja do meu jeito. Quando pecar contra meu cônjuge, que eu admita e peça perdão. Então ajuda-me a dar-lhe a liberdade de decidir quando estará pronto. Obrigado por perdoares sempre.

APLICAÇÃO

Ira desproporcional

> O Senhor respondeu: "Você acha certo ficar tão irado assim?".
>
> JONAS 4.4

ORAÇÃO

Senhor Jesus, muitas vezes preciso dar um passo para trás e descobrir se minha ira é adequada e proporcional à ofensa. Ajuda-me a descobrir quando estou irado porque meu orgulho foi ferido, por causa de algo que está fora do controle de meu cônjuge ou porque tenho expectativas irreais que não foram satisfeitas. Ajuda-me a entregar minha ira a ti.

APLICAÇÃO

Grande parte de nossa ira é distorcida. Ela surge em razão de nosso próprio egoísmo, de nossa personalidade controladora, ou às vezes se deve simplesmente a uma noite mal dormida.

Sempre é bom ter consciência dos fatos. Suponha que seu marido tenha prometido estar em casa às 18h, mas chega às 18h30. Isso é pecaminoso? Você não saberá até que faça algumas perguntas. Se ele disse intencionalmente a si mesmo algo como: "Sei que prometi, mas decidi não cumprir a promessa", então ele pecou e sua ira é legítima. Mas se ele saiu do escritório com tempo para chegar às seis e ficou preso num engarrafamento, não houve pecado, e sua ira está distorcida. Ela é desproporcional à ofensa.

Um exemplo bíblico de ira distorcida vem do profeta Jonas. Talvez você se lembre dele principalmente por sua estada na barriga do peixe. Porém, depois disso, ele finalmente pregou sua mensagem de julgamento à cidade de Nínive. As pessoas se arrependeram e Deus escolheu ter misericórdia da cidade. Jonas ficou irritado com isso. Por quê? Porque ele havia profetizado a ira de Deus, e ela não se cumpriu. Ele achou que isso havia feito dele um tolo! A ira de Jonas estava ligada ao orgulho e era claramente injustificada. O próprio Deus lhe perguntou retoricamente: "Você acha certo ficar tão irado assim?".

Em nosso exemplo, você pode ficar muito irritada por seu marido chegar atrasado. Contudo, ao descobrir que a culpa foi do engarrafamento, você precisa livrar-se da ira — sem descontar nele. Tente fazer esta oração: "Pai, tu sabes que estou irritada. Ajuda-me a não descarregar sobre meu cônjuge. Entrego minha ira a ti e peço que me enchas de amor". Sua ira diminuirá, e vocês terão a noite inteira para desfrutar.

Lidando com a ira distorcida

> A resposta gentil desvia o furor, mas a palavra ríspida desperta a ira.
>
> PROVÉRBIOS 15.1

A ira distorcida pode destruir seu casamento. Ela é a emoção que você sente quando as coisas não saem do seu jeito. Às vezes é chamada de ira egoísta, porque suas raízes estão em você, e não nas circunstâncias externas. A ira legítima é a resposta emocional que surge quando o cônjuge peca contra você, mas a ira distorcida pode ser provocada por praticamente qualquer coisa. Talvez seu cônjuge esteja vendo televisão em vez de ajudá-la na cozinha, ou ela se esqueceu de comprar leite no caminho do escritório para casa.

A maneira de lidar com a ira distorcida pode ajudar ou prejudicar seu casamento. Atacar o cônjuge com palavras de crítica ou afastar-se em silêncio acabará destruindo seu casamento. Como lemos em Provérbios 15.1, "a palavra ríspida desperta a ira". A ira distorcida de uma pessoa pode incendiar a da outra, com resultados bastante negativos. Em contrapartida, pedir uma oportunidade para expor os sentimentos de uma maneira não condenadora leva à compreensão. Os sentimentos precisam ser compartilhados, mas os cônjuges não precisam ser condenados por serem esquecidos ou desatentos.

Considere esta abordagem: "Quero compartilhar algo com você, não para condenar, mas para que me conheça melhor". Essas são palavras de um cônjuge sábio. Uma conversa aberta elimina a ira distorcida e leva a um casamento sadio.

ORAÇÃO

Pai, perdoa-me pelos momentos em que deixei que minha ira assumisse controle sobre mim. Mostra-me como compartilhar meus sentimentos sem condenar ou retrucar à pessoa a quem amo. Quero que nosso relacionamento cresça.

APLICAÇÃO

OUTUBRO 5

DEVOCIONAL 278

Deixando a ira ir embora

> E "não pequem ao permitir que a ira os controle". Acalmem a ira antes que o sol se ponha, pois ela cria oportunidades para o diabo.
>
> EFÉSIOS 4.26-27

ORAÇÃO

Pai celestial, tu sabes que às vezes guardo rancor contra meu cônjuge. Ajuda-me a pôr fim a isso! Lembra-me de interromper minha reação, entender por que estou irritado e, então, decidir se levanto o assunto com meu cônjuge ou se deixo para lá. Preciso de sabedoria, Senhor, para não permitir que a ira me controle.

APLICAÇÃO

Acontece com todos nós. Ficamos indevidamente chateados por causa de algum pequeno comentário ou atitude do cônjuge. Ela deixou o cachorro sair sozinho e agora o vizinho está ligando para reclamar. Ele deixou as meias no chão em vez de caminhar dois metros e colocá-las no cesto de roupa suja. São as pequenas coisas que estimulam a ira distorcida.

Como devemos lidar com as emoções? Primeiramente, devemos admiti-las. "Estou irritado." Segundo, recusamo-nos a deixar que a ira nos controle. "Portanto, vou dar uma caminhada." Terceiro, fazemos a nós mesmos algumas perguntas. "Meu cônjuge fez isso de propósito? Estava tentando me machucar? Ou será que isso é simplesmente o resultado de estar casado com um ser humano? Será que já não fiz coisas semelhantes no passado? Isso é grave o suficiente para provocar uma conversa com meu cônjuge ou devo simplesmente deixar para lá?"

Opte por deixar para lá ou conversar com o cônjuge. Não retenha a ira dentro de si. A Bíblia nos adverte que devemos nos livrar da ira antes que anoiteça. Quando nos apegamos à ira, sua tendência é começar a nos controlar — e, como diz Paulo, isso "cria oportunidades para o diabo". Em outras palavras, reter a ira gera a possibilidade de pecarmos mais e mais. Nossa ira se distorce e pavimenta o caminho para todo tipo de interações vergonhosas no casamento. A ira deve ser tratada como visitante, nunca como moradora.

Celebrando as diferenças

6 OUTUBRO
DEVOCIONAL 279

> Se o corpo todo fosse olho, como vocês ouviriam? E, se o corpo todo fosse orelha, como sentiriam o cheiro de algo? Mas nosso corpo tem muitas partes, e Deus colocou cada uma delas onde ele quis.
>
> 1CORÍNTIOS 12.17-18

As diferenças podem ser deliciosas. Um velho ditado diz: "Algumas pessoas leem a história; outras a constroem". Normalmente, pessoas desses dois tipos estão casadas uma com a outra. Agora eu lhe pergunto: não foi assim que Deus planejou?

Nossas diferenças têm o propósito de ser complementares. Como seria trágico se seu cônjuge fosse exatamente como você! Deus tende a colocar uma pessoa agressiva com outra mais passiva, uma agitada com uma preguiçosa, uma organizada com uma relaxada. Por quê? Porque precisamos uns dos outros. É triste permitir que nossas diferenças se tornem desagregadoras. Por que fazemos isso? Porque somos egocêntricos. "A vida gira em torno de mim", pensamos. "Do meu jeito é melhor. Seja como eu e seremos felizes!"

Mas será que é exatamente isso o que desejamos? Acredito que não. Em 1Coríntios 12, o apóstolo Paulo compara a igreja a um corpo. O corpo possui muitas partes, e todas são necessárias. Paulo leva a ilustração à beira do absurdo, pedindo aos leitores que imaginem como o corpo funcionaria se fosse apenas uma grande orelha. Não funcionaria! A vida seria bem limitada.

O mesmo é verdade no casamento. Somos diferentes e precisamos uns dos outros. Sua impetuosidade me leva a tentar fazer coisas que jamais faria por mim mesmo. Minha passividade impede que você pule do penhasco. A Bíblia está certa: dois é melhor do que um.

ORAÇÃO

Pai, obrigado pelas diferenças entre meu cônjuge e eu. Mostra-me como enxergá-las de forma positiva, não negativa. Ajuda-nos a trabalhar eficientemente como uma equipe.

APLICAÇÃO

OUTUBRO 7

DEVOCIONAL 280

Palavras de afirmação

> A preocupação deprime a pessoa, mas uma palavra de incentivo a anima.
>
> PROVÉRBIOS 12.25

ORAÇÃO

Senhor Jesus, por que é muito mais fácil criticar do que incentivar? Ajuda-me a estar atento às coisas boas de meu cônjuge e a dizer algo sobre elas. Quero que minhas palavras tragam vida, não desânimo. Preciso de tua ajuda para desenvolver novos padrões, Senhor.

APLICAÇÃO

Muitos casais jamais conheceram a tremenda força resultante de incentivarem verbalmente um ao outro. Elogios verbais, ou palavras de afirmação, são comunicadores poderosos do amor. O rei Salomão, autor da antiga "literatura de sabedoria" hebraica que encontramos na Bíblia, escreveu vários provérbios sobre as palavras. A passagem acima enfatiza a importância das palavras de incentivo. Provérbios 18.21 é ainda mais dramático, ao declarar que "a língua tem poder para trazer morte ou vida". Comentários ferinos e críticos podem matar o espírito de uma pessoa, mas palavras de afirmação podem trazer renovação e esperança.

Leia as declarações a seguir e pergunte a si mesmo: "Disse coisas similares a meu cônjuge na última semana?".

- "Você fica ótimo com esse agasalho!"
- "Uau! Como você fica bonita nesse vestido!"
- "Esta deve ser a melhor batata do mundo. Adoro esse prato."
- "Obrigado por contratar a babá para hoje à noite. Quero que saiba que aprecio isso."
- "Fico feliz quando você lava a louça."
- "Sinto muito orgulho de você por ter recebido essa avaliação positiva no trabalho. Você é esforçado, e o reconhecimento é justo."

Quer melhorar seu casamento? Diga algo positivo ao cônjuge hoje.

Mudança por meio de afirmação

8 OUTUBRO
DEVOCIONAL 281

> Advirtam uns aos outros todos os dias, enquanto ainda é "hoje", para que nenhum de vocês seja enganado pelo pecado e fique endurecido.
>
> HEBREUS 3.13

Como seria a vida se seu cônjuge lhe dissesse palavras de encorajamento todos os dias? "Seria o céu", disse um marido. Uma mulher respondeu: "Eu iria achar que meu marido estivesse bêbado". Que tragédia perceber que normalmente dizemos tão poucas palavras de afirmação um ao outro. Permitimos que emoções como dor, decepção e ira nos impeçam de falar palavras positivas um ao outro, ou talvez simplesmente fiquemos presos ao padrão de comentários negativos. Como resultado, a distância e o descontentamento só fazem aumentar.

Todos nós gostamos de ouvir palavras de afirmação, e aqueles cuja principal linguagem do amor são palavras de afirmação as desejam ainda mais. Gostamos de sentir que nossos esforços são apreciados e que o cônjuge vê algo de bom em nós. Quando somos incentivados, desejamos ser melhores. Quando somos ignorados ou condenados, desanimamos e nos afastamos ou então ficamos irados e hostis. As palavras positivas podem mudar a atmosfera emocional do casamento. Precisamos procurar algo bom no cônjuge e destacar isso.

O apóstolo Paulo desafiou seus leitores dizendo: "Portanto, animem e edifiquem uns aos outros" (1Ts 5.11). O autor de Hebreus sugeriu que os cristãos incentivassem uns aos outros como uma proteção contra corações endurecidos e o pecado. O incentivo é importante. Nossas palavras são como remédio para um relacionamento doente. Existe cura, e ela normalmente começa com palavras de afirmação.

ORAÇÃO

Pai, não quero que o coração do meu cônjuge fique endurecido pela negatividade. Ajuda-me a incentivá-lo por meio de palavras amorosas e encorajadoras. Vejo muitas coisas boas na pessoa a quem amo e preciso declarar isso. Obrigado pelo incentivo que me dás por meio das palavras amorosas que leio na Bíblia.

APLICAÇÃO

Motivando ao sucesso

> Recomendo-lhes nossa irmã Febe, que serve à igreja em Cencreia. Recebam-na no Senhor, como uma pessoa digna de honra no meio do povo santo. Ajudem-na no que ela precisar, pois tem sido de grande ajuda para muitos, especialmente para mim.
>
> ROMANOS 16.1-2

ORAÇÃO

Senhor Jesus, peço-te que me ajudes a pensar antes de responder a meu cônjuge. Mostra-me a melhor maneira de incentivar. Não quero me colocar no caminho dos objetivos da pessoa a quem amo, por isso peço tua ajuda para desenvolver um padrão de incentivo e afirmação. Sei que isso fortalecerá nosso relacionamento.

APLICAÇÃO

Palavras de incentivo muitas vezes fazem a diferença entre sucesso e fracasso. Imagine que seu cônjuge expresse desejo de perder peso. Sua maneira de responder pode tanto ser encorajadora quanto desanimadora. Se você disser: "Bem, espero que não escolha um desses programas caros de perda de peso nem se matricule numa academia chique. Não temos condição de pagar", então você desanimará seu cônjuge. Existem grandes chances de ele simplesmente abandonar a ideia e não fazer nenhum esforço para perder peso.

Em contrapartida, considere esta resposta: "Bem, uma coisa é certa. Se você se decidiu a perder peso, vai perder, pois tem a disciplina para fazê-lo. Essa é uma das coisas que admiro em você". Uau! Seu cônjuge é incentivado, e é bem provável que comece a agir imediatamente.

No final do livro de Romanos, Paulo escreve diversas saudações pessoais, e muitas delas incluem incentivo. No versículo citado acima, ele menciona uma mulher chamada Febe, que deveria ser tratada "como uma pessoa digna" e receber toda ajuda possível, pois havia sido "de grande ajuda para muitos". Mais adiante no capítulo, o apóstolo cita várias outras pessoas pelo nome e relata sua contribuição ao trabalho dele. Imagine o que é ser elogiado numa das cartas de Paulo! Os detalhes que ele incluiu dão impacto às palavras de encorajamento.

Quando tiver uma oportunidade de responder a seu cônjuge, pense antes de falar. Pergunte a si mesmo: "O que posso dizer para incentivar e encorajar meu cônjuge a alcançar seus objetivos?". A maioria de nós se motiva quando ouve palavras de incentivo.

Lidando com a infidelidade

10 OUTUBRO

DEVOCIONAL 283

> Tu, Senhor, conheces o desejo dos humildes; ouvirás seu clamor e os confortarás.
>
> SALMOS 10.17

O que fazer quando você descobre que seu cônjuge tem sido infiel sexualmente? Mágoa e ira são emoções saudáveis nessa situação. Elas revelam que você é humano e que se importa com seu casamento. Indicam que você se vê como uma pessoa valiosa que foi ofendida. Revelam sua preocupação com a retidão e a justiça. Essas emoções são totalmente adequadas; só precisam ser processadas de maneira positiva.

Inicialmente, choro, lágrimas e soluços são reações saudáveis à dor e à ira intensas. Contudo, o corpo tem limitações em relação ao tempo que pode sustentar tal agonia; portanto, sessões de choro devem ser entremeadas com períodos de calma. Expressar verbalmente a dor ao cônjuge também é uma maneira saudável de processar a ira. Quero incentivá-lo a iniciar suas declarações com eu em vez de você. Por exemplo: "Eu me senti traído... Eu me senti machucado... Eu me senti usado... Eu senti que você não me ama... Minha vontade é de nunca mais tocar em você". Todas essas declarações revelam seus pensamentos e sentimentos em relação ao cônjuge. Qualquer recuperação exige que o cônjuge ouça e entenda a profundidade de sua dor e ira.

Lembre-se também que você pode expressar todas as suas emoções para Deus, que o ama de todo o coração e chora com você. Ele ouve sua súplica, como nos lembra o salmo 10. E, em Salmos 147.3, lemos que "ele cura os de coração quebrantado e enfaixa suas feridas". Permita que ele o conforte em seu desespero.

ORAÇÃO

Pai, não consigo imaginar coisa mais dolorosa do que descobrir que meu cônjuge tem sido infiel. Peço-te que nem meu cônjuge nem eu tenhamos de passar por essa dor. Mas, se passarmos, conduze--nos em meio a ela. Agradeço por tua ternura e compaixão por aqueles que estão sofrendo.

APLICAÇÃO

Perdoando a infidelidade

OUTUBRO 11
DEVOCIONAL 284

> Tem misericórdia de mim, ó Deus, por causa do teu amor. Por causa da tua grande compaixão, apaga as manchas de minha rebeldia. [...] Cria em mim, ó Deus, um coração puro; renova dentro de mim um espírito firme.
>
> SALMOS 51.1,10

ORAÇÃO

Pai, obrigado por teu perdão, que é suficientemente grande para cobrir até mesmo algo tão sério como a infidelidade. Se isso acontecer em nosso casamento, oro para que nós dois tenhamos a mentalidade correta para lidar com a questão. Por isso e por coisas menores que possamos ter cometido, oro pedindo o arrependimento para aquele que pecou e tua incrível graça, paz e espírito perdoador para aquele que sofreu a injúria.

APLICAÇÃO

Existe vida após uma traição? O casamento pode ser curado? Sim, se houver arrependimento genuíno e perdão genuíno. Arrependimento significa "dar meia-volta". No caso de uma infidelidade, significa que o relacionamento adúltero deve ser rompido.

Se foi você que teve um caso, diga à outra pessoa envolvida que reconhece que agiu errado, que pediu perdão a Deus e que trabalhará na restauração do casamento. Peça-lhe que o perdoe por ter feito aquilo que você sabia que era errado e por envolvê-la em sua infidelidade. Então ponha fim ao relacionamento extraconjugal. Na maioria dos casos, isso exigirá o fim de todo tipo de contato.

Agora você está pronto para pedir que o cônjuge o perdoe. Diga a ele que seu desejo sincero é que o casamento seja restaurado. Não pressione para que haja um perdão rápido e fácil. Levará tempo para seu cônjuge processar a dor e a ira, e você deve dar-lhe tempo para pensar e orar. Expresse sua disposição de buscar aconselhamento. Não espere cura imediata. Permita que haja tempo para conversar, orar e ler juntos. Se você for sincero e seu cônjuge estiver disposto a perdoar, então vocês poderão ter um casamento sadio.

O salmo 51 revela o remorso que o rei Davi sentiu depois do caso adúltero com Bate-Seba e da conspiração para matar o marido dela. Leia essa passagem inteira para ter ideia de um modelo de arrependimento sincero. Coloque em prática o modelo de Davi enquanto você tenta juntar os cacos de seu casamento.

Confiança depois de um caso

> O justo anda em integridade; felizes os filhos que seguem seus passos.
>
> PROVÉRBIOS 20.7

Como reconstruir a confiança depois de uma traição? Uma esposa me disse: "Estou disposta a perdoar meu marido, mas não sei se posso confiar nele de novo". Ela estava sendo honesta. O perdão não restaura a confiança. O perdão é a decisão de suspender a pena, restaurar o ofensor e permitir que ele entre de novo na vida do ofendido, mas ele não restaura imediatamente a confiança. Se você teve um caso, rompeu a aliança de fidelidade do casamento. Destruiu a confiança no coração do cônjuge e, agora, só você pode restaurá-la.

A confiança cresce quando somos confiáveis; portanto, não minta para seu cônjuge. Quando disser que fará algo, faça. Se prometeu interromper todo contato com o ex-amante, faça isso — imediatamente, com um telefonema breve ou o *e-mail* mais curto possível. Quando disser que sairá para ver um amigo, tenha certeza de que é exatamente isso que você fará. Incentive o cônjuge a ligar e conferir. Sempre que provar que é confiável, a confiança do cônjuge crescerá. Mas, se você continuar a enganar, a confiança jamais retornará.

Peça a Deus que o transforme numa pessoa de caráter e integridade, como diz Provérbios 20.7. Esteja completamente acima de qualquer reprovação; evite até mesmo a aparência do mal (1Ts 5.22). Essa é a maneira mais rápida de restaurar a confiança no coração de seu cônjuge.

ORAÇÃO

Pai, somente tu podes restaurar a confiança em um relacionamento partido. Peço tua cura, tua graça e tua restauração para o nosso casamento por todas as violações da confiança um no outro, tenham elas sido grandes ou pequenas. Faze que nós dois estejamos dispostos a dar os passos necessários.

APLICAÇÃO

Diferenças na criação dos filhos

> Se algum de vocês precisar de sabedoria, peça a nosso Deus generoso, e receberá. Ele não os repreenderá por pedirem.
>
> TIAGO 1.5

ORAÇÃO

Pai, criar filhos pode ser difícil. Obrigado pela promessa de nos dares sabedoria quando a pedirmos. Oro pedindo que meu cônjuge e eu caminhemos juntos ao discutir os estilos e as abordagens na forma de criar os filhos. Tu conheces nossos filhos perfeitamente, por isso peço-te que nos mostres a melhor maneira de criá-los a fim de que te conheçam e te amem.

APLICAÇÃO

Um aspecto que costuma romper a unidade conjugal são as diferenças de opinião sobre como criar os filhos. Uma esposa disse: "Não tínhamos nenhum problema conjugal até a chegada do bebê. Desde então, não tivemos outra coisa senão problemas. Nossos estilos de criação de filhos são muito diferentes".

O fato é que esse é um problema bastante comum, e a maneira de lidar com o problema ajudará ou prejudicará seu casamento. Talvez vocês nunca concordem com todos os detalhes da criação dos filhos, mas precisam encontrar alguns pontos em comum.

Deixe-me sugerir que o ponto de partida é a oração. Ore a Deus pedindo que ele leve vocês dois juntos aos fundamentos da criação de filhos. Peça também que ele os ajude a entender a melhor maneira de criá-los. Deus se preocupa com seus filhos e também os conhece perfeitamente. Portanto, ao pedir sabedoria, saiba que Deus está plenamente qualificado para ajudá-lo. O texto de Tiago 1.5 garante que, se pedirmos sabedoria, Deus nos dará. Ele quer nos guiar e é capaz de fazê-lo.

Não existe pai ou mãe perfeitos, mas você pode evitar algumas armadilhas. Sua forma de criar os filhos melhorará quando você evitar as ciladas da superproteção, da permissividade ou da distância excessiva. Lembre-se que seu objetivo maior é que seus filhos cresçam seguros em seu amor, fortes na fé e com um caráter sadio. Conforme você e seu cônjuge conversarem e orarem, o Senhor os ajudará a realizar esses objetivos juntos.

Esperança e futuro

14 OUTUBRO

DEVOCIONAL 287

> "Porque eu sei os planos que tenho para vocês", diz o Senhor. "São planos de bem, e não de mal, para lhes dar o futuro pelo qual anseiam."
>
> JEREMIAS 29.11

Você já pensou que seu casamento não tinha mais jeito? Ao contrário de seus sentimentos atuais, o futuro que o aguarda pode ser brilhante. Os planos de Deus para você são bons, como nos lembra a passagem acima. Deus deu essas palavras ao profeta Jeremias quando os israelitas estavam no cativeiro na Babilônia. Na visão deles, a situação que viviam era a pior possível! Muitos haviam sido enviados a um país estranho, onde a cultura era hostil aos judeus. Os que foram deixados em casa enfrentavam condições de total desolação. Devem ter pensado que Deus os havia abandonado, mas as palavras do Senhor a Jeremias lhes garantiram que ele ainda tinha planos para eles. O mesmo é verdade em relação a você.

Os problemas do passado não devem destruir a esperança do futuro. Se começar a fazer as escolhas certas hoje, as perspectivas de um casamento sadio são boas. A comunicação e a intimidade um com o outro podem ser melhores do que nunca. Ao perdoar o passado, compartilhar sentimentos, encontrar compreensão e aprender a amar um ao outro, você e seu cônjuge podem encontrar satisfação no casamento.

Isso não é ilusão. Tornou-se realidade para centenas de casais que se comprometeram a seguir pela estrada da reconciliação. Começa quando você decide extrair o máximo daquilo que possui, um dia por vez.

ORAÇÃO

Pai, obrigado por essa palavra de esperança vinda do livro de Jeremias. Tu nunca abandonas teu povo e sempre tens bons planos para nós. Sou grato por esse incentivo para meu casamento. Ajuda-me a perdoar as coisas do passado, a fazer boas escolhas no presente e a olhar adiante para um futuro feliz.

APLICAÇÃO

OUTUBRO 15 — DEVOCIONAL 288

Vivendo no presente

> Sejam gratos em todas as circunstâncias, pois essa é a vontade de Deus para vocês em Cristo Jesus.
>
> 1TESSALONICENSES 5.18

Se seu casamento não está bom, você pode sentir-se tentado a fugir, mas sabe que deve existir uma saída melhor. Existe, e ela surge quando você extrai o máximo de si mesmo, um dia após o outro. Não estrague o futuro ao permitir que a amargura consuma seu espírito. Não se destrua com a autocomiseração. Não espante os amigos ao recusar constantemente o consolo que eles lhe oferecem.

Você pode transformar sua vida numa desgraça ao se concentrar apenas nos problemas. Ou pode dizer, como o salmista: "Este é o dia que o Senhor fez; nele nos alegraremos e exultaremos" (Sl 118.24). Talvez você não esteja alegre com o passado nem com a situação atual, mas pode regozijar-se com o fato de que Deus lhe deu a habilidade de usar o dia de hoje para o bem. Você também pode seguir o desafio do apóstolo Paulo, em 1Tessalonicenses 5, de ser grato em todas as circunstâncias. Isso não quer dizer que você tem de ser grato por todas as circunstâncias, mas que, em toda situação, você pode optar por ver alguma coisa pela qual ser grato a Deus. Ele está presente em suas circunstâncias e, quanto mais você o procurar, mais o encontrará.

Não tente viver todo o seu futuro hoje. Jesus enfatizou a importância de viver um dia por vez (Mt 6.34). Aqui estão algumas boas perguntas a fazer a si mesmo: "O que posso fazer hoje para melhorar minha situação? Pelo que preciso orar hoje? Com quem preciso conversar? Quais ações preciso realizar hoje?". Deus confiou-lhe apenas o presente, e o uso sábio do dia de hoje é a única coisa que ele espera de você.

ORAÇÃO

Deus Pai, tu fizeste o dia de hoje e decido alegrar-me nele a despeito de minha situação. Sei que tens bons planos para mim e sou grato por poder fazer a escolha de usar este dia para o bem. Ajuda-me a afastar-me da negatividade que só me faz infeliz. Quero aprender a ver-te em todas as minhas circunstâncias.

APLICAÇÃO

Aproveitando ao máximo o dia de hoje

16 OUTUBRO
DEVOCIONAL 289

> Venham, vamos adorar e nos prostrar, vamos nos ajoelhar diante do Senhor, nosso Criador, pois ele é o nosso Deus. Somos o povo que ele pastoreia, o rebanho sob o seu cuidado. Quem dera hoje vocês ouvissem a voz do Senhor!
>
> SALMOS 95.6-7

Em casamentos problemáticos, somos tentados a nos afundar em nossa dor. Todo dia se torna uma reprise do passado. Mas, na economia de Deus, cada dia é uma oportunidade de mudança. Pesquise o termo *hoje* na Bíblia e você encontrará uma longa lista de ocasiões nas quais foi apresentada uma opção ao povo. Naquele dia exato, as pessoas podiam escolher entre seguir a Deus ou afastar-se, entre ouvir sua voz ou ignorá-la. (Veja alguns exemplos no salmo 95 e em Deuteronômio 11.26-27.) O que eles fizessem "hoje" estabeleceria o tom dos dias seguintes. O mesmo acontece com você hoje. Não há como fortalecer sua vida inteira hoje, mas, se você aproveitar o dia de hoje ao máximo, poderá trabalhar para pôr em ordem um aspecto de sua vida. Escolha agora mesmo uma área que considera de grande importância.

À medida que ajusta um aspecto diferente de sua vida, dia após dia, a vida como um todo começará a ficar mais radiante. Você não pode mudar seu cônjuge? Então mude sua atitude em relação ao comportamento dele. Modifique seu próprio comportamento confessando erros do passado. Peça que Deus o ajude a realizar um ato de bondade para seu cônjuge hoje. Você não pode mudá-lo, mas pode influenciá-lo. Um ato de bondade por dia tem grande potencial para mudar o clima do relacionamento e pode, por fim, influenciar seu cônjuge a responder da mesma maneira.

Nunca desista. Sempre existe algo bom a ser feito hoje. Aproveitar o dia de hoje ao máximo é a coisa mais poderosa que você pode fazer para ter um amanhã melhor.

ORAÇÃO

Senhor Jesus, sei que cada dia apresenta uma escolha. Posso me concentrar nas lutas do passado e continuar no mesmo lugar, ou posso optar por uma mudança positiva. Dá-me a coragem e a determinação para fazer as escolhas corretas hoje. Que meus pequenos passos adiante levem nosso casamento a uma posição de mais força e mais amor.

APLICAÇÃO

O que é perdão?

> De nós ele afastou nossos pecados, tanto como o Oriente está longe do Ocidente.
>
> SALMOS 103.12

ORAÇÃO

Pai, quero comunicar-me bem com meu cônjuge, especialmente quando peço perdão por algo. Ajuda-me a entender a melhor maneira de me expressar. Obrigado por sempre me ouvires quando confesso a ti o meu pecado.

APLICAÇÃO

Você já percebeu que aquilo que uma pessoa considera perdão não necessariamente é o que a outra pessoa entende como perdão? Considere esta discussão entre um casal, ocorrida no meu gabinete. A esposa diz:

— Eu o perdoaria se ele pedisse perdão.
— Mas eu pedi perdão — diz o marido.
— Você não pediu — diz ela.
— Eu lhe disse que sentia muito — responde o marido.
— Isso não é pedir perdão — declara ela.

Sendo assim, o que é um pedido de perdão? A verdade é que ele representa coisas diferentes para pessoas diferentes. Depois de três anos de pesquisa, a dra. Jennifer Thomas e eu concluímos que existem cinco elementos fundamentais do perdão. Nós os chamamos de as cinco linguagens do perdão. Assim como acontece com as cinco linguagens do amor, cada pessoa tem uma principal linguagem do perdão, que lhe fala mais profundamente do que as outras quatro. Se você não falar a linguagem correta, a pessoa contra quem você cometeu uma injúria pode considerar que seu pedido de perdão não é sincero. Para a esposa que estava no meu gabinete, um "sinto muito" não era sua linguagem do perdão. O marido pode ter sido sincero, mas a esposa não entendeu dessa maneira.

Para nossa felicidade, Deus sempre ouve e responde quando lhe pedimos perdão, como vemos exemplificado na passagem acima. Aquele que conhece o coração está mais preocupado com a sinceridade do que com as palavras que escolhemos para expressá-la. Como meros seres humanos, porém, não raro tropeçarmos nas palavras. Nos próximos dias conversaremos sobre as cinco linguagens do perdão.

Comunicando sinceridade

OUTUBRO 18
DEVOCIONAL 291

> Uma vez que vocês foram purificados de seus pecados quando obedeceram à verdade, tenham como alvo agora o amor fraternal sem fingimento.
>
> 1PEDRO 1.22

Você já questionou a sinceridade do pedido de perdão de alguém? Isso provavelmente aconteceu porque a pessoa não falou a sua "linguagem do perdão". Talvez a pessoa tenha dito: "Sinto muito", mas você queria ouvir: "Eu estava errado". Pode ser que ela tenha dito: "Você me perdoa?", mas o que você queria ter ouvido era: "O que posso fazer para acertar as coisas?". Ele disse: "Errei. Estou muito mal por isso", mas ele já havia pedido perdão pela mesma coisa na semana passada. O que você quer ver é uma evidência de arrependimento e alguma garantia de que isso não continuará a acontecer.

Muitos dos pedidos de perdão não parecem sinceros porque não estão sendo transmitidos na linguagem do perdão da pessoa ofendida. Se os casais aprenderem a principal linguagem do perdão um do outro e a expressarem quando tiverem ofendido o outro, o perdão será muito mais fácil. Você pode escolher perdoar alguém ainda que questione a sinceridade da pessoa, mas será muito mais fácil se, lá no fundo, você acreditar que a pessoa é sincera. O texto de 1Pedro 1.22 deixa claro que devemos mostrar amor sincero uns aos outros como cristãos — amor que vem do fundo do coração. Que não deixemos também de comunicar esse amor.

ORAÇÃO

Pai, tu sabes quanto eu amo meu cônjuge. Ajuda-me a comunicar esse amor até mesmo quando peço perdão, de modo que ele possa ver quanto sou sincero.

APLICAÇÃO

Linguagens do perdão

DEVOCIONAL 292 — OUTUBRO 19

> Orei: "Ó Senhor, tem misericórdia de mim! Cura-me, pois pequei contra ti!".
>
> SALMOS 41.4

Você conhece as cinco linguagens do perdão? O que estou prestes a contar pode melhorar grandemente sua capacidade de pedir perdão com eficácia.

- 1ª linguagem do perdão: Manifestação de arrependimento. Exemplos: "Sinto muito", ou "Sinto-me mal pelo que fiz".
- 2ª linguagem do perdão: Aceitação da responsabilidade. "Eu estava errado", ou "Foi culpa minha".
- 3ª linguagem do perdão: Compensação do prejuízo. "O que posso fazer para acertar as coisas?"
- 4ª linguagem do perdão: Arrependimento genuíno. "Não quero continuar a ferir você. Sei que é errado e não quero que aconteça de novo."
- 5ª linguagem do perdão: Pedido de perdão. "Você me perdoa?", ou "Valorizo nosso relacionamento e espero que você me perdoe".

É bem provável que a linguagem do perdão de seu cônjuge seja uma dessas cinco. Uma delas é mais importante para ele do que as outras quatro. Você precisa aprender a falar a linguagem do perdão de seu cônjuge para ser bem-sucedido ao pedir-lhe perdão.

Você pode descobrir sua principal linguagem do perdão pela maneira como confessa os pecados a Deus. Ouça as palavras que você normalmente usa quando confessa e pede perdão; elas lhe darão as pistas. Felizmente o Senhor conhece nosso coração e não depende de nossas palavras para decidir se somos sinceros!

ORAÇÃO

Pai, obrigado por teres feito as pessoas tão diferentes. Ajuda-me a entender meu cônjuge e a descobrir o que é mais importante para ele num pedido de perdão. Obrigado por teu perdão constante.

APLICAÇÃO

A mudança começa em mim

20 OUTUBRO

DEVOCIONAL 293

> Não se limitem, porém, a ouvir a palavra; ponham-na em prática. Do contrário, só enganarão a si mesmos. [...] Se, contudo, observarem atentamente a lei perfeita que os liberta, perseverarem nela e a puserem em prática sem esquecer o que ouviram, serão felizes no que fizerem.
>
> TIAGO 1.22,25

Melhorar o casamento não é fácil, mas posso lhe apresentar uma maneira infalível de fazê-lo: comece mudando sua própria atitude. Em vez de amaldiçoar as trevas, acenda uma luz em seu coração. Diga a Deus: "Se tu me deres a visão do que é ser um cônjuge piedoso, então disponho-me a fazer mudanças". Depois, leia a Bíblia e procure as passagens que dizem como deve ser um marido e uma esposa cristãos.

Deixe que isso se transforme em seu sonho e medite nisso o dia inteiro. Peça a ajuda de Deus para viver de acordo com esse modelo. Todos os dias, faça algo que o torne um cônjuge melhor. Por exemplo, procure coisas que você pode elogiar sinceramente. Pense em maneiras de servir ao cônjuge. Imagine um presente que melhoraria a vida dele. Pense numa forma de vocês passarem mais tempo juntos. Mas não apenas pense — faça!

Na passagem acima, vemos que Tiago desafiou os leitores a fazerem mais do que simplesmente ouvir a Palavra de Deus. Se ouvirmos e não mudarmos nosso comportamento, estamos basicamente enganando a nós mesmos. Somente quando praticamos a orientação de Deus a mudança pode de fato acontecer.

Quando sua atitude e seu comportamento mudarem, você exercerá uma influência positiva sobre o cônjuge. Essa influência será muito mais poderosa que as críticas anteriores. É certo que seu casamento pode mudar, e a mudança começa com você.

ORAÇÃO

Pai, muitas vezes reclamo de meu casamento, mas não me disponho a fazer nada quanto a isso. Perdoa-me pela arrogância em presumir que meu cônjuge é o culpado. Quero comprometer-me a mudar. Mostra-me como posso ser um cônjuge mais alinhado à tua vontade. Transforma minhas palavras e meus pensamentos; molda-me de acordo com a tua imagem. Que eu seja uma influência positiva no meu casamento.

APLICAÇÃO

OUTUBRO 21 — DEVOCIONAL 294

A fidelidade de Deus para um casamento problemático

> Ainda ouso, porém, ter esperança quando me recordo disto: O amor do Senhor não tem fim! Suas misericórdias são inesgotáveis. Grande é sua fidelidade; suas misericórdias se renovam cada manhã.
>
> LAMENTAÇÕES 3.21-23

É comum me fazerem alguma variação desta pergunta: "Casamos porque eu estava grávida e, agora, acho que cometemos um grande erro. Posso me divorciar ou tenho de continuar casada? Se for assim, por onde começo?".

Essa pergunta presume que existem apenas duas alternativas: permanecer dentro do casamento e ter uma vida miserável ou divorciar-se e ser feliz. Sugiro uma terceira alternativa que oferece muito mais esperança: esforçar-se para ter um casamento bem-sucedido. Muitas pessoas se casam em circunstâncias menos que ideais. Para algumas, foi uma gravidez. Para outras, dependência emocional, desejo de sair de uma situação ruim em casa, sentimentos românticos equivocados e muitos outros fatores. Sair para um recomeço duvidoso ou casar-se pelas razões erradas não significa que você não pode ter um bom casamento.

Qualquer casal pode construir um casamento bem-sucedido se buscar a ajuda de Deus. Por meio da oração, da leitura das Escrituras e da leitura de livros cristãos sobre vida conjugal, além de aconselhamento sábio, vocês podem ter um casamento sadio. O profeta Jeremias escreveu palavras belas e inspirativas no livro de Lamentações. Não importa quais sejam as circunstâncias — e Israel estava numa situação deplorável na época dessa profecia —, o Senhor é fiel. Ele nos concede novas misericórdias a cada dia! Com ele, sempre há esperança. Deus pode curar erros do passado e dar esperança para o futuro.

ORAÇÃO

Pai, sou profundamente grato por teu amor fiel, que nunca falha. Em meio às dificuldades de meu casamento, agradeço-te porque me dás esperança. Nada é impossível para ti! Ajuda-me a comprometer-me a fazer o que puder para melhorar meu casamento, sabendo que desejas que tenhamos um relacionamento forte e zeloso. Trabalha em mim, Senhor, é a minha oração.

APLICAÇÃO

Lidando com as expectativas

> Livrem-se de toda amargura, raiva, ira, das palavras ásperas e da calúnia, e de todo tipo de maldade.
>
> EFÉSIOS 4.31

Nossa sociedade passou por muitas mudanças nas expectativas dos papéis desempenhados pela equipe marido-esposa. Tradicionalmente o marido era o provedor, e a esposa, a dona de casa. Atualmente, porém, há mais esposas trabalhando fora do que seguindo o papel tradicional de engenheira doméstica. Isso trouxe muitos benefícios, mas gerou novas áreas de conflito no casamento.

Se a esposa sai para trabalhar e tem um papel similar ao do marido na provisão financeira, então ele assumirá um grau de responsabilidade semelhante ao dela nas tarefas de casa? Provavelmente não, de acordo com as pesquisas mais recentes. Como resultado, a esposa muitas vezes se sente explorada, achando que tem dois empregos de tempo integral. Se esses sentimentos negativos não forem tratados, podem transformar-se em amargura. Sabemos que não é isso o que Deus quer para nós. De fato, o apóstolo Paulo deixa claro que precisamos erradicar a amargura e as palavras duras de nosso coração. Sendo assim, como lidar com essas emoções negativas?

A melhor maneira de fazê-lo é expor esses sentimentos e negociar uma mudança. Apresentar pedidos de maneira positiva provocará uma reação melhor. A esposa pode dizer, por exemplo: "Amo você e quero muito ser uma boa esposa, mas estou no meu limite. Preciso de sua ajuda". Em seguida, ela pode prosseguir e descrever a pressão que sente por seus muitos afazeres. Tudo isso é parte de uma conversa constante que todo casal precisa ter sobre quem realizará quais tarefas no casamento.

ORAÇÃO

Pai, às vezes sinto-me sufocado por tudo que tento fazer no trabalho, em casa, com a família e todos os outros compromissos. Quero ser um bom cônjuge, mas às vezes acho que não vou aguentar, e isso me enche de ressentimento. Ajuda-me a lidar com essas emoções de maneira saudável, discutindo-as com meu cônjuge. Dá-nos paciência e compreensão ao decidirmos quem faz o que no casamento.

APLICAÇÃO

Trabalho em equipe

> É melhor serem dois que um, pois um ajuda o outro a alcançar o sucesso. Se um cair, o outro o ajuda a levantar-se. Mas quem cai sem ter quem o ajude está em sérios apuros.
>
> ECLESIASTES 4.9-10

ORAÇÃO

Senhor Deus, sou grato por meu cônjuge e pela oportunidade de trabalharmos como equipe para manter nossa casa e família funcionando bem. Quero ajudar meu cônjuge a ser bem-sucedido, Senhor. Guia-nos na elaboração de um plano para lidar com as responsabilidades. Ajuda-me a comunicar-me em amor.

APLICAÇÃO

Muitos casais iniciam a vida conjugal pressupondo que seu lar funcionará da mesma maneira que seus pais administravam a casa. O problema é que existem dois pais e duas mães, e eles muito provavelmente não agiam do mesmo jeito. Seus pais e os pais do cônjuge não tinham a mesma estratégia, de modo que marido e esposa possuem expectativas diferentes. Qual é a resposta? Devemos construir nossa própria estratégia.

Faça uma lista de todas as responsabilidades do lar que lhe vierem à mente. Lavar louça, cozinhar, ir ao mercado, passar aspirador no carpete, abastecer o carro, cortar a grama, pagar as contas — tudo. Peça ao cônjuge que faça o mesmo. Então, reúnam suas listas e criem uma "lista mestre" de responsabilidades. A seguir, cada um deve pegar sua cópia e colocar suas iniciais ao lado das tarefas que considera de sua responsabilidade. Por fim, reúnam-se de novo e verifiquem onde concordam. As diferenças precisarão ser negociadas, e alguém deve estar disposto a assumir a responsabilidade.

Tente seguir a lista por seis meses e avalie como vão as coisas. Você acha que as responsabilidades estão divididas de maneira justa? Uma pessoa está tendo dificuldades numa área que a outra poderia realizar com mais facilidade? Que mudanças precisam ser feitas?

Ao conversar sobre essas questões, tenham em mente que vocês estão na mesma equipe. Eclesiastes 4 nos lembra que duas pessoas trabalhando juntas podem fazer que ambas sejam bem-sucedidas. Não é isso que vocês querem para o casamento? Usem seus pontos fortes para ajudar um ao outro.

Evitando impasses

24 OUTUBRO

> Em tudo que fizerem, trabalhem de bom ânimo, como se fosse para o Senhor, e não para os homens.
>
> COLOSSENSES 3.23

Certa vez recebi em meu gabinete um casal que estava num impasse sobre quem limparia o banheiro. Ele insistia em que esse era um trabalho de mulher. Ela sustentava que era uma tarefa de homem. Já havia bolor crescendo no banheiro porque ninguém se mexia.

— Que tal contratar alguém para fazer a limpeza semanalmente? — perguntei.

— Não podemos pagar — disse o marido.

— Bem, vocês conhecem alguém que possa limpar o banheiro sem cobrar nada?

— Minha mãe — respondeu ele —, mas não vou pedir que ela faça isso. Seria estupidez.

— Sendo assim, o que é mais lógico fazer? — perguntei.

— O mais lógico é que ela limpe — disse ele.

— Não, o mais lógico é que ele limpe — respondeu a esposa.

— Então vocês acabaram de resolver o problema — disse eu. — Você limpa o banheiro nesta semana, e ela limpa na semana que vem.

— Mas isso é ceder — reclamou ele.

— Sim — disse eu —, e isso se chama casamento.

Esse casal não tinha um problema de banheiro, mas um problema de atitude. Se tanto o marido como a esposa optarem por uma atitude de amor, impasses como esse não acontecerão, e as tarefas serão realizadas. Lembre-se que, como nos diz Colossenses 3.23, devemos realizar nossas tarefas de coração, como se estivéssemos servindo ao Senhor em vez de às pessoas. Ao negociar as responsabilidades com o cônjuge, o ponto principal não deve ser os direitos individuais, mas o serviço a Deus e a expressão de amor um pelo outro.

ORAÇÃO

Pai, muitas vezes me prendo àquilo que considero justo e penso somente no meu ponto de vista. Ajuda-me a lembrar que, ao servir a meu cônjuge, também estou servindo a ti. Perdoa-me pelas vezes que fui obstinado e desamoroso. Mostra-me como conversar sobre as questões das responsabilidades do lar com uma atitude de amor.

APLICAÇÃO

OUTUBRO 25 — DEVOCIONAL 298

Presentes como símbolos de amor

> Assim, todos os israelitas, todos os homens e mulheres dispostos a ajudar no trabalho que o Senhor havia ordenado por meio de Moisés, trouxeram suas ofertas e as entregaram de bom grado ao Senhor.
>
> ÊXODO 35.29

○ **ORAÇÃO**

Pai, sei que o ato de dar algo a meu cônjuge é uma reafirmação de meu amor. Quero mostrar que nosso relacionamento é uma prioridade para mim. Ajuda-me a comunicar-me bem por meio dos presentes que dou.

○ **APLICAÇÃO**

Na maioria das cerimônias de casamento, acontece a troca de alianças. O pastor diz: "Estas alianças são os sinais exteriores e visíveis de um elo interior e espiritual que une o coração de vocês num amor que não tem fim". Isso não é apenas retórica. É a verbalização de uma verdade significativa; os símbolos possuem valor emocional.

Símbolos visuais de amor são mais importantes para algumas pessoas do que para outras. É por isso que existem atitudes distintas em relação às alianças no casamento. Alguns nunca a tiram do dedo, ao passo que outros raramente a usam. Isso normalmente tem a ver com a linguagem do amor. Se "presentes" é minha linguagem do amor principal, darei muito valor à aliança e posso sentir-me magoado se o cônjuge não sentir o mesmo. Também ficarei emocionalmente tocado pelos outros presentes que meu cônjuge me der ao longo dos anos, pois os verei como expressões de amor. Sem presentes como símbolos visuais, posso até questionar o amor dele.

Por todas as eras, as pessoas têm demonstrado seu amor pelo Criador dando-lhe presentes. Lemos em Êxodo 35 que os israelitas se dispuseram a dar ouro, prata, bronze, linho e outros presentes caros que poderiam ser usados no tabernáculo. O Senhor certamente não precisava das ofertas deles, mas o ato de dar aquelas coisas mostrou o amor e a sinceridade do povo. Uma dinâmica similar ocorre em muitos relacionamentos conjugais.

Se você ouvir algo como: "Você não me trouxe nada?", quando chegar de uma viagem, ou se a pessoa amada aparentar profunda tristeza se você se esquecer de lhe dar um presente de aniversário, então tenha certeza de que a linguagem do amor dela são presentes. Fale essa linguagem e mantenha cheio o tanque de amor de seu cônjuge.

Aprendendo a presentear

26 OUTUBRO — DEVOCIONAL 299

> Visto que vocês se destacam em tantos aspectos — na fé, nos discursos eloquentes, no conhecimento, no entusiasmo e no amor que receberam de nós —, queríamos que também se destacassem no generoso ato de contribuir.
>
> 2CORÍNTIOS 8.7

Uma esposa reclama: "Meu marido nunca me dá presentes". A resposta dele? "Não sei presentear. Não recebi muitos presentes na infância e jamais aprendi a escolher um presente. Simplesmente não é natural para mim".

Parabéns! Você acaba de fazer a primeira descoberta para tornar-se um grande amante: você e seu cônjuge falam linguagens do amor diferentes. Agora que fez essa descoberta, prepare-se para aprender sua segunda linguagem do amor.

Por onde começar? Faça uma lista de todos os presentes diante dos quais seu cônjuge expressou grande alegria ao recebê-los. A lista lhe dará uma ideia do tipo de presentes de que ele gosta. Preste atenção também àqueles comentários informais, como: "Gostaria de ter um desses", enquanto fazem compras ou quando ele folheia uma revista. Tome nota por escrito para não esquecer. Outra abordagem é pedir a ajuda de outros membros da família. Sua irmã pode ser a pessoa perfeita para ajudá-lo a escolher um presente para sua esposa, ou seu cunhado pode saber exatamente o que dar a seu marido.

O apóstolo Paulo escreveu à igreja de Corinto incentivando seus membros a levantar uma oferta financeira para os cristãos de Jerusalém, que passavam por grandes dificuldades. Conforme cresciam na fé, os coríntios desejavam se destacar no "generoso ato de contribuir". Naturalmente ele estava se referindo a dinheiro. Mas o princípio inerente é similar. Esses cristãos expressaram amor por Cristo e pelos irmãos mediante a contribuição, ao passo que podemos expressar o amor que temos pelo cônjuge por meio dos mesmos atos altruístas e atenciosos. Ao fazer isso, você estará no caminho para aprender a arte de presentear.

ORAÇÃO

Senhor Jesus, quero ser um presenteador generoso, pois sei que os presentes comunicam amor a meu cônjuge. Mostra-me como ser cuidadoso e amoroso na escolha dos presentes. Que o prazer da pessoa a quem amo seja minha motivação e meu objetivo. Obrigado por teu exemplo de se entregar tão generosamente a nós.

APLICAÇÃO

27 — OUTUBRO
DEVOCIONAL 300

Expressando amor por meio de presentes

> A pessoa que promete um presente, mas não o entrega, é como nuvens e ventos que não trazem chuva.
>
> PROVÉRBIOS 25.14

ORAÇÃO

Pai, não quero desapontar meu cônjuge com boas intenções que não levam a nada. Ajuda-me a persistir na questão de dar presentes que sejam significativos. Que meus esforços sirvam de reafirmação do amor que sinto por ele.

APLICAÇÃO

Já ouvi e você também já ouviu isto: "O que vale é o sentimento". Mas quero lembrá-lo de que não é o pensamento guardado na cabeça que vale. Em vez disso, o que vale é o presente que surge do pensamento que está na cabeça! Boas intenções não bastam. O provérbio acima nos dá uma descrição até certo ponto cômica de alguém que promete um presente, mas não o entrega: ele é como "nuvens e ventos que não trazem chuva". Se os presentes são importantes para seu cônjuge, continue persistindo.

Os presentes podem ter todo tamanho, cor e forma. Alguns são caros, outros são gratuitos. Para a pessoa cuja principal linguagem do amor são presentes, o custo de um presente terá pouca importância, a não ser que esteja muito fora daquilo que você pode pagar.

Os presentes podem ser comprados, encontrados ou feitos. O marido que colhe uma flor silvestre encontrou uma maneira de expressar amor (a não ser que a esposa seja alérgica a flores!). Você pode comprar um cartão por alguns trocados ou pode fazer um bem simples sem gastar nada. Dobre uma folha de papel ao meio; com uma tesoura, recorte na forma de um coração; escreva "eu te amo" e assine seu nome. Os presentes não precisam ser caros. Até mesmo uma barra de chocolate ou uma quinquilharia comprada no supermercado pode colocar um sorriso na face de seu cônjuge. Esse é o pensamento que realmente vale.

Honestidade amorosa

> Justiça e retidão são os alicerces do teu trono, amor e verdade vão à tua frente.
>
> SALMOS 89.14

Um marido me disse: "Minha esposa é muito frágil na questão emocional e não quero feri-la, de modo que guardo todos os sentimentos dentro de mim. Mas às vezes acho que vou explodir". Você acha que esse marido está fazendo um favor à esposa? Suas intenções podem ser boas, mas a meu ver ele está destruindo o casamento.

O salmo 89 cita "amor e verdade" como duas das mais destacadas características de Deus. Quando a verdade é ignorada, o amor é comprometido. A Bíblia também diz que devemos falar a verdade em amor — e fazer isso nos ajuda a sermos cada vez mais semelhantes a Cristo (Ef 4.15). Estes dois pontos são importantes: 1) fale a verdade e 2) faça isso com amor.

Lembre-se que o amor edifica. O amor fortalece. O amor procura fazer o que é melhor para a outra pessoa. Reter as frustrações, mágoas e dores dentro de si não é bom para seu cônjuge nem para o casamento. Na verdade, isso é extremamente injusto, pois exclui a outra pessoa. Seu cônjuge não pode responder à sua dor se não tiver consciência dela.

Se você estiver nessa situação, então pode dizer: "Querida, eu a amo muito e percebo que a prejudiquei ao não lhe contar isso antes. Não queria magoá-la, mas isso não é desculpa. Por favor, ouça-me. Não estou querendo criticá-la; só quero que você saiba como me sinto". Então diga a verdade sobre suas emoções. Agora seu cônjuge tem uma chance de ajudar. Você pode se surpreender com a reação.

ORAÇÃO

Pai, obrigado por nos mostrares por meio de tua Palavra que a verdade e o amor são inerentes à tua natureza — e que devem ser inerentes à nossa também. Quando retenho a verdade por não querer machucar meu cônjuge, muitas vezes estou enganando a mim mesmo acerca de minha motivação. Ajuda-me a falar honestamente, mas de modo amável enquanto tento amar meu cônjuge o bastante para me comunicar com clareza.

APLICAÇÃO

Combatendo os mitos do casamento

> Então conhecerão a verdade, e a verdade os libertará.
>
> JOÃO 8.32

ORAÇÃO

Senhor Deus, obrigado pela verdade de tua Palavra, que contra-ataca as mentiras nas quais por vezes acreditamos. Ajuda-me a apegar-me às tuas verdades — que mudanças podem acontecer, que não existe algo sem conserto, que tu desejas o bem para meu casamento. Transforma-me, Senhor, e dá-me um amor transformador por meu cônjuge.

APLICAÇÃO

Quero falar sobre quatro mitos que muitas vezes destroem nossa motivação para melhorar o casamento. Se acreditar nesses mitos, serei transformado num cativo, mas as paredes da minha prisão serão feitas de papel. Elas podem me prender se eu acreditar que são fortes demais para que as rompa. Jesus disse a seus ouvintes que, quando conhecêssemos a verdade, ela nos libertaria. Podemos ser libertos desses mitos quando os enfrentarmos com a verdade.

Mito número 1: Meu estado mental e a qualidade de meu casamento são determinados pelo ambiente em que me encontro.

Verdade: Deus pode dar paz de espírito a você mesmo em meio às piores situações (Jo 14.27). Posso ser instrumento de Deus para melhorar meu casamento.

Mito número 2: As pessoas não mudam.

Verdade: As pessoas podem mudar todos os dias, às vezes radicalmente. Deus é especialista em mudança de vidas (2Co 5.17).

Mito número 3: Em um casamento ruim, existem apenas duas opções: resignar-me a uma vida infeliz ou sair do casamento.

Verdade: Você pode ser um agente de mudança positiva em seu casamento (Rm 12.2).

Mito número 4: Algumas situações não têm conserto.

Verdade: Com Deus, nenhuma situação é sem conserto (Rm 15.13). Ele é o Deus dos milagres. Concentre os olhos nele em vez de focalizar apenas a situação.

Removendo o tronco

30 OUTUBRO

DEVOCIONAL 303

> Não julguem para não serem julgados, pois vocês serão julgados pelo modo como julgam os outros. O padrão de medida que adotarem será usado para medi-los. Por que você se preocupa com o cisco no olho de seu amigo enquanto há um tronco em seu próprio olho? [...] Primeiro, livre-se do tronco em seu olho; então você verá o suficiente para tirar o cisco do olho de seu amigo.
>
> MATEUS 7.1-3,5

É fácil identificar as falhas do parceiro, mas muito difícil admitir as próprias falhas. Quando um casal me procura em busca de aconselhamento, costumo dar a cada um deles uma folha de papel e pedir que façam uma lista das falhas do cônjuge. Eles escrevem freneticamente por dez ou quinze minutos. Alguns chegam a pedir mais papel.

Então peço que façam uma lista de suas próprias falhas. A maioria das pessoas consegue pensar em apenas uma. Mas vejo que ficam sentados lá tentando pensar numa segunda. Raramente alguém volta ao gabinete com mais de quatro coisas naquela lista. Enxergamos 27 coisas erradas no cônjuge, mas colocamos apenas quatro em nossa própria lista.

Tendemos a ver a nós mesmos através de lentes cor-de-rosa. Nossas falhas não parecem muito grandes porque estamos acostumados a elas. Já estão conosco há anos. É natural, portanto, que o problema real seja atribuído ao comportamento do cônjuge. Mas Jesus nos advertiu a não julgar uns aos outros, porque o nível de crítica que usarmos contra os outros será usado contra nós — muito provavelmente por nosso cônjuge! Ele nos disse para primeiramente tirar o tronco do próprio olho. Tendo feito isso, conseguiremos ver mais claramente para poder ajudar o parceiro a lidar com suas falhas.

Quando a questão é buscar reconciliação genuína com o cônjuge, admitir as próprias falhas é o primeiro passo.

ORAÇÃO

Senhor Jesus, fico envergonhado diante da frequência com que critico meu cônjuge, sem parar para pensar nas minhas próprias falhas. Perdoa-me por meu espírito julgador. Ajuda-me a lidar com minhas próprias questões antes de jogar a culpa em meu cônjuge. Ajuda-me a expressar amor, paciência e bondade a ele, em vez de lançar críticas.

APLICAÇÃO

Irado com Deus

31 OUTUBRO — DEVOCIONAL 304

> O Senhor está perto dos que têm o coração quebrantado e resgata os de espírito oprimido.
>
> SALMOS 34.18

ORAÇÃO

Pai, quando estou irado contigo, costumo descontar em meu cônjuge, muito embora saiba que isso não é correto. Perdoa-me e ajuda-me a tratar a pessoa a quem amo com bondade, mesmo em meio à desordem emocional. Agradeço porque és suficientemente grande para lidar com todas as minhas emoções, até mesmo a ira.

APLICAÇÃO

Talvez não falemos muito sobre isso, mas o fato é que nós, cristãos, às vezes nos irritamos com Deus quando concluímos que ele nos tratou injustamente. É comum isso acontecer depois de uma situação difícil, como quando uma criança recebe o diagnóstico de uma doença grave ou nasce com uma anomalia física ou mental. Se essa ira não for devidamente tratada, com certeza provocará discórdia conjugal. Por quê? Não nos sentimos confortáveis para expressar nossa ira a Deus, de modo que a expressamos ao cônjuge. Nosso cônjuge se sentirá maltratado quando a situação não tiver sido culpa dele. Como resultado, o cônjuge também ficará irado. Duas pessoas iradas não formam um bom casamento.

Se acha que Deus foi injusto com você, deixe-me incentivá-lo a levar sua ira diretamente a ele. Você não precisa ter vergonha de suas emoções; pode abrir o coração livremente a Deus. Você não o chateará, e sua ira não o pegará de surpresa.

Durante um período de sofrimento intenso, Jó quis saber por que passava por aquilo. Ele levou suas perguntas a Deus, Deus o ouviu e, por fim, respondeu. Deus não explicou tudo; de fato, respondeu com mais perguntas do que respostas. Contudo, Jó teve a garantia de que Deus estava presente, que o ouviu e que estava no controle total da situação. Jó respondeu maravilhado: "Antes, eu só conhecia de ouvir falar; agora, eu te vi com meus próprios olhos" (Jó 42.5). Com frequência, ao expressar nossa ira a Deus, ele nos conforta por meio da renovação de nossa perspectiva.

O Senhor conhece seu coração e quer caminhar com você através de sua dor. Como o salmo 34 nos lembra, ele está perto dos que têm o coração quebrantado. O primeiro passo para encontrar cura é admitir diante dele que você está irado.

Motivado pela necessidade

1º NOVEMBRO

DEVOCIONAL 305

> Por isso, agora eu lhes dou um novo mandamento: Amem uns aos outros. Assim como eu os amei, vocês devem amar uns aos outros.
>
> JOÃO 13.34

Nunca seremos capazes de abordar os verdadeiros problemas de um relacionamento se não entendermos o que motiva o comportamento da outra pessoa. Nosso comportamento é totalmente motivado por necessidades interiores, incluindo a necessidade de amor.

Barb reclama que seu marido não tem tempo para ela. Ela ergue a voz e lhe faz discursos irados, acusando-o de não se importar com ela. Às vezes essas broncas funcionam, e Bob, seu marido, senta-se e conversa com ela — mas normalmente fica ressentido. Como as interações entre eles seriam melhores se Bob entendesse que a principal linguagem do amor de Barb é tempo de qualidade e fizesse um esforço para falar com ela regularmente! Atender à necessidade que ela tem de amor poderia eliminar seu comportamento negativo.

Como cristãos, somos chamados a amar uns aos outros como Cristo nos ama. Esse é o "novo mandamento" que Jesus deu a seus discípulos em João 13, o que não é uma ordem fácil de cumprir. Mas uma maneira de alcançar esse padrão é manter a paciência mesmo quando formos provocados. Amar o cônjuge com um amor como o de Cristo significa olhar para o coração da pessoa a quem amamos. Aprender a identificar a necessidade emocional que está por trás do comportamento do cônjuge — em vez de apenas discutir por causa dos sintomas — é um grande passo para exercer influência positiva num relacionamento que, de outra maneira, seria muito difícil. Não reclame do comportamento; aborde a necessidade.

ORAÇÃO

Pai, quando eu for tentado a reagir negativamente ou atacar, ajuda-me a ter paciência para enxergar além da maneira de agir da pessoa a quem amo. Peço-te sabedoria para ver as necessidades por trás das ações e graça para satisfazer essas necessidades.

APLICAÇÃO

NOVEMBRO 2

DEVOCIONAL 306

Abrindo espaço para a liberdade

> Vocês, irmãos, foram chamados para viver em liberdade. Não a usem, porém, para satisfazer sua natureza humana. Ao contrário, usem-na para servir uns aos outros em amor.
>
> GÁLATAS 5.13

ORAÇÃO

Senhor, obrigado por nos libertares! Ajuda-me a usar minha liberdade de maneira amorosa. Também não permitas que eu limite a liberdade de meu cônjuge. Ajuda-nos a amar e a servir um ao outro sem reservas.

APLICAÇÃO

Ontem conversamos sobre a necessidade emocional do amor. Outra necessidade emocional profunda que possuímos é a de liberdade. No casamento, queremos ser livres para expressar sentimentos, pensamentos e desejos. Queremos a liberdade de fazer escolhas. Até fazemos coisas um pelo outro, mas não queremos ser manipulados nem forçados. Se sentirmos que estamos sendo controlados, ficamos na defensiva e nos irritamos.

A liberdade nunca deve ser absoluta. Liberdade sem limites não é uma vida de amor. Em Gálatas 5, o apóstolo Paulo enfatiza que os cristãos são livres em Cristo. Livres da lei e do pecado, livres para ser a pessoa que Deus deseja que sejamos. Contudo, ele nos incentiva a usar essa liberdade para servir uns aos outros em amor. Não fazemos isso por culpa ou manipulação, mas por escolha. O amor escolhe buscar os interesses da pessoa amada.

Quando nos dermos conta de que todas as pessoas têm essa necessidade, daremos ao cônjuge a liberdade de fazer escolhas. Faremos pedidos, não exigências. Expressaremos nossa opinião, mas também ofereceremos a liberdade de discordar. Amor e liberdade são dois elementos-chave de um casamento saudável.

Lidando com o vício em trabalho

> O Senhor declarou hoje que vocês são seu povo, sua propriedade especial, conforme ele havia prometido.
>
> DEUTERONÔMIO 26.18

Seu cônjuge é *workaholic*? Se é, você precisa entender que o desejo de se sentir importante é uma das necessidades emocionais básicas que motiva algumas pessoas. Muitos *workaholics* não percebem que sua verdadeira importância vem do fato de serem filhos de Deus e de praticarem os planos que ele tem para nós. Afinal de contas, Deuteronômio 26 nos diz que os filhos de Deus são sua "propriedade especial". Nosso Pai celestial nos ama não por causa do que somos ou por algo que fazemos, mas porque ele nos criou. Não podemos fazer nada para aumentar ou diminuir nosso valor a seus olhos.

Os *workaholics* tendem a se esquecer disso. Como resultado, fazem todos os esforços para ser bem-sucedidos no trabalho e frequentemente negligenciam até mesmo os relacionamentos mais próximos. Talvez o pai de um homem tenha dito: "Você nunca será nada na vida" e, assim, ele passa a vida inteira tentando provar que o pai estava errado. É um ciclo amargo e infindável.

Se você for casado com um *workaholic*, não amaldiçoe o trabalho de seu cônjuge. Em vez disso, faça elogios, expresse admiração e dê incentivo. Diga que sente muito orgulho. Quanto mais elogios fizer e quanto mais valorizar seu cônjuge pelo que ele é, e não pelo que ele faz, maior será a possibilidade de seu parceiro *workaholic* passar mais tempo longe do trabalho e junto de você.

ORAÇÃO

Pai, obrigado por nos amares e nos valorizares incondicionalmente. Ajuda-me a lembrar que minha importância maior vem somente de ti, não de qualquer coisa que eu possa realizar. Ajuda-me a comunicar isso a meu cônjuge também.

APLICAÇÃO

Tempo de qualidade para os filhos

> O Senhor é como um pai para seus filhos, bondoso e compassivo para os que o temem.
>
> SALMOS 103.13

ORAÇÃO

Deus Pai, obrigado por sempre estares disponível a mim. Ajuda-me a satisfazer essa necessidade de meus filhos também. Dá-me paciência e sabedoria para parar aquilo que estiver fazendo e dar atenção total a meus filhos. Ajuda-me a dizer-lhes o que significam para mim — e também para ti.

APLICAÇÃO

Já ouvimos muita coisa sobre tempo de qualidade nos últimos anos. Com agendas cheias, um número cada vez maior de famílias em que ambos os pais trabalham e tantos pais solteiros, estamos todos pressionados pelo tempo. Mas, enquanto os adultos falam sobre tempo de qualidade, os filhos estão sofrendo a falta dele. O fato é que, se você tem filhos, já deve ter percebido que muito do mau comportamento deles é na verdade um clamor por tempo de qualidade. Para a criança, até uma atenção negativa parece melhor que nenhuma atenção.

Ainda bem que nunca precisamos partir para o comportamento negativo para ter a atenção de Deus. O salmo 103 compara o Senhor ao melhor tipo de pai, cheio de ternura e compaixão por seus filhos. Quando falamos, ele ouve. Quando chamamos, ele está presente. Esse é um grande exemplo de tempo de qualidade.

Tempo de qualidade significa dar à criança atenção total. Somos forçados a fazer isso quando eles são pequenos, mas, à medida que ficam maiores, deixamos que outras responsabilidades nos afastem deles. Quero desafiá-lo a separar um tempo para olhar seus filhos nos olhos, ouvir quando eles falarem, fazer-lhes perguntas e comunicar-lhes a mensagem: "Vocês são importantes para mim". É um tempo bem investido. Um relacionamento mais próximo com seus filhos também beneficiará o casamento.

Contando histórias

5 NOVEMBRO
DEVOCIONAL 309

> Gravem estas minhas palavras no coração e na mente. [...] Ensinem-nas a seus filhos. Conversem a respeito delas quando estiverem em casa e quando estiverem caminhando, quando se deitarem e quando se levantarem.
>
> DEUTERONÔMIO 11.18-19

Toda criança gosta de histórias. Quando são pequenas, lemos para elas, e com frequência a história leva a conversas animadas. As histórias estimulam as emoções. Perguntar à criança: "Como você se sente diante disso?" é uma maneira de ajudá-la a expressar as emoções. As crianças também gostam de ouvir sobre a infância dos pais. Pais e avós dão à criança o senso de pertencer à história da família quando compartilham tais histórias.

Se você tem filhos, lembre-se que ler e contar histórias é uma maneira de oferecer tempo de qualidade à criança. Por uns breves momentos, a criança tem sua total atenção. Se essa for a principal linguagem do amor da criança, então nada terá maior impacto para que ela se sinta amada. Quando satisfaz a necessidade de amor da criança, você está lançando o fundamento para um futuro brilhante.

A Bíblia também enfatiza que contar histórias da fé é uma maneira importante de falar com seus filhos sobre Deus. Quer contemos eventos da Bíblia, quer compartilhemos como Deus tem trabalhado em nossa vida hoje, podemos estabelecer um alicerce sólido de fé, ao mesmo tempo que passamos momentos importantes com nossos filhos. Toda a família será beneficiada.

ORAÇÃO

Senhor Deus, existem tantas coisas que quero comunicar a meus filhos. Ajuda-me a reservar o tempo necessário para conversar, conectar-me, contar histórias e especialmente ensinar sobre ti. Ajuda-me e a meu cônjuge a sermos bons parceiros na criação dos filhos também.

APLICAÇÃO

NOVEMBRO 6

DEVOCIONAL 310

Relacionamento de aliança

> Deus nos prova seu grande amor ao enviar Cristo para morrer por nós quando ainda éramos pecadores.
>
> ROMANOS 5.8

ORAÇÃO

Senhor Jesus, obrigado por me amares quando não posso oferecer nada em troca. Ajuda-me a amar meu cônjuge da mesma maneira: livre e plenamente, aconteça o que acontecer.

APLICAÇÃO

Quando casou, você assinou um contrato ou fez uma aliança? Ao assinar o financiamento de um imóvel, o banco lhe empresta o dinheiro *contanto que* você concorde em fazer os pagamentos mensais. Pare de fazer os pagamentos e o banco executará a hipoteca de sua casa para receber o dinheiro de volta.

Muitos casais têm a mesma atitude em relação ao casamento. Eles podem dizer: "Vou amá-lo e ser-lhe fiel se você me amar e me for fiel". Essa não é a visão bíblica do casamento. Biblicamente o casamento é uma aliança, não um contrato. O casamento como aliança tem como base o amor incondicional — amar não importa o que aconteça.

Deus é o autor do amor incondicional. Em Romanos 5, o apóstolo Paulo nos lembra que Deus nos amou e se sacrificou por nós quando ainda éramos pecadores, não merecedores e ingratos. O profeta Isaías chega até mesmo a comparar nossos melhores esforços a "trapos imundos" (64.6). Não temos nada a oferecer a Deus, mas ele nos ama mesmo assim. Amar aquele que é difícil de ser amado é a marca registrada de Deus. Também é a chave para um casamento bem-sucedido.

O poder do perdão

> Enquanto me recusei a confessar meu pecado, meu corpo definhou, e eu gemia o dia inteiro. [...] Finalmente, confessei a ti todos os meus pecados e não escondi mais a minha culpa. Disse comigo: "Confessarei ao Senhor a minha rebeldia", e tu perdoaste toda a minha culpa.
>
> SALMOS 32.3,5

O filme clássico da década de 1970 intitulado *Love Story* nos lembra que o amor verdadeiro nunca precisa dizer "Sinto muito". Não creio que isso seja certo, por uma simples razão: todos nós somos humanos, e seres humanos não são perfeitos. Todo mundo acaba ferindo a pessoa a quem mais ama. Um bom casamento não exige perfeição, mas sim que peçamos perdão ao errar.

Quando digo "Sinto muito", expresso arrependimento pelo fato de minhas palavras ou meu comportamento terem provocado dor à outra pessoa. É uma orientação básica para se dar bem com os outros. Também reflete a verdade espiritual de que, para receber perdão, precisamos antes de tudo admitir o que fizemos. Ignorar nosso pecado não o faz desaparecer, como o rei Davi experimentou antes de escrever as palavras do salmo 32. De fato, ignorar o pecado faz que nos sintamos ainda pior. Mas, quando expressamos arrependimento por nosso erro e pela ferida que ele causou, abrimos caminho para o perdão e a reconciliação. Isso é verdadeiro no relacionamento com Deus e também em nosso casamento.

Quando foi a última vez que você disse "Sinto muito" a seu marido ou a sua esposa? Se já faz tempo, então provavelmente você lhe deve um pedido de desculpa. Amar significa estar sempre disposto a dizer "Sinto muito".

ORAÇÃO

Deus, às vezes é difícil humilhar-me a ponto de dizer um simples "Sinto muito". Ajuda-me a não supor que meu cônjuge sempre me perdoará, mas a estar disposto a admitir quando estiver errado.

APLICAÇÃO

8

NOVEMBRO

DEVOCIONAL 312

Além do "sinto muito"

> O ouvido prova as palavras que ouve, assim como a língua distingue os sabores.
>
> JÓ 12.11

ORAÇÃO

Senhor, muitas vezes preciso percorrer uma milha a mais para fazer a compensação. Ajuda-me a mostrar a meu cônjuge que sou sincero e desejo fazer o que é certo. Dá-me disposição para buscar a reconciliação de que nosso relacionamento precisa.

APLICAÇÃO

Talvez você tenha dito "Sinto muito", mas seu cônjuge esteja com dificuldades de perdoá-lo. Você pode se sentir frustrado e dizer a si mesmo: "Já pedi perdão. O que mais posso fazer?". Se está falando sério, vou lhe dizer. Faça a seu cônjuge esta pergunta: "O que posso fazer para consertar a situação?". Ou então: "Sei que magoei você e me sinto mal por isso, mas quero corrigir o que fiz. Quero fazer algo que demonstre meu amor por você".

Isso é bem mais poderoso do que simplesmente dizer "Sinto muito". Por quê? Porque às vezes as palavras não significam muito até que sejam apoiadas por ações. Jó, personagem do Antigo Testamento, já tinha ouvido palavras demais de seus amigos, que tentavam encontrar sentido para seu terrível sofrimento. Mas muito do que eles disseram estava errado, e, na passagem acima, Jó diz que examinava as palavras deles para determinar se eram verdadeiras. Todos nós fazemos a mesma coisa: testamos as palavras para ver se são genuínas e se existe possibilidade de serem seguidas por ações.

Para poder estabelecer confiança, você precisa mostrar que suas palavras são genuínas. Quando pergunta ao cônjuge qual a maneira de acertar a situação, você está tentando fazer uma restituição. Está demonstrando que de fato se importa com o relacionamento. Afinal, o cônjuge quer saber se seu pedido de perdão é sincero. Esforce-se para que sua resposta seja clara.

Ouvindo para construir intimidade

NOVEMBRO 9
DEVOCIONAL 313

> Ouçam com atenção! Pois ao que tem, mais lhe será dado, mas do que não tem, até o que pensa ter lhe será tomado.
>
> LUCAS 8.18

Construir intimidade é um processo, não um evento. Não obtemos intimidade e a mantemos na prateleira como um troféu para o resto da vida. A intimidade é dinâmica, não estática. O segredo para manter a intimidade é a comunicação.

A comunicação envolve dois elementos simples: autorrevelação e atenção. Uma pessoa conta à outra seus pensamentos, sentimentos e experiências (autorrevelação) enquanto a outra ouve com atenção a fim de entender o que o cônjuge está pensando e sentindo. O processo então se inverte, e o orador torna-se o ouvinte. O simples ato de falar e ouvir mantém a intimidade.

Se basta apenas isso, qual é o problema? Ele se chama egoísmo. Com muita frequência paramos de ouvir e começamos a pregar. Quando os dois parceiros pregam, nenhum pregador tem plateia. Quando cansamos de conversar um com o outro, nós nos afastamos em ressentimento silencioso. Jamais conseguiremos voltar à intimidade até que peçamos perdão e perdoemos um ao outro pelo egoísmo.

Jesus falou sobre ouvir, como constatamos em Lucas 8.18. Quando ouvimos atentamente, disse ele, recebemos mais entendimento. Mas, quando não damos atenção, perdemos até mesmo o entendimento que já possuíamos. Essa é a razão por que ouvir é tão importante para a construção da intimidade.

◯ ORAÇÃO

Pai, preciso ser um ouvinte melhor, tanto daquilo que tu dizes quanto do que meu cônjuge fala. Ajuda-me a deixar a mente e a boca em repouso quando for a vez de meu cônjuge falar. Dá-me mais entendimento de modo que possa construir maior intimidade.

◯ APLICAÇÃO

NOVEMBRO 10

DEVOCIONAL 314

Favoritismo na família

> Deus não age com favoritismo.
>
> ROMANOS 2.11

ORAÇÃO

Pai, obrigado por não mostrares favoritismo. Tu recebes todo aquele que te busca. Ajuda-me a tratar meus pais e sogros com igual honra e respeito e a garantir que meu cônjuge e eu usemos nosso tempo de forma imparcial. Dá-nos tua graça ao discutirmos essas questões.

APLICAÇÃO

Como podemos *deixar* os pais depois de casados e ao mesmo tempo *honrá-los*? Isso pode se tornar um problema porque, naturalmente, há dois conjuntos de pais envolvidos na vida de um casal. Alguns problemas podem surgir, especialmente nos feriados. Talvez a mãe da esposa queira que o casal venha à casa dela na véspera de Natal, e a mãe do marido queira que eles estejam presentes no almoço natalino. Isso pode ser possível se as duas famílias viverem na mesma cidade, mas não se morarem a oitocentos quilômetros de distância.

O princípio orientador deve ser a igualdade. O texto de Romanos 2.11 diz que Deus não mostra favoritismo. Nessa passagem em particular, o apóstolo Paulo lembra aos leitores que Deus não faz distinção entre os cristãos de origem judaica ou gentia, mas é certo que a imparcialidade de Deus também se estende a outros grupos. Ele é nosso modelo. Devemos tratar os pais de ambos os cônjuges da mesma maneira. Isso pode significar passar o Natal aqui neste ano e ali no ano que vem, ou o Natal com uma família e o Ano Novo com outra. O mesmo princípio se aplica a ligações telefônicas, *e-mails*, visitas, jantares e férias.

Você não é responsável pela felicidade de seus pais; isso será determinado pela atitude deles. Você está simplesmente tentando mostrar honra e respeito tanto a seus próprios pais quanto aos pais do cônjuge. Ao fazer isso, você terá seguido a prescrição bíblica: "Honre seu pai e sua mãe" (Êx 20.13).

Lidando com conselhos

> Obtenha todo conselho e instrução que puder, e você será sábio para o resto da vida.
>
> PROVÉRBIOS 19.20

Esta é uma pergunta que costumo ouvir como conselheiro: "Nosso primeiro filho nasceu há pouco tempo, e minha mãe insiste em que façamos coisas que contradizem nossas opções na criação dos filhos. Não quero magoá-la. O que devemos fazer?". Sempre é bom começar tendo em mente que as intenções de sua mãe (ou sogra) são boas. Dê-lhe crédito por tentar ajudá-la. De fato, algumas das ideias podem ser excelentes, de modo que você não deve descartá-las simplesmente porque vêm de sua mãe.

Lembre-se que o livro de Provérbios elogia aqueles que buscam conselhos e instruções. Quando o assunto é a criação de filhos, o conhecimento e as ideias de outras pessoas, sejam dos pais sejam de um livro, normalmente são benéficas. Em contrapartida, não deixe sua mãe controlar suas escolhas na criação dos filhos. Você e seu cônjuge são responsáveis por criá-los.

Sugiro que escute as ideias de sua mãe e agradeça por compartilhá-las com você. Então você e seu cônjuge farão o que acharem melhor para seu filho. Se sua mãe ficar chateada porque você não seguiu os conselhos dela, diga: "Entendo, mamãe, e realmente aprecio seu conselho, mas devemos fazer o que achamos melhor para nosso filho. Foi o que você e papai fizeram, certo? Acho que você fez um ótimo trabalho comigo".

Sua mãe pode não ficar feliz, mas aprenderá a se afastar e esperar até que você lhe peça conselhos — o que, por sinal, seria uma atitude sábia de sua parte.

ORAÇÃO

Deus, obrigado pelos filhos que nos deste para criar. Obrigado também pelos pais amorosos e preocupados que temos. Pedimos sabedoria para examinar os conselhos e tomar decisões sábias na criação de nossos filhos.

APLICAÇÃO

NOVEMBRO 12

DEVOCIONAL 316

Crescimento pessoal

> Tu formaste o meu interior e me teceste no ventre de minha mãe. Eu te agradeço por me teres feito de modo tão extraordinário; tuas obras são maravilhosas, e disso eu sei muito bem.
>
> SALMOS 139.13-14

ORAÇÃO

Senhor Jesus, preciso de tua ajuda para que eu possa me ver da maneira correta. Sei que me criaste segundo a tua imagem; contudo, falho constantemente. Preciso reconhecer minhas forças e fraquezas e trabalhar para ser como tu desejas que eu seja. Quero crescer pessoalmente de modo que também possa me tornar um cônjuge melhor.

APLICAÇÃO

As três principais razões de fracasso dos casamentos são: 1) ausência de relacionamento íntimo com Deus, 2) ausência de relacionamento íntimo com o cônjuge, e 3) ausência de compreensão íntima e aceitação de si mesmo. Nos próximos dias, quero abordar a última razão.

A maioria de nós tende a subestimar ou superestimar seu valor. Vemo-nos como fracassados inúteis ou como a dádiva de Deus ao mundo. Ambos os extremos estão errados. Na realidade, cada pessoa na terra é um milagre da obra de Deus e foi criada "de modo tão extraordinário", como o salmista disse acima. Ao mesmo tempo, todo habitante da terra pecou e está aquém da glória de Deus (Rm 3.23). Nenhum de nós é digno por causa de algo que tenha feito, mas, pelo contrário, somos valiosos porque o Senhor nos criou e nos salvou.

A verdade é que seu padrão de sentimentos, pensamentos e comportamento, que é a sua personalidade, possui tanto forças como fraquezas. O primeiro passo para extrair o máximo de si mesmo é identificar os pontos fortes e canalizá-los para ações produtivas. A seguir, identifique as fraquezas e procure crescer. O crescimento pessoal provavelmente se refletirá em seu casamento.

Transformado pelo Espírito Santo

13 NOVEMBRO
DEVOCIONAL 317

> Deixem que o Espírito renove seus pensamentos e atitudes e revistam-se de sua nova natureza, criada para ser verdadeiramente justa e santa como Deus.
>
> EFÉSIOS 4.23-24

Sua personalidade é uma vantagem ou uma desvantagem para seu casamento? A maioria dos traços de personalidade é expressa por meio de palavras contrastantes. Dizemos que um indivíduo é otimista ou pessimista, crítico ou incentivador, extrovertido ou introvertido, paciente ou impaciente. Embora a personalidade seja desenvolvida na infância, ela não está fixada em concreto. Podemos mudar.

Se eu perceber que minha tendência a me retirar e a permanecer em silêncio é prejudicial ao casamento, posso aprender a compartilhar meus sentimentos e ideias. Se notar que minha atitude crítica está matando o espírito de meu cônjuge, posso romper o padrão e aprender a fazer elogios. A mensagem da Bíblia é que Deus nos ama como somos, mas ele nos ama demais para nos deixar como somos. Todos nós precisamos crescer, e o crescimento exige mudanças. Sou influenciado por minha personalidade, mas não preciso ser controlado por ela. Em vez disso, devo ser controlado pelo Espírito Santo. O capítulo 4 de Efésios trata da ação do Espírito em nossa vida. Ele trabalhará em nós, mas precisamos deixá-lo fazer isso. Quando me entregar a ele, verei mudanças significativas na maneira como encaro a vida e o casamento.

ORAÇÃO

Espírito Santo, por meio do teu poder, sei que podes me transformar. Quero ser renovado. Quero ser mais semelhante a Jesus. Ajuda-me a entregar tudo a ti. Quero colher os benefícios em minha vida e em meu casamento.

APLICAÇÃO

NOVEMBRO 14
DEVOCIONAL 318

Olhando para a frente

> Esquecendo-me do passado e olhando para o que está adiante, prossigo para o final da corrida, a fim de receber o prêmio celestial para o qual Deus nos chama em Cristo Jesus.
>
> FILIPENSES 3.13-14

ORAÇÃO

Pai, obrigado pelo exemplo de Paulo de seguir adiante, deixando o passado para trás. Tu sabes que há coisas que eu gostaria de mudar, coisas que fiz bem como coisas que fizeram a mim. Entrego todas elas a ti. Ajuda-me a aceitar teu perdão e consolo e, então, seguir em frente, olhando para o futuro. Que isso inclua um casamento forte!

APLICAÇÃO

O crescimento pessoal leva ao crescimento conjugal. O crescimento pessoal pode vir de muitas maneiras, incluindo o tratamento de sentimentos de inferioridade e superioridade ou a compreensão de nossa personalidade e seu impacto sobre o casamento. Hoje quero abordar a necessidade de aceitar as coisas a nosso respeito que não podem ser mudadas.

Talvez o fator imutável de maior influência em sua vida seja sua história. Por definição, ela não pode ser mudada. Nossos pais, para o bem ou para o mal, mortos ou vivos, conhecidos ou desconhecidos, são nossos pais. Sua infância, agradável ou dolorosa, é sua infância e é história. Seu casamento ou relacionamentos passados se encaixam na mesma categoria. Sejam quais forem as circunstâncias, é inútil pensar: "Jamais deveríamos ter-nos casado". O fato não pode ser mudado. Pode haver um divórcio, geralmente com grande dor, mas você jamais poderá apagar seu casamento. Sua história não pode ser mudada, mas apenas aceita e trabalhada.

O apóstolo Paulo tinha um passado que gostaria de ter apagado. Sendo um fariseu, ele perseguiu zelosamente os cristãos, lançando alguns na prisão. Houve uma mudança completa quando ele próprio passou a crer, tornando-se por fim o missionário mais bem conhecido da igreja primitiva. Ele realizou muito para o reino de Deus — contudo, sempre precisou lidar com as lembranças do passado. Fica claro por esses versículos de Filipenses que Paulo fazia isso principalmente ao olhar para a frente, para o futuro. A mesma coisa deve acontecer conosco. Devemos confessar nossos erros, aceitar o perdão de Deus e, então, seguir adiante. Ao aceitar o passado e concentrar-se no futuro, você está se movendo na direção de um casamento sadio.

O poder do amor

15 NOVEMBRO

DEVOCIONAL 319

> Portanto, como filhos amados de Deus, imitem-no em tudo que fizerem. Vivam em amor, seguindo o exemplo de Cristo, que nos amou e se entregou por nós como oferta e sacrifício de aroma agradável a Deus.
>
> EFÉSIOS 5.1-2

No contexto do casamento, se não nos sentirmos amados, nossas diferenças aumentarão. Passamos a ver o outro como ameaça à nossa felicidade. Brigamos por autoestima e importância, e o casamento se torna um campo de batalha em vez de um porto seguro.

O amor não é a resposta para todos os problemas, mas cria um clima de segurança no qual podemos procurar respostas para as questões que nos perturbam. Na segurança do amor, um casal pode discutir suas diferenças sem temer a condenação. Os conflitos podem ser resolvidos. Duas pessoas diferentes podem aprender a viver juntas em harmonia e a descobrir como extrair o melhor uma da outra. Essas são as recompensas do amor.

O amor é de fato a força mais poderosa do mundo. Foi o amor que levou Cristo a dar a vida por nós. Temos vida eterna por causa de seu amor, e isso também nos dá uma oportunidade de amar uns aos outros como seus representantes. Em Efésios 5, o apóstolo Paulo nos incentiva a seguir o exemplo de Cristo e viver uma vida de amor. O casamento funciona melhor quando os dois parceiros se sentem genuinamente amados. A decisão de amar o cônjuge possui enorme potencial, e aprender sua principal linguagem do amor transforma esse potencial em realidade.

ORAÇÃO

Pai, obrigado pelo poder transformador do amor. Teu amor por mim me dá tantas coisas: autoestima, propósito e vida eterna. Que eu aprenda a imitar-te no amor que dedico à minha esposa, e que esse amor leve a uma unidade ainda maior.

APLICAÇÃO

16
NOVEMBRO
DEVOCIONAL 320

O dialeto do toque

> Vocês, maridos, honrem sua esposa. Sejam compreensivos no convívio com ela.
>
> 1PEDRO 3.7

ORAÇÃO

Pai, obrigado pela dádiva do toque físico. Quero usá-lo para comunicar meu amor. Ajuda-me a estar sintonizado com as necessidades e desejos de meu cônjuge, e não apenas com os meus.

APLICAÇÃO

No casamento, a linguagem do amor do "toque físico" possui muitos dialetos. Isso não significa que todos os toques sejam iguais na origem. Alguns trarão mais prazer ao cônjuge do que outros. O melhor instrutor é o próprio cônjuge. Sua esposa sabe o que ela entende como um toque amoroso; não insista em tocá-la de seu jeito e na hora em que quiser. Respeite os desejos dela. Aprenda a falar seu dialeto. Não cometa o erro de crer que o toque que traz prazer a você também dará a ela o máximo prazer.

Em 1Pedro 3.7, lemos que o marido deve ser compreensivo no convívio com a esposa. Em outras palavras, cada um precisa conhecer sua esposa profundamente. Homens, a fonte principal de conhecimento sobre aquilo que faz sua esposa sentir-se amada é sua própria esposa. Algumas esposas gostam muito de um afago nas costas. Para outras tanto faz, mas algumas consideram isso irritante. Mulheres, é óbvio que o mesmo acontece com os maridos.

Deus criou seu cônjuge como um ser humano singular. O toque físico é uma das cinco linguagens do amor, mas você deve descobrir qual tipo de toque seu cônjuge aprecia. Quando falar o dialeto certo do toque físico, a pessoa a quem você ama se sentirá amada.

Toque criativo

17 NOVEMBRO

DEVOCIONAL 321

> Beije-me, beije-me mais uma vez, pois seu amor é mais doce que o vinho.
>
> CÂNTICO DOS CÂNTICOS 1.2

Toques amorosos podem ser breves ou prolongados. Uma massagem nas costas leva tempo, mas colocar as mãos nos ombros do cônjuge enquanto coloca café na xícara dele leva apenas alguns instantes. Sentar perto um do outro no sofá enquanto assistem a seu programa favorito na televisão não exige tempo adicional, mas pode comunicar amor alto e bom som.

Tocar o cônjuge enquanto caminha pela sala onde ele está sentado leva apenas um segundo. Tocarem-se quando você sai de casa e mais uma vez quando voltar talvez se limite a apenas um pequeno beijo ou abraço, mas pode falar muito a seu cônjuge.

Se você descobrir que toque físico é a linguagem do amor principal de seu cônjuge, descobrir novas maneiras e lugares para tocar pode ser um desafio empolgante. Você pode descobrir que é capaz de encher o tanque emocional de seu cônjuge enquanto simplesmente caminha pelo estacionamento do *shopping* de mãos dadas. Um beijo depois de entrar no carro pode tornar a viagem para casa muito mais curta. O livro de Cântico dos Cânticos descreve um marido e uma esposa se alegrando ao tocarem um ao outro. A leitura desse livro pode ser inspiradora se você estiver procurando novas maneiras de expressar amor ao cônjuge por meio de toque físico.

ORAÇÃO

Senhor amado, ajuda-me a ser generoso com meu tempo e meus toques. Quero expressar amor a meu cônjuge de maneiras cada vez mais criativas.

APLICAÇÃO

Falando uma linguagem do amor diferente da sua

NOVEMBRO 18
DEVOCIONAL 322

> O marido deve satisfazer as necessidades conjugais de sua esposa, e a esposa deve fazer o mesmo por seu marido. A esposa não tem autoridade sobre seu corpo, mas sim o marido. Da mesma forma, não é o marido que tem autoridade sobre seu corpo, mas sim a esposa. Não privem um ao outro de terem relações.
>
> 1CORÍNTIOS 7.3-5

ORAÇÃO

Pai, tu deixaste claro que o toque é uma dádiva que não devo negar a meu cônjuge. Ajuda-me a oferecê-lo de maneira livre e generosa, como um presente de amor.

APLICAÇÃO

Uma esposa me disse: "Quero tocar meu marido, mas, quando tento, ele se afasta. Ele age como se isso o irritasse, a não ser, é claro, que estejamos fazendo sexo". O que esse homem está dizendo à esposa com seu comportamento? Que toque físico não é sua principal linguagem do amor. Ele responderá muito melhor a palavras de afirmação ou a alguma outra linguagem do amor. Se toque físico for a principal linguagem do amor de seu cônjuge, ele receberá bem os toques ternos a qualquer hora que você quiser tocá-lo.

Em geral, as pessoas expressam sua própria linguagem do amor aos outros. Assim, se seu cônjuge está sempre querendo abraçar ou beijar, pode ser porque isso é o que ele gostaria de receber de você.

Algumas pessoas acham difícil falar a linguagem do toque físico. Talvez por não terem sido tocadas na infância, o toque lhes é desconfortável. Mas qualquer pessoa pode aprender a falar essa linguagem. O conselho conjugal nos versículos acima, vindo do apóstolo Paulo, deixa claro que não devemos privar o cônjuge do ato sexual — ou de qualquer outro toque significativo. Ao nos casarmos, nosso corpo não é mais apenas nosso. Podemos usar o toque como um presente que damos um ao outro. Lembre-se que amar é procurar satisfazer as necessidades do cônjuge, não as suas. Você toca não porque é confortável para você, mas porque isso comunica amor à pessoa a quem ama.

Amor ao dinheiro

19 NOVEMBRO

DEVOCIONAL 323

> O amor ao dinheiro é a raiz de todo mal. E alguns, por tanto desejarem dinheiro, desviaram-se da fé e afligiram a si mesmos com muitos sofrimentos.
>
> 1TIMÓTEO 6.10

Por que o dinheiro se tornou um problema tão grande nos casamentos contemporâneos? Alguns dos casais mais pobres em meu país têm abundância em comparação com as massas da população mundial. Estou convencido de que o problema está não na quantidade de dinheiro que o casal possui, mas em sua atitude em relação ao dinheiro e à maneira de lidar com ele.

Isso condiz com as palavras de Paulo em 1Timóteo 6.10. Quando amamos o dinheiro acima de outras coisas, muitas vezes nos dispomos a fazer qualquer coisa para conseguir mais. Paulo fala de cristãos cuja avidez por dinheiro fez que se desviassem da fé e experimentassem "muitos sofrimentos". Tais sofrimentos não são resultado de ter ou não dinheiro, mas de deixar que o dinheiro se transformasse no foco principal da vida. Se o dinheiro for mais importante que Deus no casamento, então teremos problemas em ambas as frentes.

Analise sua atitude. Você está procurando felicidade por meio do dinheiro ou em Deus? Sua resposta terá profundo impacto sobre seu casamento.

ORAÇÃO

Pai, o dinheiro pode ser muito sedutor. Não quero amá-lo e procurá-lo em detrimento de minha fé ou de meu relacionamento com aqueles à minha volta. Guarda nosso coração e mantém nossas prioridades corretas como casal.

APLICAÇÃO

NOVEMBRO 20

DEVOCIONAL 324

Onde encontrar satisfação?

> Busque a justiça, a devoção e também a fé, o amor, a perseverança e a mansidão. Lute o bom combate da fé. Apegue-se firmemente à vida eterna para a qual foi chamado e que tão bem você declarou na presença de muitas testemunhas.
>
> 1TIMÓTEO 6.11-12

Muitos casais acreditam que, se ganhassem determinada quantia a mais por mês, sua vida financeira seria mais tranquila. Eles dizem: "Se pudéssemos vencer esse obstáculo, ficaríamos satisfeitos". Mas esse é um raciocínio falho. Fale com eles dois anos depois e ainda estarão tentando superar tal obstáculo.

A verdadeira satisfação reside não no dinheiro, mas em coisas como "a justiça, a devoção e também a fé, o amor, a perseverança e a mansidão" — em resumo, em viver com Deus e de acordo com seus valores. Foi dessa forma que o apóstolo Paulo incentivou o jovem amigo Timóteo a viver. Fazer o que é certo, expressar amor, ser paciente com a imperfeição e ter uma avaliação sadia de si mesmo são as coisas que trazem verdadeira satisfação à vida e ao casamento.

"Mas preciso ter comida, roupas e abrigo", você pode dizer. É verdade, e essas coisas são prometidas por Deus àqueles que o colocarem em primeiro lugar na vida. Jesus disse: "Busquem, em primeiro lugar, o reino de Deus e a sua justiça, e todas essas coisas lhes serão dadas" (Mt 6.33). Nossa provisão material é subproduto de uma vida correta e alinhada à vontade de Deus. Quando nos concentramos no Senhor e no relacionamento conjugal, a satisfação será o resultado.

ORAÇÃO

Senhor Jesus, obrigado pela promessa de que tu nos darás tudo de que precisarmos. Ajuda-nos, como casal, a buscar uma vida alinhada a teus valores — e não as nossas finanças — em primeiro lugar.

APLICAÇÃO

Trabalho em equipe para uma boa administração

21 NOVEMBRO

DEVOCIONAL 325

> O senhor disse: "Muito bem, meu servo bom e fiel. Você foi fiel na administração dessa quantia pequena, e agora lhe darei muitas outras responsabilidades. Venha celebrar comigo".
>
> MATEUS 25.21

Um termo bíblico comum relacionado ao dinheiro é *administração*, ou *mordomia*, como se dizia antigamente. Somos responsáveis por usar sabiamente tudo aquilo que Deus nos dá. A quantidade de recursos é relativamente irrelevante, mas o uso fiel dos recursos é de extrema importância. Quando contou a parábola dos talentos, Jesus concluiu com as palavras citadas acima, quando o amo parabeniza o servo por seu esforço e fidelidade. O Senhor não espera que todos nós tenhamos a mesma quantidade de dinheiro ou de talento, mas de fato espera que trabalhemos duro com aquilo que possuímos.

Recursos financeiros têm um enorme potencial para o bem. Como administradores, somos responsáveis por usar tudo o que Deus nos confiou. Planejamento minucioso, compras, poupança, investimentos e doações fazem parte da boa administração.

No casamento, porém, tudo isso deve ser feito em cooperação com o cônjuge. Não podemos ser cavaleiros solitários em termos financeiros e, ainda assim, achar que podemos ter intimidade no casamento. As finanças são uma área muito importante do casamento, e ambos os cônjuges devem participar da administração dos recursos. Ser bem-sucedido com o dinheiro e falhar no casamento é um sucesso vazio.

ORAÇÃO

Senhor Jesus, sou grato pela parábola dos talentos e pela lembrança de que tu te importas com os detalhes daquilo que fazemos com nosso tempo e dinheiro. Ajuda-nos a trabalhar juntos como casal. Não permitas que nos esqueçamos de que aquilo que possuímos é teu e ajuda-nos a usar esses recursos com sabedoria.

APLICAÇÃO

NOVEMBRO 22

DEVOCIONAL 326

Compartilhando emoções

> Há muito tempo, o Senhor disse a Israel: "Eu amei você com amor eterno, com amor leal a atraí para mim".
>
> JEREMIAS 31.3

ORAÇÃO

Senhor Jesus, obrigado por teu exemplo de emoção. Quando leio que choraste diante da morte de teu amigo Lázaro, que te alegras quando um pecador se arrepende ou que te entristeceste com a proximidade da morte, sou reconfortado com a ideia de que os sentimentos são uma parte normal e importante de nossa vida. Ajuda-nos, como casal, a compartilhar nossas emoções de modo que possamos nos aproximar um do outro.

APLICAÇÃO

Você já se sentiu desapontado, triste, frustrado, apavorado ou irado? Sabia que a Bíblia ensina que as emoções, tanto positivas como negativas, são presentes de Deus? A vida seria muito desinteressante se não tivéssemos sentimentos. Tente imaginar ver um pôr do sol, assistir a um jogo de futebol ou olhar o mar sem se emocionar. Imagine colocar-se ao lado da sepultura aberta de um amigo e não sentir nada.

Somos feitos à imagem de Deus, e parte disso significa que somos criaturas emocionais. Deus sente ira, amor, ódio e compaixão. A passagem acima, extraída do livro de Jeremias, é apenas um dos muitos textos da Bíblia em que o Senhor expressa fortes emoções em relação a seu povo. Jesus, que era Deus encarnado, sentiu-se deprimido e pesaroso com a aproximação de sua morte na cruz (Mt 26.36-46). Ele não era impassível, e esse também não deve ser nosso ideal.

Todos os seres humanos experimentam emoções, mas alguns casais não as compartilham. Talvez, quando crianças, tenham sido ensinados a esconder seus sentimentos. "Homem não chora", alguns pais podem ter dito. O casamento tem o propósito de ser um relacionamento íntimo. Se não compartilhamos emoções, inibimos a intimidade e, como resultado, criamos um distanciamento entre nós. Compartilhar emoções positivas aumentará a alegria. Compartilhar emoções negativas acalmará a dor. Deixar o cônjuge entrar no mundo interior de suas emoções construirá a intimidade em seu casamento.

Usando as emoções com sabedoria

> Cada um é escravo daquilo que o controla.
>
> 2PEDRO 2.19

Por que temos tanto medo das emoções negativas? Talvez porque tenhamos visto amigos que passaram por emoções similares e tomaram decisões ruins. Fizeram o que tinham vontade de fazer e as pessoas ao redor deles sofreram.

Devemos fazer uma distinção entre sentimentos negativos e ações negativas. Digamos, por exemplo, que você se sinta triste por causa do distanciamento emocional entre você e seu cônjuge. Você poderia compartilhar esses sentimentos e buscar edificar seu relacionamento — uma abordagem sábia. Em contrapartida, você poderia ter um caso com outra pessoa — uma abordagem extremamente tola.

As emoções sempre nos estimulam a agir. Contudo, devemos tomar decisões responsáveis. Não escolhemos nossas emoções, mas escolhemos nossas ações. Nossas emoções não precisam nos dominar. De fato, se o fizerem, seremos escravos delas, de acordo com 2Pedro 2.19. As emoções não são nossos mestres, mas podem ser ferramentas valiosas.

Compartilhar as emoções com o cônjuge abre a possibilidade de discernimento adicional. Deixar de compartilhar as emoções limita os pensamentos e ações a sua própria sabedoria. As Escrituras dizem que é melhor serem dois do que um (Ec 4.9). Lembre-se que no âmago do casamento está a ideia de compartilhar vida. As emoções fazem parte da vida.

ORAÇÃO

Pai, obrigado por me dares a oportunidade de compartilhar alegrias e tristezas com meu cônjuge. Quando faço isso, as alegrias aumentam e as tristezas diminuem. Esse é uma dádiva maravilhosa. Ajuda-nos a compartilhar nossas emoções um com o outro de maneira mais livre.

APLICAÇÃO

24 NOVEMBRO

DEVOCIONAL 328

Evite a amargura

> Cuidem uns dos outros para que nenhum de vocês deixe de experimentar a graça de Deus. Fiquem atentos para que não brote nenhuma raiz venenosa de amargura que cause perturbação, contaminando muitos.
>
> HEBREUS 12.15

ORAÇÃO

Senhor Jesus, tu sabes que há momentos em que meu coração sente amargura em relação a meu cônjuge. Ajuda-me a parar de me concentrar no erro que foi cometido contra mim e, em vez disso, a entregar a situação a ti. Sei que podes me curar, Jesus.

APLICAÇÃO

Seu cônjuge o magoou profundamente e você está irritado. O que fará sobre isso?

A ira é uma emoção natural quando somos injustiçados. Mas, tratada indevidamente, pode ser extremamente destrutiva. O livro de Hebreus nos adverte quanto a não deixar que uma "raiz venenosa de amargura" cresça, porque ela pode provocar inquietação, deterioração e um coração endurecido. Diante dessa verdade, como devemos reagir ao ficarmos irados?

Uma reação é reprimir a ira — retê-la dentro de si e deixar que queime lentamente. Quando fazemos isso, a ira não expressa cresce e se transforma em amargura, um câncer maligno que destrói lentamente a fibra da vida. Outra reação possível é a expressão descontrolada da ira. Como uma explosão, ela destrói tudo que estiver ao seu alcance. Tal explosão é semelhante a um ataque cardíaco emocional e pode produzir danos permanentes.

Existe uma maneira melhor, que é dizer a si mesmo: "Estou extremamente irado com aquilo que meu cônjuge fez. Mas não permitirei que seu erro me destrua, nem tentarei destruí-lo também. Entregarei meu cônjuge a Deus, que é justo, e levarei minha ira a ele".

Confessando a amargura

25 NOVEMBRO

DEVOCIONAL 329

> Livrem-se de toda amargura, raiva, ira, das palavras ásperas e da calúnia, e de todo tipo de maldade.
>
> EFÉSIOS 4.31

Você tem o direito de se sentir irado, mas não amargurado! Sim, irar-se está dentro de seus direitos, mas você não tem o direito de destruir uma das criaturas de Deus: você mesmo.

Na Bíblia, a amargura é sempre vista como pecado porque resulta de uma escolha. O sentimento de ira não pode ser evitado, mas a amargura resulta de uma opção diária de deixar que a ira viva em seu coração. Em Efésios 4, Paulo orienta os cristãos a livrarem-se da amargura. O autor de Hebreus nos orienta a não deixarmos que a amargura crie raízes, a fim de que ela não nos contamine e, desse modo, nos afaste da fé (Hb 12.15). Devemos confessar a amargura como pecado e aceitar o perdão de Deus.

Também é importante perceber que uma única confissão da amargura talvez não alivie todos os sentimentos de hostilidade. Se você guarda a amargura há bastante tempo, os sentimentos que acompanham a atitude amarga podem demorar a desaparecer.

O que fazer quando os pensamentos e sentimentos de ira e amargura retornam? Você pode orar assim: "Pai, tu sabes o que estou pensando e sentindo, mas entreguei essas emoções a ti. Ajuda-me agora a fazer algo bom de minha vida". Sejam quais forem as circunstâncias, deixe Deus amar seu cônjuge por seu intermédio.

ORAÇÃO

Pai, às vezes quero me apegar à ira e à amargura que sinto. Isso parece bom por alguns instantes, mas, com o passar do tempo, elas endurecem meu coração e mudam a visão que tenho de meu cônjuge. Confesso minha amargura a ti e peço teu perdão. Ajuda-me a deixar de lado as lembranças amargas, agora e sempre que elas reaparecerem.

APLICAÇÃO

NOVEMBRO 26

DEVOCIONAL 330

Evitando discussões

> Evitar contendas é sinal de honra; apenas o insensato insiste em brigar.
>
> **PROVÉRBIOS 20.3**

ORAÇÃO

Senhor Deus, às vezes nossos diferentes níveis de conforto com o conflito e a discussão fazem que a comunicação seja interrompida. Ajuda-me a perceber quando meu cônjuge ou eu nos calarmos por causa de uma contenda. Dá-nos controle para discutir as coisas calmamente e nos comunicar bem, sem discussões constantes.

APLICAÇÃO

É comum ouvir o seguinte comentário em minhas sessões de aconselhamento: "Não gosto de conversar com meu cônjuge porque a conversa sempre acaba em discussão!". Algumas pessoas adoram discutir; outras não. A Bíblia diz que é sinal de honra evitar uma briga e que é sensato evitá-la. Essa é uma boa receita para o casamento, mas não significa que você deve interromper toda comunicação. Você já evitou uma conversa por medo de discussão? Essa pode ser uma reação natural, mas aonde ela leva? Ao silêncio e ao isolamento. Esse não é um casamento sadio.

Como aprender a conversar com um cônjuge argumentador sem discutir? Primeiramente, reconheça que você tem um problema: o medo de discutir está impedindo que vocês tenham uma comunicação eficaz. É preciso compartilhar isso com o cônjuge. Você pode dizer: "Quero que tenhamos um bom casamento, com uma boa comunicação. Recentemente, tenho evitado conversar com você porque tenho medo de que iniciemos uma discussão. Você já notou isso?". Uau! Agora você pôs as cartas na mesa. Seu cônjuge tem uma chance de responder. Seja o que for que ele diga, sugiro que você apresente a seguinte ideia: "Podemos combinar que vamos dedicar uma noite por semana à discussão? No restante da semana, podemos conversar sobre as coisas boas que temos na vida".

É bem possível que seu cônjuge esteja aberto a esse novo formato. Afinal, por que discutir o tempo todo se vocês podem limitar isso a uma noite por semana? Se surgir uma questão que precisa ser tratada, façam um esforço para conversar calmamente. Se isso não for possível, tome nota do assunto e volte a ele no "período de discussão" determinado por vocês. Se você é o cônjuge argumentador, talvez possa fazer a sugestão dessa nova ideia. Vocês verão a comunicação aumentar quando a ameaça constante da discussão tiver desaparecido.

Fazendo perguntas

DEVOCIONAL 331

> As palavras dos meus lábios e o meditar do meu coração sejam agradáveis na tua presença, Senhor, rocha minha e redentor meu!
>
> SALMOS 19.14

Conversar é a arte mais fundamental do casamento — e frequentemente a mais ignorada. Pense nesta pergunta: "Você poderia me contar algo que enfrentou hoje e como isso o afetou?". Qual seria sua resposta? Como você acha que seu cônjuge responderia? Pergunte e descubra! Compartilhar um com o outro não é assim tão difícil, e o diálogo é incentivado por meio de perguntas.

As perguntas precisam ser específicas e abertas. "Você teve um bom dia?" provavelmente gerará uma resposta do tipo sim ou não. Em vez disso, tente perguntar: "Quais foram as coisas boas e as coisas ruins de seu dia?". Será preciso um pouco de reflexão, mas, se você e seu cônjuge responderem a essa pergunta, as respostas poderão levar a um maior envolvimento na conversa. As perguntas não devem ser feitas com o propósito de criar uma discussão, mas sim para que você entenda o que está acontecendo na vida de seu cônjuge.

O silêncio leva ao isolamento e à separação. Compartilhar pensamentos leva à compreensão e à proximidade. O casamento deve envolver duas pessoas que têm comunhão uma com a outra, não duas pessoas que vivem sozinhas na mesma casa. Ao conversar, podemos orar pedindo que nossas palavras e nossas conversas sejam agradáveis ao Senhor. Faça uma pergunta hoje e estimule uma conversa expressiva.

ORAÇÃO

Pai, quero que a comunicação em nosso relacionamento seja agradável a ti. Ajuda-nos a nos aproximarmos um do outro por meio de perguntas. Quero envolver-me genuinamente naquilo que está acontecendo na vida de meu cônjuge. Mostra-me como incentivar uma conversa honesta e significativa por meio das perguntas que faço.

APLICAÇÃO

NOVEMBRO 28

DEVOCIONAL 332

Melhorando a comunicação

> Evitem o linguajar sujo e insultante. Que todas as suas palavras sejam boas e úteis, a fim de dar ânimo àqueles que as ouvirem.
>
> EFÉSIOS 4.29

ORAÇÃO

Pai, quando meu cônjuge compartilhar alguma ideia comigo, dá-me presença de espírito para ouvir antes de reagir. Que minhas palavras e perguntas sejam úteis e reveladoras a fim de que cheguemos a um acordo como casal.

APLICAÇÃO

Aprender a compartilhar pensamentos é o elemento mais fundamental da comunicação. Nos casamentos que falham, quase todos os casais dizem: "Nossa comunicação simplesmente se interrompeu". Como evitar que isso aconteça? É só fazer o que faziam durante o namoro: ouvir quando o outro falar. Ouvir sem condenar.

Se o cônjuge apresenta uma ideia que o surpreende, resista ao desejo de responder com críticas. Em vez disso, faça perguntas. Você pode dizer: "Essa ideia é interessante. Como seria se tentássemos aplicá-la ao nosso casamento? Que necessidade sua seria satisfeita? Se fizermos isso, quais serão os inconvenientes?". Perguntas assim podem levar a um diálogo significativo.

Declarações como "Isso não vai funcionar conosco" ou "Não quero fazer isso" esfriam a comunicação. Não há problema em pensar ou expressar isso, contanto que o faça de maneira positiva, depois de ter ouvido o cônjuge com atenção. Você pode dizer: "Tenho medo de que isso não funcione conosco. Não estou certo de que realmente queira fazer isso. Podemos pensar por mais alguns dias e então voltar a conversar sobre o assunto?". Isso é respeitoso e útil, seguindo o conselho que Paulo nos dá em Efésios 4. As palavras que dissermos uns aos outros devem ser encorajadoras, não abusivas ou desanimadoras.

Quando você mantém a comunicação aberta e respeitosa, a saúde do casamento agradece.

O casamento é um presente

29 NOVEMBRO
DEVOCIONAL 333

> O homem que encontra uma esposa encontra um bem precioso e recebe o favor do Senhor.
>
> PROVÉRBIOS 18.22

As pesquisas apontam que o casamento é o vencedor. É verdade. Pessoas casadas são mais felizes, mais saudáveis e mais satisfeitas com a vida do que os solitários. (E as pessoas mais felizes são aquelas que estão casadas com a mesma pessoa há mais tempo.) Parece que as pessoas hoje estão descobrindo por meio das pesquisas sociológicas aquilo que a Bíblia declarou ser verdadeiro milhares de anos atrás.

Foi Deus quem disse: "Não é bom que o homem esteja sozinho" (Gn 2.18). Adão, o primeiro homem, tinha uma vocação. Tinha um lugar para viver e muitos animais para cuidar. Desfrutava até mesmo de um relacionamento com Deus. No entanto, a análise de Deus concluiu que Adão precisava de uma esposa. Deus havia criado todos os animais em pares — macho e fêmea — mas, inicialmente, criou um único ser humano. A criação de Eva não foi uma reflexão tardia. Deus não disse: "Ah, esqueci de criar uma mulher. Acho melhor resolver isso logo". Não! Foi uma questão de agir no momento certo. A intenção de Deus sempre foi criar pessoas do sexo masculino e feminino, mas ele quis primeiramente dar a Adão um tempo para que olhasse o mundo e descobrisse a necessidade de companhia — alguém correspondente a ele mesmo. Então Deus criou o que chamou de "alguém que o ajude e o complete".

O rei Salomão nos diz em Provérbios 18 que o homem que encontra uma esposa — ou poderíamos extrapolar e dizer também a mulher que encontra um marido — encontra um verdadeiro tesouro. O casamento é um belo presente do Senhor.

ORAÇÃO

Pai, obrigado por meu cônjuge e pela dádiva que é o casamento. Sou grato por ter alguém que pode ser minha companhia na vida. Que nunca me esqueça que meu cônjuge é um tesouro e uma bênção vinda de ti. Ajuda-me a tratá-lo como tal.

APLICAÇÃO

NOVEMBRO 30

DEVOCIONAL 334

Os benefícios do casamento

> Uma vez que já não são dois, mas um só, que ninguém separe o que Deus uniu.
>
> MATEUS 19.6

ORAÇÃO

Senhor Jesus, sou grato por nos teres unido como casal. Que nada se coloque entre nós ou nos separe. Em vez disso, que sejamos uma equipe forte, trabalhando em cooperação em vez de em competição. Obrigado, Senhor, pelo presente que é o casamento.

APLICAÇÃO

O elemento central do casamento é o conceito de companhia. Quando Deus disse, ao referir-se a Adão, que "não é bom que o homem esteja sozinho", estava identificando algo a respeito da natureza humana. Não fomos criados para viver em isolamento, separados dos outros. Depois de ter criado Eva, Deus disse: "E eles se tornarão um só". Isso é o oposto de estar sozinho.

Casamento é um homem e uma mulher se relacionando um com o outro como complementos. Não é uma competição, mas cooperação como membros de uma equipe. Somos unidos por Deus para a vida, para realizar os propósitos que ele tem para nós. Jesus disse que, assim que um homem e uma mulher são unidos pelo casamento, ninguém deve dividi-los. Somos unidos num relacionamento alicerçado numa aliança.

Tenho plena consciência de que algumas pessoas são chamadas por Deus a viver uma vida de celibato. Contudo, creio que essa é a exceção, não a regra. Também tenho certeza de que todos nós vivemos parte da vida sozinhos, tanto antes quanto depois do casamento. Antes do casamento, a solidão nos ajuda a descobrir a necessidade de companhia. Depois da morte de um cônjuge, nós nos ajustamos à vida solitária e nos aquecemos com as lembranças da intimidade vivida no transcorrer dos anos passados juntos. O casamento é uma ideia de Deus e foi planejado para o bem dos seres humanos e para a glória de Deus.

Quando o alcoolismo invade o casamento

1º DEZEMBRO
DEVOCIONAL 335

> Quem se sente angustiado e triste? [...] Aquele que passa horas tomando vinho e experimentando bebidas fortes. [...] Pois, no fim, [o vinho] morde como cobra venenosa; pica como víbora.
>
> PROVÉRBIOS 23.29-30,32

Poucas coisas prejudicam mais a intimidade conjugal do que o alcoolismo. De fato, as pesquisas mostram que um casamento no qual um dos parceiros abusa de drogas ou álcool tem apenas 10% de chance de sobreviver. Considerando os milhões de alcoólicos em nossos lares, estamos lidando com um problema de magnitude colossal.

O alcoolismo não é um problema novo; está presente desde os tempos do Antigo Testamento. Como vemos em Provérbios 23, o rei Salomão fez uma descrição clara dos efeitos negativos de beber demais de maneira crônica. O alcoolismo traz angústia e tristeza.

Por que o alcoolismo é tão destrutivo para o casamento? A resposta está no comportamento que deriva do abuso de substâncias. O alcoólico é extremamente egocêntrico; a vida gira em torno da satisfação de suas necessidades. No esforço de esconder o vício, o alcoólico se torna um mestre do disfarce, o que ergue uma parede de separação entre os parceiros conjugais. O alcoólico é insensível aos sentimentos daqueles que se importam com ele, e seu vício muitas vezes resulta em abuso verbal e perda do emprego.

O parceiro que se concentrar nesses sintomas em vez de no problema real ficará profundamente frustrado. É muito comum que o parceiro se torne um indutor do comportamento errado, ao fazer todo o possível para manter a paz na família. Em última análise, a única coisa que ajudará um alcoólico será o amor firme.

ORAÇÃO

Pai, oro pedindo orientação e ajuda enquanto buscamos formas de lidar com os vícios e hábitos de nossa vida que ameaçam a união conjugal, incluindo aqueles que talvez não sejam tão flagrantes como o abuso de substâncias químicas. Dá-nos sabedoria.

APLICAÇÃO

DEZEMBRO 2
DEVOCIONAL 336

Amando um alcoólico

> Acima de tudo, revistam-se do amor que une todos nós em perfeita harmonia.
>
> COLOSSENSES 3.14

Viver com um alcoólico ou qualquer tipo de viciado exige a prática do amor firme. Barbara percebeu isso depois de dez anos vivendo com um marido alcoólico. Os alcoólicos sabem como manipular, trapacear e mentir com o objetivo de ser viciados bem-sucedidos. Suas histórias e desculpas parecem tão plausíveis que realmente queremos acreditar nelas.

Finalmente, porém, Barbara aprendeu a amar de verdade seu marido ao recusar-se a recolher os cacos, dar desculpas ou resgatá-lo das consequências de seu comportamento. Ela deixou que ele ficasse na cadeia, apesar de seus pedidos para que ela pagasse a fiança. Deixou que ele perdesse o emprego em vez de intervir em seu favor. Certo dia, quando ele caiu na bebedeira, Barbara pegou os filhos e mudou-se para a casa da mãe.

Essa foi a gota d'água para Dan. Ele veio implorando e suplicando que Barbara voltasse, mas ela conseguiu dizer não diante das lágrimas dele. Barbara disse que não voltaria até que Dan entrasse num programa de tratamento e concordasse em participar de aconselhamento conjugal com ela. Dan voltou suplicando na noite seguinte, e ela repetiu a resposta. Uma semana depois, ele entrou num programa de tratamento.

A Bíblia é clara ao dizer que devemos nos revestir de amor, como Paulo escreveu em Colossenses 3. Mas amar uma pessoa não significa deixá-la passar por cima de nós; pelo contrário, significa fazer o que, em última análise, é melhor para ela. Barbara estava aprendendo que o amor firme é o único amor que um alcoólico entende.

ORAÇÃO

Pai, às vezes achamos que o amor gentil e terno é a única maneira de nos assemelharmos a Cristo. Mas agora sei que essa não é tua única forma de amar. Quando leio a Bíblia, vejo momentos em que impuseste consequências de modo que as pessoas se motivassem a mudar. Ajuda-me a saber quando o amor firme é apropriado em meu casamento, e ajuda-me a implementá-lo tendo em mente o melhor para meu cônjuge.

APLICAÇÃO

Esperança para o alcoólico

> Sabemos que nossa velha natureza humana foi crucificada com Cristo, para que o pecado não tivesse mais poder sobre nossa vida e dele deixássemos de ser escravos. Pois, quando morremos com Cristo, fomos libertos do poder do pecado.
>
> ROMANOS 6.6-7

Como ser um agente de mudança positiva se você vive com um alcoólico? A exemplo de Barbara, sobre quem lemos ontem, talvez você precise dizer algo mais ou menos assim: "Amo-o demais para ficar sentada aqui e deixar que você destrua a si mesmo e a mim. Da próxima vez que chegar bêbado em casa, pegarei as crianças e me mudarei para a casa de meus pais".

Essa ação pode parecer bem pouco cristã. Na verdade, porém, pode ser o único tipo de amor que um alcoólico pode entender. Os alcoólicos só serão motivados a buscar ajuda quando perceberem que estão prestes a perder algo importante.

Há esperança de libertação para um alcoólico. O capítulo 6 de Romanos e muitos outros trechos da Bíblia deixam claro que, como cristãos, não estamos mais escravizados ao pecado. Cristo nos libertou de seu poder! Ele pode transformar nossa vida e destruir qualquer área na qual o pecado ainda tenha domínio sobre nós. Muitos cristãos podem dar testemunho de que já foram escravizados pelo álcool, mas que, agora, estão livres. Para alguns, isso aconteceu instantaneamente. Para a maioria, aconteceu com a ajuda de um programa de tratamento cristão, o apoio de profissionais dedicados e uma família que aprendeu a fazer parte do processo de cura.

Se seu cônjuge é alcoólico, comece procurando ajuda para si mesmo. Aprenda como fazer parte da cura. Ligue para sua igreja e descubra qual grupo local pode ajudá-lo. Verifique quais são os programas de tratamento disponíveis. Tenha todas as informações à mão quando seu cônjuge se decidir a buscar ajuda.

ORAÇÃO

Pai celestial, eu te agradeço por haver esperança para o alcoólico e para sua família. Quer seja essa questão, quer seja algum outro pecado a afetar nosso casamento, oro pedindo sabedoria, transformação e disposição para mudar. Ajuda-me a confiar que tu podes romper o poder do pecado em nosso casamento.

APLICAÇÃO

Ira consigo mesmo

> O tolo mostra toda a sua ira, mas o sábio a controla em silêncio.
>
> PROVÉRBIOS 29.11

ORAÇÃO

Senhor Jesus, desperdiço muito tempo e energia emocional ficando chateado comigo mesmo. Isso muitas vezes afeta o modo como trato meu cônjuge, o que sei que não é nem justo nem gentil. Ajuda-me, em vez disso, a deixar de lado minha frustração e buscar uma maneira de resolver o problema que estou enfrentando. Obrigado, Senhor, por teres compaixão de nossas fraquezas.

APLICAÇÃO

De tempos em tempos, a maioria de nós faz coisas estúpidas. Então, ficamos irados com nós mesmos. Essa ira pode ser branda, mediana ou intensa, dependendo do que tenhamos feito. Se vou até meu carro na garagem e percebo que deixei as chaves no quarto que fica no andar de cima, a ira que sinto de mim mesmo pode ser branda. Se tranco as chaves dentro do carro no estacionamento do *shopping center*, minha ira pode ser mediana. Mas, se perder as chaves num passeio pela mata a cem quilômetros do sinal mais próximo de civilização, a ira que sinto de mim mesmo pode ser bem intensa.

De que maneira isso afeta o casamento? Quando estou irado comigo, posso acabar descontando no cônjuge. É bem provável que ele perceba a injustiça disso e reaja com ira, dando início a uma desagradável troca de ofensas. Seria melhor dizer a mim mesmo algo como: "Você cometeu uma estupidez e isso vai lhe custar algum tempo. Mas não piore as coisas deixando que isso fermente ou então descontando em alguém que não tem culpa. Agora, como o problema pode ser resolvido?". Assim que fizer isso, posso prosseguir em busca da solução.

O rei Salomão escreveu de maneira bem direta que aquele que dá vazão à ira — particularmente diante de outra pessoa que não tem nada a ver com a situação, eu adicionaria — é tolo, mas aquele que consegue controlá-la é sábio. É sempre melhor deixar de lado a frustração, que é improdutiva, e pensar em como melhorar a situação.

Fazer uma coisa estúpida não o transforma num estúpido. Não se puna e, por favor, não desconte no cônjuge.

Tratando a ira contra si mesmo

> Pois seu amor por aqueles que o temem é imenso como a distância entre os céus e a terra. De nós ele afastou nossos pecados, tanto como o Oriente está longe do Ocidente.
>
> SALMOS 103.11-12

Quero apresentar-lhe quatro passos para reagir à ira concentrada em si mesmo. Em primeiro lugar, admita a ira. "Estou realmente irado comigo" é a primeira declaração de cura.

Segundo, examine a ira perguntando a si mesmo: "Fiz algo errado?". A resposta a essa pergunta o ajudará a determinar se sua ira é justificável ou distorcida. Ira justificável significa que você fez algo moralmente errado. Ira distorcida significa que você desapontou a si mesmo, mas não cometeu nenhum erro moral. Esquecer-se de levar as camisas do marido à lavanderia não é pecado. Esquecer não é pecado, faz parte de nossa humanidade.

Terceiro, confesse qualquer erro a Deus e à pessoa contra quem errou.

Quarto, escolha perdoar-se. Você não ganha nada condenando a si mesmo com comentários como: "Mereço sofrer; veja o que fiz. Sou tão estúpido. Fiz o que sabia ser errado. Não mereço perdão". Lembre-se que Satanás é o acusador (Jó 1.6) e Deus é o perdoador. Por que não ficar do lado de Deus? O salmo 103 nos diz que "de nós ele afastou nossos pecados, tanto como o Oriente está longe do Ocidente". Em outras palavras, nossos pecados se foram completamente. Se o Senhor o perdoou, então você pode perdoar a si mesmo. Assim que tiver feito isso, estará mais bem capacitado para se relacionar abertamente com seu cônjuge, sem culpa ou ira.

ORAÇÃO

Pai, sei como é fácil irar-me comigo mesmo e como é difícil abandonar essa mentalidade de culpa. Quando fizer algo que não deveria fazer, ajuda-me a ter a disposição de confessar meu erro e pedir teu perdão. Sei que essa é a única maneira de resolver o problema. Enquanto processo essa ira, ajuda-me a não descontar em meu cônjuge, mas, pelo contrário, a ser amoroso.

APLICAÇÃO

Construindo um firme alicerce

DEZEMBRO 6 — DEVOCIONAL 340

> [Jesus disse:] "Eu lhes mostrarei como é aquele que vem a mim, ouve as minhas palavras e as pratica. Ele é como a pessoa que está construindo uma casa e que cava fundo e coloca os alicerces em rocha firme. Quando a água das enchentes sobe e bate contra essa casa, ela permanece firme, pois foi bem construída".
>
> LUCAS 6.47-48

ORAÇÃO

Pai, quero que nosso casamento tenha o firme alicerce da unidade. Ajuda-nos a construí-lo à medida que procuramos desenvolver intimidade em todas as áreas do relacionamento. Que nosso casamento seja capaz de suportar as tempestades que cruzarão nosso caminho na vida. Peço-te que nos guies.

APLICAÇÃO

Um alicerce firme é a chave para um casamento forte. Jesus contou a história de uma pessoa sábia que construiu a casa sobre um alicerce de rocha sólida. Quando vieram as tempestades e a inundação, a casa não foi abalada. Contraste isso com o tolo que construiu a casa sem alicerces. Ela caiu na primeira tempestade. O alicerce de nosso relacionamento com Deus é fé, confiança e obediência. No casamento, o alicerce é a unidade.

No plano de Deus, o casamento envolve duas pessoas, marido e mulher, que se tornam um. Eles escolhem compartilhar a vida mais profundamente um com o outro do que com qualquer outra pessoa. Essa intimidade abrange todos os aspectos da vida. Numa situação ideal, antes de casar deveríamos explorar o alicerce da unidade. Será que estamos sintonizados intelectualmente? Conseguimos conversar e entender um ao outro? No âmbito emocional, somos capazes de compartilhar o que sentimos sem medo da rejeição? Gostamos de atividades sociais similares? Espiritualmente, estamos marchando no ritmo do mesmo tambor?

Depois do casamento, continuamos a fortalecer esse alicerce. Se o alicerce for instável, então será mais difícil desenvolver a intimidade. Mas devemos desenvolvê-la, pois ela é o cerne do casamento. Se optarmos por viver vidas separadas, estaremos violando o plano de Deus para o casamento. Criar intimidade pode ser difícil, mas teremos toda a ajuda de Deus quando nos dedicarmos a seguir seu plano.

O alicerce da intimidade espiritual

DEZEMBRO 7
DEVOCIONAL 341

> Ninguém pode lançar outro alicerce além daquele que já foi posto, isto é, Jesus Cristo.
>
> 1CORÍNTIOS 3.11

Não raro, a intimidade espiritual é a área mais difícil do casamento e, ao mesmo tempo, a mais importante. Nosso relacionamento com Deus afeta tudo o mais que fazemos. O apóstolo Paulo escreveu em 1Coríntios 3 que o único alicerce dos cristãos é Jesus Cristo. Confiar nele como nosso Salvador nos dá a base e a direção para o resto da vida.

Obviamente, cada um de nós precisa seguir sua própria caminhada com Deus. Não podemos fazer isso pelo outro. Mas, como parceiros conjugais, podemos compartilhar essa caminhada e, ao fazê-lo, incentivamos um ao outro e desenvolvemos a intimidade. Deixe-me compartilhar algumas ideias para melhorar a intimidade espiritual:

1. Compartilhem um com o outro algo de que gostaram no culto do qual participaram. (Isso edifica muito mais do que falar das coisas de que não gostaram.)
2. Conversem sobre um versículo que você leu no seu momento devocional. Não use isso para pregar ao cônjuge, mas para compartilhar aquilo que você achou animador e revelador.
3. Orem juntos. Comecem com um momento de oração silenciosa, se preferirem; segurem as mãos e orem em silêncio. Diga amém em voz alta quando terminar e espere que o cônjuge diga amém. Não é assim tão difícil, e isso os aproximará.

Assim como o relacionamento com Deus afeta outros aspectos da vida, também a intimidade espiritual afetará todos os outros aspectos do casamento. Conforme nos aproximamos de Deus, ficamos mais próximos um do outro. A intimidade espiritual melhorará a intimidade emocional, intelectual e física. Tudo isso faz parte de se tornar um no casamento.

ORAÇÃO

Senhor Jesus, sei que és o alicerce de minha vida. Nada mais pode assumir esse lugar de importância. Oro para que o relacionamento contigo também seja parte fundamental de nosso casamento. Ajuda-nos a compartilhar os desafios e incentivos que enfrentamos conforme nos achegamos para mais perto de ti. Que nos aproximemos um do outro à medida que cresce nossa intimidade espiritual.

APLICAÇÃO

Padrões de comunicação

DEZEMBRO 8
DEVOCIONAL 342

> Que as palavras da minha boca e a meditação do meu coração sejam agradáveis a ti, Senhor, minha rocha e meu redentor!
>
> SALMOS 19.14

ORAÇÃO

Senhor Jesus, sou grato pelas coisas que meu cônjuge e eu podemos compartilhar. Ajuda-nos a ter a disposição de considerar as maneiras pelas quais podemos melhorar nossa comunicação.

Todos nós somos comunicadores. A pergunta é: que tipo de comunicadores? Numa definição simples, comunicar-se é compartilhar a vida com outra pessoa. É o processo pelo qual dois indivíduos escolhem revelar um ao outro alguns de seus pensamentos, sentimentos e experiências.

Olhando superficialmente, a comunicação parece bastante simples. Talvez seja surpresa para alguns o fato de as pesquisas indicarem que a falta de comunicação é um dos principais problemas no relacionamento. Uma razão disso é que as emoções se colocam no caminho das interações genuínas. Sentimentos de mágoa, ira, medo, decepção, frustração e baixa autoestima costumam atrapalhar nossa capacidade de nos abrirmos.

Em nossos esforços para manter a estabilidade emocional, desenvolvemos vários padrões de comunicação. Depois de um tempo, nem mesmo notamos esses padrões; estamos simplesmente fazendo aquilo que nos é natural. É bem provável que, como indivíduos e como casal, vocês tenham desenvolvido alguns padrões positivos e outros negativos.

Nos próximos dias, exploraremos alguns padrões negativos que podemos adotar, além de descobrir como mudá-los. Conforme o salmista diz acima, queremos que as palavras que saírem de nossa boca — e especialmente aquelas direcionadas ao cônjuge — sejam úteis, amorosas e agradáveis a Deus.

APLICAÇÃO

Evitando o mero apaziguamento

9 DEZEMBRO

DEVOCIONAL 343

> Em vez disso, falaremos a verdade em amor, tornando-nos, em todos os aspectos, cada vez mais parecidos com Cristo, que é a cabeça.
>
> EFÉSIOS 4.15

Os especialistas em vida conjugal descobriram alguns padrões comuns que são prejudiciais à comunicação. Um desses padrões é o que às vezes é chamado de Pomba. Nesse padrão, um parceiro acalma o outro com o intuito de evitar que ele se irrite. É a síndrome da "paz a qualquer preço". Algumas das declarações típicas de um comportamento de Pomba são: "Por mim, tudo bem", ou "Aquilo que fizer você feliz me fará feliz".

As Pombas estão sempre tentando aliviar a situação, pedindo desculpas por coisas que possam ter entristecido o parceiro, por mais insignificantes que sejam. Quase nunca discordam abertamente do cônjuge, a despeito do que estiverem sentindo. Normalmente o padrão de Pomba surge por causa de baixa autoestima. Aquele que procura o alívio da situação pensa: "Minhas ideias não valem nada; sendo assim, por que expressá-las?". Essa pessoa pode temer a reação do cônjuge ao desacordo.

Está claro que esse padrão de comunicação não constrói casamentos autênticos. A honestidade honra a Deus e reflete sua imagem. Devemos aprender a falar a verdade — com graça e em amor, sem dúvida, como o apóstolo Paulo nos incentiva no versículo acima, mas devemos falar a verdade.

ORAÇÃO

Senhor Deus, está claro na tua Palavra que a verdade é de suma importância para ti. Ajuda-nos, como casal, a nos comprometermos em falar a verdade um ao outro, de modo amoroso. Que eu não tenha medo de dizer o que penso ou o que precisa ser dito.

APLICAÇÃO

DEZEMBRO 10

DEVOCIONAL 344

Culpando um ao outro

> Agora, portanto, já não há nenhuma condenação para os que estão em Cristo Jesus. Pois em Cristo Jesus a lei do Espírito que dá vida os libertou da lei do pecado, que leva à morte.
>
> ROMANOS 8.1-2

ORAÇÃO

Senhor, preciso lembrar que nós dois somos pecadores. Ambos precisamos de humildade para admitir quando estamos errados e de paciência para tratar o outro com amor e respeito. Perdoa-nos por magoarmos um ao outro e ajuda-nos a recomeçar.

APLICAÇÃO

Se a comunicação positiva melhora um relacionamento, a comunicação negativa o sabota. Outro padrão comum de comunicação negativa é o Falcão. Veja algumas frases típicas do Falcão: "É tudo culpa sua", ou "Se você tivesse me escutado, não estaríamos nessa confusão". Nesse estilo de comunicação, um cônjuge culpa o outro por tudo. O Falcão é o chefe, o ditador, o comandante que nunca faz nada errado. Essa pessoa pode até usar declarações verbalmente abusivas como "Você nunca faz nada certo", "Você sempre estraga tudo", "Como você pôde ser tão estúpido?" ou "Se não fosse por você, tudo estaria bem". O Falcão nunca assume a responsabilidade por um problema.

Normalmente os Falcões sofrem de autoestima baixa. Não podem admitir que estão errados porque isso confirmaria a sensação de fracasso que eles já carregam. O Falcão precisa do toque curador da realidade bíblica: todos nós somos pecadores, mas, em Cristo, fomos perdoados. Não há condenação para os que estão em Cristo, como nos lembra Romanos 8; em vez disso, se já confessamos nossos pecados, estamos livres deles. Se Cristo não nos condena, como podemos condenar uns aos outros? Comunicação conjugal é a conversa de um pecador perdoado com outro.

Se você notar a presença do estilo do Falcão em seu casamento, peça perdão a Deus e comece do zero.

Quando a razão é racional demais

DEZEMBRO 11
DEVOCIONAL 345

> Alegrem-se com os que se alegram e chorem com os que choram.
>
> ROMANOS 12.15

Sem perceber, muitos de nós desenvolveram padrões negativos de comunicação que estão destruindo o casamento. Outro padrão dessa categoria é o Sr. Coruja ou a Sra. Calma, Centrada e Calculista. É a síndrome do "vamos ser razoáveis". Essas pessoas se parecem mais com computadores do que com seres humanos, preparadas para fornecer uma resposta lógica para tudo.

Elas explicarão calmamente qualquer coisa sobre a qual você tenha alguma dúvida. A resposta delas terá uma aparência tão lógica que você se perguntará por que ninguém pensou nisso antes. Normalmente essas pessoas se consideram racionais e inteligentes. Orgulham-se de não demonstrar emoções e, quando outra pessoa as demonstra, elas se sentam calmamente até que a tempestade passe e, então, continuam com sua racionalidade.

O fato é que esse tipo de racionalidade impassível nem sempre segue o ideal de Deus para nós. O texto de Romanos 12.15 nos incentiva a nos alegrarmos com as pessoas que estão alegres e a chorar com aquelas que estão tristes. Em outras palavras, devemos entrar na situação que elas estão vivendo e confortá-las ao experimentar com elas um pouco de suas emoções.

O que é triste em relação ao Sr. Coruja ou à Sra. Sra. Calma, Centrada e Calculista é que eles não percebem que têm problemas. Ficam pensando por que o cônjuge não aprecia sua sabedoria superior. Alguém poderia fazer o favor de derrubá-los de seu poleiro?

○ ORAÇÃO

Senhor Jesus, para mim é fácil ser excessivamente racional. Perdoa-me porque, em minha arrogância, ignoro os sentimentos de meu cônjuge. Dá-me a humildade de perceber que meu jeito de ser não é perfeito. Ensina-me a apreciar as emoções de meu cônjuge e a tomar parte delas com compaixão.

○ APLICAÇÃO

DEZEMBRO 12

DEVOCIONAL 346

Ignorando as questões

> Entendam isto, meus amados irmãos: estejam todos prontos para ouvir, mas não se apressem em falar nem em se irar.
>
> TIAGO 1.19

ORAÇÃO

Pai, essa tendência de ignorar as questões difíceis em nosso relacionamento às vezes afeta a ambos. Ajuda-me a perceber como isso é destrutivo. Mostra-nos a maneira correta de abordar os conflitos e dificuldades de frente, com graça e coragem.

APLICAÇÃO

O último padrão negativo de comunicação que discutiremos é o Avestruz: "Ignore o problema e ele desaparecerá". Nesse padrão, a pessoa simplesmente ignora as ações e comentários que considera desagradáveis. O Avestruz raramente responde diretamente àquilo que a outra pessoa diz. Em vez disso, muda de assunto e segue adiante.

Os Avestruzes são ativistas. Se forem faladores, vão falar sem parar sobre nada ligado a coisa nenhuma. Se forem realizadores, estarão constantemente envolvidos em alguma atividade. Se você perguntar o que estão fazendo, raramente obterá uma resposta direta.

O Avestruz às vezes desenvolve um estilo de conversa semelhante a uma cantilena. Você pode interrompê-lo e fazer seus próprios comentários, mas aí ele começará a falar de novo — normalmente sobre algo não relacionado àquilo que você acabou de falar ou até diferente daquilo que ele próprio estava falando anteriormente. Sua conversa segue em todas as direções e raramente chega a alguma conclusão. Se você iniciar um tema de conversa que ele achar desconfortável, talvez ele mude de assunto imediatamente.

Tiago tem o melhor conselho para essa pessoa: seja rápido para ouvir e lento para falar. Antes de interromper, certifique-se de que ouviu e entendeu o que o outro disse. A Bíblia é clara ao dizer que ignorar as questões desagradáveis — especialmente ao ser confrontado com algo que fez de errado e que precisa corrigir — é tolice e leva a mais erros (Pv 10.17).

Se você ou seu cônjuge tem tendência a ser Avestruz, talvez precise da ajuda de um conselheiro. Sem ela, o hábito de ignorar continuará — e essa é uma base frágil para a comunicação direta e honesta.

Mudando o padrão

> Que suas conversas sejam amistosas e agradáveis, a fim de que tenham a resposta certa para cada pessoa.
>
> COLOSSENSES 4.6

Nos últimos dias, analisamos alguns padrões nocivos de comunicação. Falamos sobre a Pomba, o Falcão, a Coruja e o Avestruz. Hoje quero sugerir cinco maneiras de mudar esses padrões.

Primeiro, identifique o padrão nocivo. Qual dos quatro se destaca mais em seu casamento?

Segundo, admita que o padrão é prejudicial ao relacionamento. Por exemplo, diga a si mesmo: "Sou um Falcão e isso está prejudicando meu casamento".

Terceiro, firme o propósito de mudar o padrão. As mudanças não acontecem automaticamente ao longo do tempo. As coisas só mudam quando nos decidimos a mudá-las.

Quarto, substitua os velhos padrões por novos. Leia um bom livro sobre comunicação e descubra como é a comunicação saudável. Então comece a implementar essas ideias em seu casamento. Sim, leva tempo e exige esforço, mas as recompensas são enormes.

Finalmente, admita quando retornar aos velhos padrões. Nenhum padrão de comunicação será transformado do dia para a noite, e uma recaída não significa fracasso. É uma fase normal da mudança de hábitos ruins. Seja persistente e, por fim, você e seu cônjuge verão mudanças.

Que o seu objetivo seja seguir o conselho do apóstolo Paulo, e que a comunicação entre vocês dois seja amistosa e agradável.

ORAÇÃO

Pai celestial, oro pedindo sabedoria para enxergar os padrões negativos de comunicação em minha vida e em nosso relacionamento. Ajuda-nos a ver os problemas, a ter a disposição de mudar e a implementar a mudança. Quero que minha forma de conversar resulte em honra para ti.

APLICAÇÃO

DEZEMBRO 14

DEVOCIONAL 348

Amor = retidão

> O amor consiste em fazer o que Deus nos ordenou, e ele ordenou que amemos uns aos outros, como vocês ouviram desde o princípio.
>
> 2 JOÃO 1.6

ORAÇÃO

Pai, obrigado por essa ótima definição de amor. Não se trata de fazer meu cônjuge feliz a todo custo. Em vez disso, trata-se de incentivá-lo a fazer o que é certo e o que, em última análise, é melhor para ele: seguir os teus mandamentos. Ajuda-me a honrar os votos de meu casamento mesmo no meio da dificuldade, e não simplesmente a procurar a solução mais fácil.

APLICAÇÃO

Às vezes uma pessoa pode dizer ao cônjuge: "Quero que você seja feliz. Se me deixar fará que você seja feliz, então vá. Dói muito, mas quero sua felicidade". Superficialmente, isso pode parecer amoroso e demonstrar grande altruísmo, mas não é nem uma coisa nem outra. O amor verdadeiro busca o bem da outra pessoa. E, de acordo com as Escrituras, romper a aliança matrimonial não é bom (1Co 7.10-11).

O maior bem de uma pessoa não reside na felicidade, mas na retidão. Se a felicidade decorrer de prática de algo errado, será efêmera, porque os prazeres do pecado sempre têm vida curta (Hb 11.25). Os cristãos, portanto, nunca devem incentivar o divórcio como forma de buscar a felicidade. Em vez disso, precisamos incentivar uns aos outros à retidão. Como o apóstolo João escreveu na passagem acima, o amor é seguir os mandamentos de Deus, ou seja, viver em retidão.

A verdadeira pergunta é: o que a Bíblia nos ensina a fazer em nossa situação atual? Se você não sabe a resposta, então procure um pastor que esteja familiarizado com os princípios bíblicos para o relacionamento conjugal. Assim que soubermos o que é certo, como cristãos, devemos procurar obedecer a todo custo.

Caminhando rumo à reconciliação pela fé

15 DEZEMBRO

DEVOCIONAL 349

> A fé mostra a realidade daquilo que esperamos; ela nos dá convicção de coisas que não vemos.
>
> HEBREUS 11.1

Quando as coisas ficam difíceis em seu casamento, pode parecer mais fácil desistir e sair em busca da própria felicidade, especialmente quando os sentimentos de amor já evaporaram. Contudo, o cristão não é chamado a percorrer a estrada mais fácil, e sim a mais elevada. Garanto que, depois da dor da reconciliação, a estrada certa leva tanto à felicidade como ao amor.

A opção de buscar a reconciliação é um passo de fé. Você não é capaz de ver o calor do amor emocional retornando a seu relacionamento, as diferenças sendo resolvidas, a intimidade que deseja no casamento. Portanto, é preciso dar os primeiros passos pela fé, não pelo que vê. No entanto, essa não é uma fé cega; é a fé fundamentada no conselho de Deus. Com sua mão na mão de Deus, você caminha com ele, confiando na sabedoria divina que diz que honrar a aliança do casamento é a atitude certa.

Ao sair pela fé em busca da reconciliação com o parceiro, você se junta ao grupo dos gigantes bíblicos. Em Hebreus 11, você encontrará muitos exemplos de pessoas que agiram pela fé, sem quaisquer garantias de que as coisas aconteceriam. A única segurança de que aquilo por fim daria certo era a promessa de Deus. Você tem a mesma promessa. Precisa de algo mais?

ORAÇÃO

Pai, sou desafiado a dar um passo de fé. Quando nosso casamento chegar a um momento difícil, ajuda-me a trabalhar rumo à reconciliação, pois essa é a atitude certa a ser tomada. Posso não ter nenhuma garantia de que meu cônjuge será receptivo, mas tenho tua promessa de que estarás comigo. Dá-me força para fazer as escolhas certas.

APLICAÇÃO

DEZEMBRO 16

DEVOCIONAL 350

Servir em vez de exigir

> [Jesus disse:] "Entre vocês, porém, será diferente. Quem quiser ser o líder entre vocês, que seja servo, e quem quiser ser o primeiro entre vocês, que se torne escravo. Pois nem mesmo o Filho do Homem veio para ser servido, mas para servir e dar sua vida em resgate por muitos".
>
> MATEUS 20.26-28

ORAÇÃO

Senhor Jesus, obrigado por teu exemplo de serviço. Ajuda-me a não fazer exigências a meu cônjuge, mas, pelo contrário, a servir genuinamente.

APLICAÇÃO

A chave que abre a porta para um casamento feliz é aprender a servir seu cônjuge. Devo confessar que levei muitos anos para encontrar essa chave. Quando me casei, pensava em quanto minha esposa me faria feliz. Quando seu desempenho foi aquém de minha expectativa, fiquei desapontado, magoado, irado e hostil. Não era um quadro muito agradável.

Você já passou por isso? Faz exigências a seu cônjuge e, então, fica irado quando ele não faz o que você exige. Você pode reagir dizendo: "Por que você não faz isso? Você sabe como isso é importante para mim". Ou: "Como pode fazer isso? Você sabe como me sinto". Com declarações como essa, você tenta manipular o comportamento do cônjuge.

Já descobriu que isso não funciona? As pessoas não reagem bem às exigências. Em vez disso, tente servir. Jesus disse aos discípulos que qualquer um que deseja ser líder precisa em primeiro lugar ser servo. Devemos seguir o exemplo dele e servir aos outros.

Tente fazer algo por seu cônjuge que sabe que ele gostaria que você fizesse. Desenvolver a atitude de serviço tem muito mais potencial do que continuar a fazer exigências. Faça alguma coisa boa por seu cônjuge hoje!

Servir como maridos e esposas

DEZEMBRO 17
DEVOCIONAL 351

> Sujeitem-se uns aos outros por temor a Cristo. Esposas, sujeite-se cada uma a seu marido, como ao Senhor. [...] Maridos, ame cada um a sua esposa, como Cristo amou a igreja. Ele entregou a vida por ela.
>
> EFÉSIOS 5.21-22,25

Uma atitude de serviço mútuo por parte do marido e da esposa leva a um casamento saudável. Mas deve haver reciprocidade. Uma esposa submissa e servidora e um marido tirano e exigente nunca criarão um casamento feliz. Uma esposa dominadora e um marido passivo também não encontrarão a satisfação conjugal.

O marido deve aprender a servir a esposa como Cristo serviu a igreja. A esposa deve servir seu marido como serve ao Senhor. O serviço mútuo traz alegria mútua.

Os jogadores de tênis passam horas por semana melhorando seu serviço. Será que você deveria dar mais atenção à melhoria de um aspecto de seu relacionamento que tem potencial para transformá-lo em algo excelente? Desenvolver seu serviço pode fazer a diferença entre sucesso e fracasso no casamento.

Você está disposto a pedir a Deus que lhe dê a atitude de Cristo em relação a seu cônjuge? Que o ajude a servir como ele serviu? Essa é uma oração para a qual Deus lhe dará resposta, e isso o levará a um casamento saudável.

ORAÇÃO

Pai, peço-te que trabalhes em meu coração e me dês a atitude de Cristo em relação a meu cônjuge. Ajuda-me a servir como tu serviste: de todo o coração, com amor e sem esperar nada em troca.

APLICAÇÃO

DEZEMBRO 18

DEVOCIONAL 352

Liberdade para servir

> Porque vocês, irmãos, foram chamados para viver em liberdade. Não a usem, porém, para satisfazer sua natureza humana. Ao contrário, usem-na para servir uns aos outros em amor.
>
> GÁLATAS 5.13

Nos últimos dias, temos conversado sobre o desenvolvimento de uma atitude de serviço. Devemos aprender a aceitar a atitude servil de Cristo. Quando você e seu cônjuge servirem um ao outro, ambos se tornarão vencedores.

Uma coisa que incentiva o serviço é expressar apreço. Seu cônjuge já o serviu de alguma maneira nesta semana? Pense! Já levou o lixo para fora, preparou uma refeição, lavou a louça, cortou a grama, trocou as fraldas do bebê ou deu banho no cachorro? Se ele fez algo assim, por que não expressar gratidão? Você pode dizer: "Sabe, não lhe disse isso antes, mas realmente gostei de você ter dado banho no cachorro. Isso é muito difícil para mim. Sei que é uma tarefa complicada, e aprecio quando você cuida disso".

Procure descobrir algo que seu cônjuge fez por você e demonstre apreço. Em seguida, faça algo bom para seu cônjuge. O serviço mútuo e a apreciação mútua levam a um casamento saudável. Não se deve exigi-los, mas eles podem ser concedidos livremente, como destaca o texto de Gálatas 5. É no ato de dar nossa vida um ao outro que descobrimos a alegria do serviço.

ORAÇÃO

Pai, obrigado por todas as maneiras pelas quais meu cônjuge me serve. Ajuda-me a não achar que essas atitudes são sua obrigação, mas a expressar meu apreço sinceramente e com frequência. Ajuda-me a servi-lo também.

APLICAÇÃO

O dom da ira

> Deus é meu escudo; ele salva os que têm coração íntegro. Deus é justo juiz; todos os dias ele mostra sua ira contra os perversos.
>
> SALMOS 7.10-11

A ira é frequentemente vista como inimiga do bom casamento, mas creio que Deus a planejou com o propósito de ser nossa amiga. A emoção da ira é um dom de Deus. Ela reflete nossa preocupação com o que é certo e nosso amor pelas pessoas.

A passagem acima, extraída do salmo 7, mostra que o Senhor se irrita com aqueles que fazem o mal. Por quê? Na sequência, o salmista diz que essas pessoas fazem armadilhas para os outros e desejam a violência. Sua capacidade de ferir pessoas é enorme, e essa falta de respeito pelos outros deixa o Senhor irado.

Do mesmo modo, se nosso cônjuge está cometendo um erro, podemos nos irar porque sabemos que isso magoará outros — incluindo o próprio cônjuge. No exemplo extraído de Salmos, a ira de Deus e as ações resultantes podem levar os malfeitores ao arrependimento. Nossa ira também deve nos motivar a tentar influenciar o cônjuge para que ele interrompa o comportamento errado e faça o que é certo.

No plano de Deus, a ira serve a um bom propósito. Contudo, como acontece com todos os dons de Deus, Satanás tenta pervertê-los. Não raro ele se dá bem. Quando cedemos a Satanás, nossa ira deixa a situação pior do que estava. Talvez nossa resposta seja julgamento em vez de atenção e cuidado, ou estejamos cheios de justiça própria e nos expressemos de forma ácida.

A melhor coisa que podemos fazer quando estivermos irados é orar. Precisamos pedir a Deus que nos mostre como exercer influência positiva sobre o cônjuge. Lembre-se que o propósito de nossa ira é nos motivar a cooperar com Deus para que nosso cônjuge abandone seu comportamento pecaminoso.

ORAÇÃO

Pai, quando eu me irar com meu cônjuge, ajuda-me a descobrir as razões desse sentimento. Quando minha ira for justificada porque meu cônjuge está fazendo algo errado ou nocivo, dá-me sabedoria quanto à maneira de reagir. Sei que meu foco precisa estar no encorajamento que devo dar a meu cônjuge para que ele volte ao caminho correto.

APLICAÇÃO

DEZEMBRO 20

DEVOCIONAL 354

Confrontando com mansidão

> Irmãos, se alguém for vencido por algum pecado, vocês que são guiados pelo Espírito devem, com mansidão, ajudá-lo a voltar ao caminho certo. E cada um cuide para não ser tentado.
>
> GÁLATAS 6.1

ORAÇÃO

Pai celestial, ajuda-me a sempre ser gentil e humilde quando confrontar meu cônjuge sobre algo errado que ele esteja fazendo. Sei como sou inclinado ao erro, e quero estender graça a meu cônjuge também. Ajuda-me a usar minha ira com sabedoria, sem descontar em meu cônjuge, mas motivando-me a confrontá-lo com amor sempre que necessário.

APLICAÇÃO

Quando foi a última vez que você se irritou com seu cônjuge? O que você fez? Seu comportamento melhorou ou piorou a situação? As Escrituras dizem que, quando deparamos com um irmão ou uma irmã em Cristo que esteja pecando, devemos procurar a restauração com um espírito de mansidão. Em outras palavras, devemos ser gentis e humildes porque nós mesmos cometemos erros com frequência. Não estamos em posição de julgar, mas podemos lembrar gentilmente a nosso cônjuge aquilo que é correto.

A confrontação amorosa é a abordagem mais positiva quando você estiver irado com seu cônjuge. Talvez você esteja irado por acreditar que seu cônjuge fez ou disse algo errado. Ou talvez tenha deixado de fazer algo que, a seu ver, ele deveria ter feito. Uma abordagem com mansidão poderia ser: "Meu bem, posso estar interpretando errado, mas estou me sentindo magoado e irado e preciso de sua ajuda. Agora é um bom momento para conversarmos?".

Fale o que está sentindo e então ouça o que seu cônjuge tem a dizer. Você não pode forçá-lo a fazer o que é certo, mas pode influenciá-lo. Você saberá que a ira serviu ao seu propósito quando ouvir: "Sinto muito. Estava errado. Com a ajuda de Deus, não farei isso de novo. Você me perdoa?".

Administrando a ira positiva

21 DEZEMBRO
DEVOCIONAL 355

> Deixe a ira de lado! Não se enfureça! Não perca a calma; isso só lhe trará prejuízo.
>
> SALMOS 37.8

Como temos visto, a ira é parte inevitável de qualquer relacionamento, incluindo o casamento. Conversamos sobre algumas das razões por trás dela, mas hoje gostaria de me concentrar nos aspectos práticos. Apresento a seguir seis sugestões sobre como lidar com a ira direcionada ao cônjuge.

1. Admita a si mesmo: "Não há problema em me sentir irado".
2. Lembre a si mesmo: "Não é correto descontar em meu cônjuge ou afastar-me em silêncio".
3. Ore a Deus pedindo sabedoria para lidar com a ira.
4. Busque explicação antes de fazer julgamentos. Você pode dizer algo assim: "Meu bem, algo está me perturbando, mas talvez não tenha entendido a situação. Posso lhe fazer uma pergunta?".
5. Mire a resolução; não tente ganhar a discussão. Se você vence, seu cônjuge perde. Você não quer ficar casado com um perdedor, certo? A pergunta correta é: "Como podemos resolver esse problema?".
6. Declare amor por seu cônjuge. "Amo você e não quero que nada se coloque entre nós" pode ser uma declaração apropriada.

Como o salmista nos lembra, perder a cabeça só traz prejuízo. Em contrapartida, esses seis passos pavimentam o caminho que leva a uma boa resolução. O controle da ira positiva pode muito bem salvar seu casamento.

ORAÇÃO

Pai, obrigado por essas ideias sobre como lidar com a ira em relação a meu cônjuge. Ajuda-me a praticá-las. Que eu não peque em minha ira; que seja respeitoso e amoroso com meu cônjuge.

APLICAÇÃO

Nossa necessidade básica

> Três coisas, na verdade, permanecerão: a fé, a esperança e o amor, e a maior delas é o amor.
>
> 1CORÍNTIOS 13.13

ORAÇÃO

Senhor Jesus, obrigado por teu amor que nunca falha. Obrigado pelo amor que posso compartilhar com meu cônjuge. Ajuda-me a amar eficientemente, de modo que meu cônjuge se sinta seguro em nosso relacionamento.

APLICAÇÃO

Amor e casamento — eles andam juntos como cavalo e carruagem, certo? Bem, deveriam e, num casamento sadio, realmente andam. A maioria das pessoas concorda que nossa necessidade emocional mais profunda é a de nos sentirmos amados. O apóstolo Paulo identifica o amor como o valor maior, e o rei Davi escreveu que o "amor é melhor que a própria vida" (Sl 63.3). Não há dúvida de que o amor de Deus por nós é nossa rocha emocional. Mas também precisamos experimentar o amor humano. Se somos casados, a pessoa cujo amor mais desejamos é o cônjuge. O fato é que, se nos sentimos amados, tudo o mais é factível. Se não nos sentimos amados, nossos conflitos se tornam campos de batalha.

Por favor, não me entenda mal. Não estou sugerindo que o amor é nossa única necessidade. Os psicólogos observaram que também temos as necessidades básicas de segurança, de autoestima e de nos sentirmos importantes. Contudo, o amor está relacionado a todas essas necessidades.

Se me sinto amado, posso relaxar, sabendo que meu cônjuge não me fará nenhum mal. Sinto-me seguro em sua presença. Posso enfrentar as incertezas de minha vocação. Posso ter inimigos em outras áreas da vida, mas, com meu cônjuge, sinto-me seguro. Nos próximos dois dias, conversaremos sobre como satisfazer a necessidade de amor emocional do cônjuge.

Entendendo nosso valor

23 DEZEMBRO

DEVOCIONAL 357

> Vejam como é grande o amor do Pai por nós, pois ele nos chama de filhos, o que de fato somos!
>
> 1JOÃO 3.1

O amor muitas vezes faz a diferença entre a autoestima baixa e a saudável. O amor muda a maneira como vejo a mim mesmo.

Na realidade, é claro, todos nós somos de grande valor pelo simples fato de termos sido criados à imagem de Deus. O apóstolo João deixa claro que Deus nos chama de filhos porque nos ama muito. A Bíblia também usa a imagem do rebanho de ovelhas. Lemos em Salmos 100.3 que Deus "nos criou e a ele pertencemos; somos seu povo, o rebanho que ele pastoreia". Em resumo, somos amados e valiosos, pertencemos a um rebanho e recebemos os devidos cuidados. Essa é uma mensagem maravilhosa para a autoestima de qualquer cristão.

Mas nem todos nós nos sentimos valiosos. Podemos ser instrumentos de Deus dentro do casamento para fortificar a autoestima de nosso cônjuge. A melhor maneira de fazer isso é amá-lo e comunicar-lhe a verdade de Deus. Falar a linguagem do amor do cônjuge e manter seu tanque de amor cheio também comunica valor. Afinal, se meu cônjuge me ama, devo valer algo.

Você sabe qual é a principal linguagem do amor de seu cônjuge — o que realmente o faz sentir-se amado? Então peça a Deus que lhe dê a habilidade de falar bem essa linguagem, seja ela toque físico, palavras de afirmação, tempo de qualidade, presentes ou atos de serviço. Veja seu cônjuge transformar-se na pessoa que Deus deseja que ele seja. O amor faz a diferença.

ORAÇÃO

Pai celestial, obrigado por permitires que te chamemos de Pai! Tu nos adotaste como teus filhos e cuidas de nós com a ternura com que um pastor cuida de suas ovelhas. Obrigado por nos valorizares. Ajuda-me em meus esforços para comunicar esse valor a meu cônjuge por meio de minhas expressões de amor.

APLICAÇÃO

DEZEMBRO 24

DEVOCIONAL 358

Encontrando nossa importância

> O mais importante é que vocês vivam em sua comunidade de maneira digna das boas-novas de Cristo. Então [...] saberei que estão firmes e unidos em um só espírito e em um só propósito, lutando juntos pela fé que é proclamada nas boas-novas.
>
> FILIPENSES 1.27

A necessidade de sentir-se importante motiva em grande parte nosso comportamento. Queremos que nossa vida sirva para alguma coisa. Na realidade, sou importante porque Deus me criou. A vida tem significado. Existe um propósito mais elevado: compartilhar o amor de Deus com outras pessoas ao espalhar as boas-novas. O apóstolo Paulo incentivou os cristãos a se unirem nesse propósito, e isso continua válido para os dias atuais. Quando comunicamos o amor de Deus, estamos fazendo algo altamente significativo.

Contudo, posso não me sentir importante até que alguém expresse amor por mim. Quando, com amor, meu cônjuge investe tempo, energia e esforços em mim, sinto-me valioso. Mas o surpreendente é que, quando escolho amar meu cônjuge e dar minha vida para que ele alcance bem-estar, sinto-me ainda mais valioso. Por quê? Porque há maior felicidade em dar do que em receber.

Cristo é nosso exemplo. Ele deu sua vida pela igreja (Ef 5.25) e, por isso, "Deus o elevou ao lugar de mais alta honra" (Fp 2.9). Uma das maiores contribuições que podemos dar à causa de Cristo é amar nosso cônjuge.

ORAÇÃO

Pai, sou grato pela importância que me dás. Quero realizar os propósitos que tens para mim e compartilhar teu amor com os outros. Ajuda-me a começar amando meu cônjuge com altruísmo. Que, por meio disso, ele também possa se sentir importante.

APLICAÇÃO

Esquecendo o passado

25 DEZEMBRO

DEVOCIONAL 359

> Esquecendo-me do passado e olhando para o que está adiante, prossigo para o final da corrida, a fim de receber o prêmio celestial para o qual Deus nos chama em Cristo Jesus.
>
> FILIPENSES 3.13-14

De acordo com 1Coríntios 13, o amor não guarda rancor. Quantas vezes já ouvi em sessões de aconselhamento um marido ou uma esposa detalhando os erros passados do outro? A ferida, a dor e a decepção são sentidos como se o erro tivesse acontecido ontem. Eu lhe pergunto: qual o propósito disso?

Todos nós já pecamos no passado. Sim, somos culpados de erros medonhos, mas a grande mensagem do Natal é que Deus nos perdoa. Uma vez que somos perdoados, Deus nunca mais nos lembra dos erros do passado. De fato, lemos em Isaías 43.25 o que Deus nos diz: "Eu, somente eu, por minha própria causa, apagarei seus pecados e nunca mais voltarei a pensar neles". Que promessa!

Precisamos seguir o exemplo de Deus. Se seu parceiro confessar e pedir perdão, você nunca mais deve trazer o passado de volta. Lembre-se que seu bem-estar não é determinado pelo passado, mas pelo que você faz com o futuro. O importante é como vocês se tratam hoje, não como agiram no mês ou no ano passado.

Siga o exemplo de Paulo em Filipenses 3 e esqueça o passado, concentrando-se no futuro e em seu objetivo final: viver uma vida como a de Cristo. Esquecer-se do passado é a chave que pode abrir o futuro, trazendo reconciliação entre você e seu cônjuge.

ORAÇÃO

Pai, neste dia de Natal, quero agradecer-te por teres enviado Jesus ao mundo para nos salvar. O sacrifício dele possibilita que tu nos perdoes e que esqueçamos o passado! Ajuda-me a parar de olhar para trás em busca dos erros que meu cônjuge cometeu, e impede-me também de reabrir feridas. Em vez disso, quero olhar para a frente, para o crescimento e a reconciliação que podemos experimentar no futuro. Mostra-me como perdoar e amar como tu fazes, Senhor.

APLICAÇÃO

O amor não procura seus interesses

26 DEZEMBRO — DEVOCIONAL 360

> [Paulo disse:] "Fui exemplo constante de como podemos, com trabalho árduo, ajudar os necessitados, lembrando as palavras do Senhor Jesus: 'Há bênção maior em dar que em receber'".
>
> ATOS 20.35

A felicidade é uma mercadoria especial. A pessoa que deseja comprá-la nunca consegue encontrá-la. Homens e mulheres solitários de todas as idades já admitiram a futilidade de sua busca pela felicidade, mais notadamente o rei Salomão, no livro de Eclesiastes. Esse rei abastado e poderoso, com servos para satisfazer a todos os seus caprichos, descobriu que a maioria das coisas na vida é entediante, sem sentido nem alegria.

A maioria de nós se casa presumindo que será feliz. Depois da cerimônia, descobrimos que o cônjuge nem sempre procura nos fazer felizes. Talvez ele até mesmo exija cada vez mais de nosso tempo, energia e recursos para sua própria felicidade. Sentimo-nos enganados e usados e, como consequência, lutamos por nossos direitos. Exigimos que o cônjuge faça certas coisas por nós ou desistimos e saímos em busca de felicidade em algum outro lugar.

Parte da definição de amor apresentada pelo apóstolo Paulo em 1Coríntios 13 é que o amor "não exige que as coisas sejam à sua maneira". A felicidade genuína é o subproduto de fazer a outra pessoa feliz. Eu me pergunto que teria acontecido se o rei Salomão tivesse encontrado alguém a quem servir. As Escrituras não dizem que "há bênção maior em dar que em receber"?

Quer ser feliz? Descubra quais são as necessidades de outra pessoa e procure satisfazê-las. Por que não começar com seu cônjuge? "Em que posso ajudá-lo?" é uma boa pergunta para começar.

ORAÇÃO

Senhor Jesus, tu nos disseste que a bênção vem quando se dá, não quando se recebe. Ajuda-me a transformar minhas expectativas. Não quero desperdiçar tempo e energia tentando encontrar a felicidade e me desapontar. Em vez disso, mostra-me como alcançar meu cônjuge dando-lhe algo. Quero trazer felicidade a meu parceiro pela forma como expresso meu amor.

APLICAÇÃO

Começando corretamente a vida como sogro e sogra

27 DEZEMBRO

DEVOCIONAL 361

> Tratem todos com respeito e amem seus irmãos em Cristo.
>
> 1PEDRO 2.17

Ao tornar-se sogra ou sogro, você entra num mundo de relacionamentos completamente diferente. Não deixe que as coisas simplesmente aconteçam. Converse a respeito disso.

Antes de seu filho ou filha casar, converse sobre como será a vida depois do casamento. Converse com seu cônjuge, converse com seu filho, converse com seu futuro genro ou nora.

Você quer ter bons relacionamentos, portanto converse sobre o que os tornará bons. Escutem uns aos outros. Respeitem as ideias uns dos outros. Entrem em acordo sobre a estratégia a adotar. Respondam às perguntas a seguir:

- Como o novo genro ou a nova nora devem nos chamar?
- Se morarmos na mesma região, ligaremos um para o outro antes de fazer uma visita? Ou simplesmente apareceremos a qualquer hora?
- Que tipo de contato teremos depois do casamento? Com que frequência telefonaremos e visitaremos um ao outro?
- Estamos abertos a convites para jantar? Cada casal dará ao outro a liberdade de dizer não, se tiver outros planos?
- Daremos alguma ajuda financeira ao novo casal? Em caso afirmativo, como fazê-lo sem que o jovem casal se sinta controlado?

Quando tratamos os membros de nossa família — e os novos membros — com amor e respeito, estamos seguindo o conselho do apóstolo Pedro. Também estamos criando o ambiente propício para relacionamentos familiares fortes nos anos que se seguirão. Preparar-se para a vida depois do casamento é tão importante quanto planejar o casamento.

ORAÇÃO

Pai celestial, quero ter um bom relacionamento com meu genro ou nora, quer já esteja nessa situação, quer venha a vivê-la num futuro distante. Obrigado por nos lembrares que a comunicação proativa, o amor e o respeito são sempre benéficos. Que nossos relacionamentos familiares sejam cada vez mais fortes, sustentáveis e amorosos.

APLICAÇÃO

Ações acima das emoções

DEZEMBRO 28 — DEVOCIONAL 362

> Não nos cansemos de fazer o bem. No momento certo, teremos uma colheita de bênçãos, se não desistirmos.
>
> GÁLATAS 6.9

ORAÇÃO

Pai, dá-me perseverança para tratar meu cônjuge amavelmente, mesmo quando não sentir desejo de fazê-lo ou quando tiver vontade de desistir. Sei que, quando expresso teu amor, a atmosfera entre meu cônjuge e eu pode mudar. Preciso de tua vontade e determinação para ir além das emoções e fazer o que é certo. Obrigado por me ajudares, Senhor.

APLICAÇÃO

Meu desafio para você hoje é amar seu cônjuge mesmo quando sentir emoções negativas em relação a ele. Você pode perguntar: "Isso não seria hipocrisia?". Minha resposta é não. Dizer que sente algo que na verdade não sente é ser hipócrita, mas *agir* de maneira amorosa independentemente de suas emoções não é. Ao expressar bondade por meio de um ato ou um presente atencioso, você não está declarando um sentimento emocional caloroso. Está simplesmente escolhendo ser gentil.

A Bíblia diz que não devemos nos cansar de fazer o que é certo. Quando tratamos o cônjuge com bondade e amor, estamos fazendo aquilo que agrada a Deus. Ele promete que, se perseverarmos, no fim veremos a bênção.

É a mesma coisa que fazemos a cada manhã. Não sei você, mas se eu saísse da cama apenas nas manhãs em que sinto vontade de me levantar, estaria com assaduras nas costas. Quase todas as manhãs ajo a despeito de meus sentimentos e levanto-me quando o despertador toca. Pouco depois, sinto-me bem por ter levantado — pelo menos na maioria dos dias.

Os sentimentos negativos são mais frequentemente aliviados quando ignorados em vez de acolhidos. Ao agir positivamente apesar das emoções negativas, a tendência é que haja uma mudança no clima emocional entre marido e esposa. O ressentimento se dissipa, e os dois cônjuges ficam mais abertos um ao outro. Talvez essa seja a bênção que Deus promete! Assim que chegarem a esse ponto, os dois juntos poderão lidar com a questão que suscitou em primeiro lugar os sentimentos negativos.

O poder transformador do amor

29 DEZEMBRO
DEVOCIONAL 363

> O Espírito produz este fruto: amor, alegria, paz, paciência, amabilidade, bondade, fidelidade, mansidão e domínio próprio. Não há lei contra essas coisas!
>
> GÁLATAS 5.22-23

Conta-se a história de uma mulher que buscou a ajuda de um conselheiro conjugal.

— Quero me divorciar — disse ela — e quero causar o máximo de dor possível ao meu marido.

— Nesse caso — advertiu o conselheiro — comece a inundá-lo de elogios. Quando você se tornar indispensável para ele, ou seja, quando ele achar que você o ama de todo o coração, então dê entrada numa ação de divórcio. Essa é a maneira de machucá-lo mais profundamente.

Alguns meses depois, a esposa voltou para informar que havia seguido as instruções do conselheiro.

— Ótimo — disse o conselheiro. — Agora é a hora do divórcio.

— Divórcio? — disse a mulher. — Nunca! Eu me apaixonei pelo sujeito!

Palavras e atos de amor não mudam apenas o cônjuge, mas também aquele que está falando e agindo com amor. Jesus não disse: "Amem seus inimigos" (Mt 5.44)? Talvez seu cônjuge se encaixe nesse perfil, pelo menos de vez em quando! Pode parecer impossível, mas Gálatas 5 nos garante que nem tudo depende de nós. O Espírito Santo, que habita no cristão, produz nele boas qualidades: amor, alegria, paz, paciência, amabilidade, bondade, fidelidade, mansidão e domínio próprio. Que lista! Tudo o que precisamos fazer é permitir que ele opere em nós.

Amar o cônjuge no poder do Espírito Santo nunca piorará as coisas. Quem sabe elas não melhoram? Siga no sentido contrário ao de suas emoções e dê uma chance ao amor.

ORAÇÃO

Pai, sou profundamente grato pelo dom do Espírito Santo, que é capaz de produzir um fruto maravilhoso em mim. Ajuda-me a não atrapalhar e a permitir que o Espírito opere livremente. Com tua ajuda, posso amar meu cônjuge por meio de minhas ações, mesmo quando não sentir vontade de fazê-lo. Quero ser transformado por teu amor, Senhor.

APLICAÇÃO

DEZEMBRO 30

DEVOCIONAL 364

Qual é o seu legado?

> Sejam meus imitadores, como eu sou imitador de Cristo.
>
> 1CORÍNTIOS 11.1

Entre as coisas que você deixará para trás quando morrer, está seu legado conjugal. Não há dúvida de que seu exemplo influenciará a vida de seus filhos e de outros que o observam. Poucas coisas são mais importantes do que construir o tipo de casamento que você gostaria que seus filhos imitassem.

Quando pergunto a pais mais velhos: "O que você deseja para seus filhos adultos?", a resposta com frequência é: "Quero que tenham um casamento feliz e que criem seus filhos de modo que se tornem pessoas respeitosas e atenciosas". Esse é um objetivo digno. O que você está fazendo para implementá-lo? Quero afirmar que o exemplo de seu casamento é fator preponderante na ajuda que pode prestar a seus filhos para que tenham um casamento feliz.

A pergunta é: você deixará um legado positivo ou negativo? Muitos jovens adultos enfrentam grandes dificuldades por causa da influência negativa estabelecida pelo casamento dos pais. Outros são abençoados grandemente pelo modelo positivo.

Nunca é tarde demais. Enquanto viver, você terá tempo para trabalhar no legado conjugal que deixará atrás de si. A melhor coisa que podemos fazer é aquilo que Paulo fez: seguir o exemplo de Cristo. Quanto mais de perto seguimos Jesus e tratamos as pessoas como ele nos pede que façamos, mais semelhante ao de Cristo será nosso legado.

ORAÇÃO

Senhor Jesus, sei que a única maneira de poder deixar um legado forte é seguir teu exemplo. Ajuda-me a tornar-me cada vez mais semelhante a ti na maneira como trato meu cônjuge e encaro nosso casamento. Quero deixar um exemplo positivo para os que estão ao nosso redor. Obrigado, Senhor.

APLICAÇÃO

Um legado conjugal positivo

31 DEZEMBRO — DEVOCIONAL 365

> Seja exemplo para todos os fiéis nas palavras, na conduta, no amor, na fé e na pureza.
>
> 1TIMÓTEO 4.12

Que tipo de legado você deixará para seus filhos? Quando morrer, deixará algum legado material: dinheiro, roupas, mobília, carros e assim por diante. Contudo, o legado mais poderoso que deixará para seus filhos é o de seu casamento.

O pai de John faleceu aos 78 anos, um ano depois de sua mãe ter partido. Seu pai vivia numa clínica de repouso havia muitos anos, e seu dinheiro havia acabado. Não tinha um legado financeiro para deixar. "Antes de morrer", disse John, "ele me disse que queria que eu ficasse com sua aliança de casamento. Depois de sua morte, quando fui à clínica, deram-me um pacote com as roupas dele. No fundo havia uma pequena sacola plástica com a aliança. Hoje essa aliança está no meu guarda-roupa. Olho para ela todos os dias e relembro os cinquenta anos de casamento fiel de papai e mamãe. Penso em tudo o que eles fizeram por mim quando eu era pequeno e oro a Deus pedindo que eu seja o tipo de marido e pai que ele foi."

As palavras de John falam de um legado muito mais valioso que bens materiais. O apóstolo Paulo escreveu a Timóteo incentivando-o a ser um exemplo em seu modo de viver, crer e amar. Esse também é um desafio para nós hoje. O que nossos filhos pensarão no dia em que olharem para nossa aliança de casamento?

ORAÇÃO

Senhor Jesus, quero deixar um legado positivo. Ajuda-nos, como casal, a amarmos um ao outro, mesmo quando as intempéries desafiarem nosso relacionamento. Que aqueles que nos cercam vejam nosso casamento e sintam-se encorajados.

APLICAÇÃO

Índice de assuntos

Abuso verbal, 18 de setembro
Ações, 26 de junho
Afirmação, 7 de outubro, 8 de outubro, 9 de outubro
Agir em amor, 28 de dezembro, 29 de dezembro
Alcoolismo, 1º de dezembro, 2 de dezembro, 3 de dezembro
Aliança, 5 de abril, 6 de abril, 7 de abril, 6 de novembro
Amargura, 24 de novembro, 25 de novembro
Amor altruísta, 26 de dezembro
Amor firme, 14 de abril, 25 de abril, 26 de abril, 16 de setembro, 17 de setembro
Amor incondicional, 14 de fevereiro, 7 de setembro, 28 de setembro
Amor, 20 de janeiro, 20 de agosto, 21 de agosto, 22 de dezembro
Aprender a amar, 24 de junho
Arrependimento, 9 de janeiro, 10 de janeiro, 11 de janeiro
Atitude, 27 de janeiro, 28 de janeiro, 6 de junho, 7 de junho, 8 de junho, 30 de julho, 31 de julho
Atitude defensiva, 2 de março, 3 de março, 29 de agosto, 30 de agosto
Atos de serviço, 12 de abril, 26 de julho, 27 de julho
Autoestima, 23 de dezembro
Autorrevelação, 4 de janeiro, 5 de janeiro, 6 de janeiro, 7 de janeiro
Autossuficiência, 25 de maio
Bondade, 21 de janeiro
Casamento como presente, 29 de novembro

Companhia, 15 de abril, 4 de julho, 5 de julho, 30 de novembro
Comprometimento, 2 de maio, 29 de setembro, 30 de setembro
Comunicação, 16 de março, 17 de março, 18 de março, 8 de abril, 9 de abril, 10 de abril, 3 de maio, 4 de maio, 5 de maio, 6 de maio, 7 de maio, 21 de junho, 6 de agosto, 25 de agosto, 4 de setembro, 5 de setembro, 9 de novembro, 27 de novembro, 28 de novembro, 8 de dezembro, 9 de dezembro, 10 de dezembro, 11 de dezembro, 12 de dezembro, 13 de dezembro
Confissão, 8 de janeiro, 10 de fevereiro, 3 de agosto, 9 de setembro
Conflito, 30 de janeiro, 31 de janeiro, 13 de julho, 14 de julho, 15 de julho
Conselho, 26 de janeiro, 29 de junho, 11 de novembro
Controle, 8 de julho, 9 de julho
Crescimento pessoal, 12 de novembro
Criação de filhos, 19 de abril, 20 de abril, 13 de outubro
Crítica, 30 de outubro
Cuidado pessoal, 14 de março
Dar amor, 23 de julho
Decisões, 28 de março, 29 de março, 17 de maio, 18 de maio
Depressão, 6 de fevereiro, 7 de fevereiro, 8 de fevereiro
Diferenças, 27 de junho, 28 de junho, 6 de outubro
Dinheiro, 20 de fevereiro, 21 de fevereiro, 22 de fevereiro, 23 de fevereiro, 24 de fevereiro, 8 de maio, 9 de maio,

10 de maio, 11 de maio, 23 de agosto, 24 de agosto, 19 de novembro, 20 de novembro, 21 de novembro
Discussão, 26 de novembro
Divisão de trabalho, 22 de outubro, 23 de outubro, 24 de outubro
Divórcio, 11 de junho
Emoções, 17 de janeiro, 11 de julho, 12 de julho, 2 de agosto, 22 de novembro, 23 de novembro
Erros, 9 de fevereiro
Escolhas, 23 de março, 24 de março, 12 de junho, 13 de junho, 14 de junho, 9 de agosto, 10 de agosto
Esforço, 26 de setembro
Esperança, 13 de abril, 21 de outubro
Esposas, 21 de julho
Estações do casamento, 31 de março, 1º de abril, 2 de abril, 3 de abril, 4 de abril
Família, 25 de janeiro
Filhos, 10 de julho, 26 de agosto, 21 de setembro, 4 de novembro, 5 de novembro
Filhos adultos, 17 de junho
Futuro, 14 de novembro
Gratidão, 15 de outubro
Importância, 24 de dezembro
Incentivo, 27 de abril, 28 de abril, 29 de abril, 30 de abril, 22 de agosto
Infidelidade, 10 de outubro, 11 de outubro, 12 de outubro
Influência, 1º de agosto
Intimidade espiritual, 16 de julho, 17 de julho, 7 de dezembro
Intimidade, 15 de fevereiro, 16 de fevereiro, 17 de fevereiro, 18 de fevereiro, 19 de fevereiro, 19 de setembro, 20 de setembro, 6 de dezembro
Ira, 19 de janeiro, 7 de março, 8 de março, 9 de março, 10 de março, 11 de março, 19 de junho, 20 de junho, 18 de agosto, 19 de dezembro, 20 de dezembro, 21 de dezembro

Ira consigo mesmo, 4 de dezembro, 5 de dezembro
Ira de longo prazo, 19 de agosto
Ira distorcida, 3 de outubro, 4 de outubro, 5 de outubro
Ira do cônjuge, 16 de abril, 17 de abril, 18 de abril
Irado com Deus, 31 de outubro
Irresponsabilidade, 19 de maio, 20 de maio, 21 de maio
Legado, 4 de fevereiro, 30 de dezembro, 31 de dezembro
Linguagem do amor, 1º de janeiro, 2 de janeiro, 3 de janeiro, 12 de fevereiro, 13 de fevereiro, 25 de março, 11 de abril, 15 de junho, 4 de agosto
Lutas, 12 de agosto
Maridos, 22 de julho
Medo, 18 de janeiro
Motivação, 27 de agosto, 28 de agosto
Mudança, 11 de agosto, 20 de outubro, 13 de novembro
Necessidades, 19 de março, 20 de março, 21 de março, 22 de março, 1º de maio, 1º de novembro, 2 de novembro, 3 de novembro
Ninho vazio, 14 de setembro
Objetivos, 12 de maio, 13 de maio, 14 de maio
Olhar para a frente, 25 de dezembro
Oração, 9 de junho, 10 de junho, 13 de agosto, 22 de setembro, 23 de setembro, 24 de setembro
Ouvir, 23 de janeiro, 24 de janeiro, 18 de julho, 19 de julho, 20 de julho
Paciência, 22 de janeiro
Pacificador, 26 de fevereiro
Pais, 26 de março, 27 de março, 30 de junho, 1º de setembro, 2 de setembro, 3 de setembro, 10 de novembro
Palavras, 29 de janeiro, 25 de junho
Parentes por afinidade, 16 de junho, 18 de junho, 27 de dezembro

Pecado sexual, *16 de janeiro*
Pedir perdão, *7 de novembro, 8 de novembro*
Perdão, *11 de fevereiro, 21 de abril, 22 de abril, 22 de junho, 23 de junho, 14 de agosto, 15 de agosto, 16 de agosto, 17 de agosto, 1º de outubro, 2 de outubro, 17 de outubro, 18 de outubro, 19 de outubro*
Personalidade, *25 de fevereiro, 27 de fevereiro, 28 de fevereiro, 1º de março*
Presentes, *15 de maio, 16 de maio, 25 de outubro, 26 de outubro, 27 de outubro*
Primeiro passo, *24 de abril*
Prioridades, *12 de março, 13 de março, 15 de março, 6 de julho, 7 de julho*
Reconciliação, *24 de julho, 25 de julho, 8 de setembro, 14 de dezembro, 15 de dezembro*
Respeito, *5 de agosto, 25 de setembro*
Responsabilidade, *23 de abril*
Sacrifício, *5 de fevereiro*
Serviço, *1º de fevereiro, 2 de fevereiro, 3 de fevereiro, 29 de maio, 30 de maio, 16 de dezembro, 17 de dezembro, 18 de dezembro*
Servir aos outros, *22 de maio, 6 de setembro, 27 de setembro*
Sexo, *14 de janeiro, 15 de janeiro, 3 de junho, 4 de junho, 5 de junho, 28 de julho, 29 de julho, 10 de setembro, 11 de setembro*
Silêncio, *31 de maio, 1º de junho, 2 de junho*
Submissão, *30 de março*
Sucesso, *31 de agosto*
Tempo com Deus, *15 de setembro*
Tempo de qualidade, *12 de setembro, 13 de setembro*
Tempo, *7 de agosto, 8 de agosto*
Toque físico, *4 de março, 5 de março, 6 de março, 16 de novembro, 17 de novembro, 18 de novembro*
Trabalho em equipe, *12 de janeiro, 13 de janeiro, 27 de maio, 28 de maio, 15 de novembro*
Transformação, *23 de maio, 26 de maio*
Unidade, *1º de julho, 2 de julho, 3 de julho*
Verdade, *28 de outubro, 29 de outubro*
Visão de si mesmo, *24 de maio*
Viver o presente, *14 de outubro, 16 de outubro*

Índice de passagens bíblicas

Gênesis 2.2 *22 de março*
Gênesis 2.18 *29 de março*
Gênesis 2.23-24 *13 de março*
Gênesis 3.6-7 *19 de setembro*
Gênesis 3.11-13 *23 de junho*
Gênesis 24.51-53 *15 de maio*
Êxodo 18.17-18,21,24 *29 de junho*
Êxodo 20.12 *1º de setembro*
Êxodo 35.29 *25 de outubro*
Deuteronômio 11.18-19 *5 de novembro*
Deuteronômio 24.5 *14 de janeiro*
Deuteronômio 26.18 *3 de novembro*
Josué 24.14 *2 de maio*
Josué 24.15 *23 de março*
Rute 1.16-17 *5 de abril*
1Samuel 15.19-20 *2 de março*
2Samuel 6.12, 14 *28 de fevereiro*
1Reis 19.4 *31 de julho*
1Reis 21.4 *31 de maio*
2Reis 5.11 *19 de junho*
2Crônicas 7.14 *10 de junho, 9 de setembro*
Neemias 4.6 *13 de janeiro*
Jó 12.11 *8 de novembro*
Jó 13.17 *17 de abril, 18 de julho*
Jó 31.35 *6 de agosto*
Salmos 1.1-3 *31 de agosto*
Salmos 7.10-11 *19 de dezembro*
Salmos 10.17 *10 de outubro*
Salmos 17.3 *28 de setembro*
Salmos 19.8 *12 de abril*
Salmos 19.13-14 *11 de julho*
Salmos 19.14 *27 de novembro, 8 de dezembro*
Salmos 27.4 *12 de março*
Salmos 27.8 *15 de fevereiro*
Salmos 27.10-11 *1º de junho*
Salmos 32.1 *16 de agosto*
Salmos 32.3,5 *7 de novembro*
Salmos 33.20-22 *4 de abril*
Salmos 34.11 *4 de fevereiro*
Salmos 34.18 *6 de fevereiro, 31 de outubro*
Salmos 36.7 *19 de março*
Salmos 37.8 *7 de março, 21 de dezembro*
Salmos 38.6 *16 de fevereiro*
Salmos 38.18 *22 de junho*
Salmos 41.4 *19 de outubro*
Salmos 42.1-2 *2 de julho*
Salmos 42.5-6 *8 de fevereiro, 30 de julho*
Salmos 51.1, 10 *11 de outubro*
Salmos 51.1-2 *10 de fevereiro*
Salmos 51.4, 7 *14 de agosto*
Salmos 56.3-4 *18 de janeiro*
Salmos 63.1-2 *12 de setembro*
Salmos 74.16-17 *31 de março*
Salmos 89.14 *28 de outubro*
Salmos 90.12 *7 de agosto*
Salmos 95.6-7 *16 de outubro*
Salmos 100.1-2 *3 de fevereiro*
Salmos 103.6-7 *4 de janeiro*
Salmos 103.11-12 *5 de dezembro*
Salmos 103.12 *17 de outubro*
Salmos 103.13 *4 de novembro*
Salmos 127.3 *26 de agosto*
Salmos 139.1-2 *3 de julho*
Salmos 139.1-2,6 *7 de janeiro*
Salmos 139.13-14 *12 de novembro*
Salmos 139.14 *15 de julho*
Salmos 139.23-24 *4 de agosto*
Salmos 147.3 *7 de fevereiro*
Provérbios 3.5-6 *17 de maio*
Provérbios 4.25-27 *13 de maio*
Provérbios 10.20-21 *17 de março*
Provérbios 10.32 *21 de junho*
Provérbios 11.14 *25 de maio*

Provérbios 12.14-15 *8 de abril, 30 de setembro*
Provérbios 12.15 *23 de janeiro*
Provérbios 12.18 *29 de janeiro*
Provérbios 12.25 *7 de outubro*
Provérbios 13.12 *6 de janeiro*
Provérbios 14.9 *19 de agosto*
Provérbios 14.13 *12 de julho, 18 de agosto*
Provérbios 15.1 *18 de março, 16 de abril, 27 de abril, 4 de outubro*
Provérbios 15.13, 15 *27 de janeiro*
Provérbios 15.23 *4 de maio*
Provérbios 15.31-32 *14 de julho*
Provérbios 17.1 *13 de julho*
Provérbios 17.14 *30 de janeiro*
Provérbios 18.2 *4 de setembro*
Provérbios 18.13 *5 de setembro*
Provérbios 18.15 *16 de março, 5 de maio, 29 de setembro*
Provérbios 18.20-21 *28 de abril, 25 de junho*
Provérbios 18.22 *29 de novembro*
Provérbios 19.20 *11 de novembro*
Provérbios 20.3 *26 de novembro*
Provérbios 20.7 *12 de outubro*
Provérbios 20.27 *28 de agosto*
Provérbios 21.5 *9 de maio*
Provérbios 22.3 *23 de fevereiro, 11 de maio*
Provérbios 22.9 *24 de fevereiro*
Provérbios 23.22 *3 de setembro*
Provérbios 23.24 *16 de junho*
Provérbios 23.29-30,32 *1º de dezembro*
Provérbios 25.11 *26 de janeiro*
Provérbios 25.14 *27 de outubro*
Provérbios 25.28 *2 de agosto*
Provérbios 27.5-6 *25 de agosto*
Provérbios 27.9 *1º de abril*
Provérbios 27.17 *19 de abril*
Provérbios 28.13 *11 de janeiro*
Provérbios 29.11 *4 de dezembro*
Provérbios 29.22 *8 de março*
Provérbios 31.10-12,26 *21 de julho*
Eclesiastes 3.1,4 *5 de janeiro*
Eclesiastes 3.1,4-5 *6 de março*

Eclesiastes 4.9-10 *12 de janeiro, 4 de julho, 23 de outubro*
Eclesiastes 4.11-12 *5 de julho*
Eclesiastes 5.10-11 *20 de fevereiro*
Eclesiastes 9.9 *15 de abril, 7 de julho, 14 de setembro*
Cântico dos Cânticos 1.2 *4 de março, 10 de setembro, 17 de novembro*
Cântico dos Cânticos 2.6 *5 de março*
Cântico dos Cânticos 2.14 *29 de julho*
Cântico dos Cânticos 4.10 *15 de janeiro*
Cântico dos Cânticos 4.10,12 *5 de junho*
Isaías 26.9 *17 de fevereiro*
Isaías 55.6-7 *24 de julho*
Jeremias 29.11 *14 de outubro*
Jeremias 29.13-14 *19 de julho*
Jeremias 31.3 *22 de novembro*
Jeremias 32.38-39 *21 de março*
Lamentações 3.21-23 *21 de outubro*
Ezequiel 9.9 *25 de abril*
Ezequiel 18.30-31 *10 de janeiro*
Oseias 2.23 *7 de abril*
Jonas 4.4 *3 de outubro*
Malaquias 2.15 *11 de junho*
Mateus 2.10-11 *16 de maio*
Mateus 3.1-2,8 *9 de janeiro*
Mateus 5.9 *26 de fevereiro*
Mateus 5.23-24 *8 de setembro*
Mateus 5.43-45 *13 de junho*
Mateus 6.11-13 *15 de agosto*
Mateus 6.33 *10 de maio*
Mateus 7.1-3,5 *30 de outubro*
Mateus 7.3,5 *8 de janeiro*
Mateus 7.3-5 *24 de abril*
Mateus 11.28-30 *23 de maio*
Mateus 13.12 *20 de julho*
Mateus 16.26 *6 de julho*
Mateus 18.15 *9 de março, 30 de junho*
Mateus 18.20 *23 de setembro*
Mateus 18.21-22 *20 de setembro*
Mateus 19.4-6 *2 de setembro*
Mateus 19.5-6 *25 de janeiro, 26 de março*
Mateus 19.6 *30 de novembro*

Mateus 20.26-28 *27 de julho, 16 de dezembro*
Mateus 25.19-21 *22 de fevereiro*
Mateus 25.21 *21 de novembro*
Marcos 3.5 *17 de janeiro*
Marcos 9.35 *29 de maio*
Marcos 10.44-45 *2 de fevereiro*
Marcos 12.29-31 *20 de janeiro, 15 de setembro*
Lucas 6.47-48 *6 de dezembro*
Lucas 8.18 *9 de novembro*
Lucas 15.20 *21 de maio*
Lucas 21.14 *29 de agosto*
João 8.31-32 *24 de maio*
João 8.32 *29 de outubro*
João 10.27-28 *6 de abril*
João 13.5, 14-15 *30 de maio*
João 13.12, 14-15 *6 de setembro*
João 13.34 *12 de junho, 1º de novembro*
João 13.34-35 *3 de janeiro*
João 15.12-13 *25 de março*
Atos 20.35 *26 de dezembro*
Romanos 1.12 *17 de julho*
Romanos 2.11 *10 de novembro*
Romanos 3.10-12 *9 de fevereiro*
Romanos 5.5 *28 de setembro*
Romanos 5.6-8 *7 de setembro*
Romanos 5.8 *6 de novembro*
Romanos 6.6-7 *3 de dezembro*
Romanos 8.1-2 *16 de janeiro, 10 de dezembro*
Romanos 8.28 *12 de agosto*
Romanos 12.2 *26 de maio, 11 de agosto*
Romanos 12.6 *25 de fevereiro*
Romanos 12.8-10 *9 de julho*
Romanos 12.10 *24 de janeiro, 1º de maio, 23 de julho, 13 de setembro*
Romanos 12.15 *11 de dezembro*
Romanos 14.12-13 *20 de junho*
Romanos 15.5 *18 de maio*
Romanos 16.1-2 *9 de outubro*
1Coríntios 1.10 *21 de fevereiro, 8 de maio*
1Coríntios 3.6-9 *28 de maio*
1Coríntios 3.8-9 *1º de março*
1Coríntios 3.11 *7 de dezembro*
1Coríntios 3.16-17 *14 de março*
1Coríntios 7.3 *4 de junho*
1Coríntios 7.3-4 *19 de fevereiro*
1Coríntios 7.3-5 *11 de setembro, 18 de novembro*
1Coríntios 10.24 *28 de março*
1Coríntios 11.1 *30 de dezembro*
1Coríntios 12.12 *15 de março, 27 de junho, 23 de agosto*
1Coríntios 12.17-18 *6 de outubro*
1Coríntios 12.18-21 *28 de junho*
1Coríntios 13.4-5 *31 de janeiro*
1Coríntios 13.4-7 *24 de março, 24 de junho*
1Coríntios 13.5-6 *7 de maio*
1Coríntios 13.7 *13 de fevereiro, 13 de abril, 17 de setembro*
1Coríntios 13.13 *22 de dezembro*
1Coríntios 13.13—14.1 *1º de janeiro*
1Coríntios 14.1 *12 de fevereiro, 15 de junho*
2Coríntios 2.4 *26 de abril*
2Coríntios 5.17 *20 de maio*
2Coríntios 8.7 *26 de outubro*
2Coríntios 9.6 *2 de abril*
2Coríntios 13.11 *30 de abril*
Gálatas 5.13 *2 de novembro, 18 de dezembro*
Gálatas 5.22-23 *29 de dezembro*
Gálatas 6.1 *20 de dezembro*
Gálatas 6.2 *16 de julho*
Gálatas 6.4-5 *19 de maio*
Gálatas 6.5 *23 de abril*
Gálatas 6.9 *26 de setembro, 28 de dezembro*
Gálatas 6.10 *26 de julho*
Efésios 1.5,13 *27 de maio*
Efésios 1.7 *20 de março*
Efésios 1.16-17 *9 de junho*
Efésios 3.20 *9 de abril, 25 de julho*
Efésios 4.2 *22 de janeiro, 3 de março, 10 de julho, 27 de agosto*
Efésios 4.15 *9 de dezembro*
Efésios 4.23-24 *6 de junho, 13 de novembro*

Efésios 4.26-27 *19 de janeiro, 3 de abril, 5 de outubro*
Efésios 4.29 *29 de abril, 28 de julho, 28 de novembro*
Efésios 4.31 *22 de outubro, 25 de novembro*
Efésios 4.31-32 *11 de março, 27 de março, 18 de junho*
Efésios 4.32 *21 de janeiro*
Efésios 5.1-2 *1º de agosto, 15 de novembro*
Efésios 5.2 *11 de abril*
Efésios 5.15-16 *14 de maio, 8 de agosto*
Efésios 5.21-22, 25 *30 de março, 17 de dezembro*
Efésios 5.28 *14 de junho, 22 de julho*
Efésios 6.4 *20 de abril*
Filipenses 1.27 *24 de dezembro*
Filipenses 2.4 *24 de agosto*
Filipenses 2.5-8 *22 de maio*
Filipenses 3.13-14 *12 de maio, 14 de novembro, 25 de dezembro*
Filipenses 4.6-8 *7 de junho*
Filipenses 4.8 *28 de janeiro*
Colossenses 1.9 *22 de setembro*
Colossenses 1.11-12 *18 de fevereiro*
Colossenses 2.2 *1º de julho*
Colossenses 3.12-13 *30 de agosto*
Colossenses 3.13 *11 de fevereiro, 18 de abril*
Colossenses 3.14 *14 de abril, 2 de dezembro*
Colossenses 3.23 *24 de outubro*
Colossenses 3.23-24 *1º de fevereiro*
Colossenses 4.2 *24 de setembro*
Colossenses 4.6 *3 de maio, 13 de dezembro*
1Tessalonicenses 5.16-18 *8 de junho*
1Tessalonicenses 5.18 *15 de outubro*
2Tessalonicenses 3.5 *10 de agosto*
1Timóteo 1.19 *22 de abril*
1Timóteo 4.12 *2 de junho, 31 de dezembro*
1Timóteo 6.10 *19 de novembro*
1Timóteo 6.11-12 *20 de novembro*
Filemom 1.8-9 *2 de outubro*
Hebreus 3.13 *8 de outubro*
Hebreus 10.24 *22 de agosto, 27 de setembro*
Hebreus 11.1 *15 de dezembro*
Hebreus 12.10 *16 de setembro*
Hebreus 12.15 *24 de novembro*
Hebreus 13.4 *3 de junho*
Tiago 1.5 *13 de outubro*
Tiago 1.19 *6 de maio, 12 de dezembro*
Tiago 1.19-20 *10 de março*
Tiago 1.22,25 *20 de outubro*
Tiago 5.16 *21 de abril, 13 de agosto*
1Pedro 1.22 *18 de outubro*
1Pedro 2.17 *10 de abril, 8 de julho, 25 de setembro, 27 de dezembro*
1Pedro 3.7 *5 de agosto, 16 de novembro*
1Pedro 5.7 *17 de agosto*
1Pedro 2.19 *23 de novembro*
1João 1.8-9 *3 de agosto, 1º de outubro*
1João 3.1 *23 de dezembro*
1João 3.16 *5 de fevereiro*
1João 3.18 *26 de junho, 9 de agosto*
1João 4.9-11 *14 de fevereiro*
1João 4.11-12 *2 de janeiro*
1João 4.16 *20 de agosto*
1João 4.18 *21 de agosto*
2João 1.6 *14 de dezembro*
3João 1.4 *17 de junho, 21 de setembro*
3João 1.9-10 *17 de fevereiro*

Obras do mesmo autor:

- A essência das cinco linguagens do amor
- A criança digital
- A família que você sempre quis
- Acontece a cada primavera
- Ah, se eu soubesse!
- Amor & lucro
- Amor é um verbo
- As cinco linguagens da valorização pessoal no ambiente de trabalho
- As cinco linguagens do amor
- As cinco linguagens do amor das crianças
- As cinco linguagens do amor de Deus
- As cinco linguagens do amor dos adolescentes
- As cinco linguagens do amor para homens
- As cinco linguagens do amor para solteiros
- As cinco linguagens do perdão
- As quatro estações do casamento
- Brisa de verão
- Casados e ainda apaixonados
- Como lidar com a sogra
- Como mudar o que mais irrita no casamento
- Como reinventar o casamento quando os filhos nascem
- Comunicação e intimidade
- Do inverno à primavera
- Faça você mesmo
- Fazer amor
- Incertezas do outono
- Inesperada graça
- Lições de vida e linguagens do amor
- Não aguento meu emprego
- O casamento que você sempre quis
- O que não me contaram sobre casamento
- Promessas de Deus para abençoar seu casamento
- Visto. Conhecido. Amado.
- Zero a zero

Compartilhe suas impressões de leitura,
mencionando o título da obra, pelo e-mail
opiniao-do-leitor@mundocristao.com.br
ou por nossas redes sociais

Esta obra foi composta com tipografia Meta Serif Pro e Museo Sans
e impressa em papel Offset 70 g/m² na gráfica Eskenazi